D1056455

DU MÊME AUTEUR

Une brève histoire du tracteur en Ukraine
Alto, 2008 (J'ai lu, 2010)

Marina Lewycka

DEUX CARAVANES

alto

Catalogage avant publication de Bibliothèque et Archives nationales du Québec et Bibliothèque et Archives Canada

Lewycka, Marina, 1946-

Deux caravanes

Traduction de : Two caravans.

ISBN 978-2-923550-30-5

I. Porte, Sabine. II. Titre.

PR6112.E895T8614 2010 823'.92 C2010-940637-0

Les Éditions Alto remercient le Conseil des Arts du Canada pour son soutien financier.

Titre original : *Two Caravans*
Éditeur original : Fig Tree, Penguin Books Ltd, Londres

ISBN original : 978-0-670-91637-5

Conception graphique : Pascal Blanchet
Mise en pages : TypoLab

www.marinalewycka.com

ISBN : 978-2-923550-30-5

Aux pêcheurs de coques
de la baie de Morecambe

Mais pourtant je prierai toute la compagnie,
si je devise ici selon ma fantaisie,
que l'on ne prenne à cœur chose que je dirai,
pour ce que mon propos n'est que de plaisanter.

GEOFFREY CHAUCER,
prologue de « La femme de Bath »,
Les Contes de Canterbury
(traduction Jules Derocquigny).

Deux caravanes

Un champ – un vaste champ exposé au sud sur le flanc d'une longue colline qui plonge au creux d'une vallée luxuriante. Il est abrité par des haies touffues d'aubépine et de noisetiers entrelacés de rosiers sauvages et de chèvrefeuille des jardins. Le matin, une légère brise venue de la Manche souffle par-dessus le massif des Downs en apportant un soupçon de fraîcheur des embruns. L'air y est si délicieux que de là-haut on se croirait presque au paradis. Et dans le champ deux caravanes, une pour les hommes et une autre pour les femmes.

S'ils étaient dans le jardin d'Éden, il y aurait un pommier, se dit Yola. Mais ils sont dans le jardin d'Angleterre et le champ est couvert de fraises qui mûrissent. Et en guise de serpent, ils ont le Gros Chou.

Perchée sur le marchepied de la caravane des femmes, la petite mais pulpeuse Yola se vernit les ongles des pieds en rose fuchsia en regardant du coin de l'œil la Land Rover du Gros Chou franchir la barrière au bas du champ et la nouvelle venue s'extraire du siège passager. Franchement, quelle idée d'avoir envoyé cette espèce de pudding à deux zlotys quand de toute évidence c'est un autre homme qu'il leur faut – de préférence un homme mûr, mais avec des cheveux à lui, des jambes bien tournées et un tempérament calme –, qui non seulement pourra cueillir plus vite, mais apportera à leur petite communauté une harmonie sexuelle bienvenue, alors qu'il est clair que cette demoiselle va semer la pagaille et qu'au lieu de s'occuper de ce qu'ils ont à faire, autrement dit cueillir les fraises, les hommes vont passer leur temps à se disputer ses faveurs. Ça l'agace tellement qu'elle en oublie de se concentrer sur l'orteil du milieu qui finit par ressembler à un moignon charcuté à vif.

Sans compter le manque d'espace, rumine Yola en scrutant la nouvelle qui passe devant la caravane des hommes, puis traverse le champ. Bien qu'il y ait plus de femmes que d'hommes, elles ont hérité de la plus petite des deux caravanes – une de ces caravanes à quatre couchages qu'on remorque pour aller au bord de la Baltique. En tant que chef d'équipe, Yola a droit à des égards, et même si elle n'est pas très grande, elle a des proportions généreuses, il va donc de soi qu'elle a sa propre couchette. Sa nièce Marta a hérité de l'autre couchette. Les deux Chinoises – Yola n'a jamais saisi leurs noms – se partagent la grande banquette-lit qui occupe tout l'espace au sol une fois dépliée. C'est tout. Il n'y a pas de place pour qui que ce soit d'autre.

Elles se sont toutes les quatre efforcées de rendre leur caravane aussi gaie et accueillante que possible. Les Chinoises ont accroché des photos de bébés animaux et de David Beckham. Marta a mis une photo de la Vierge noire de Czestochowa. Yola, qui aime que ça sente bon, a mis des fleurs des champs dans un pot, des aubépines, des œillets des prés et du chèvrefeuille blanc.

La caravane est pleine de rangements astucieux qui lui donnent tout son charme : il y a des petits placards, des casiers en hauteur et des tiroirs ornés de ravissantes poignées décoratives pour tout dissimuler. Yola aime que ce soit bien rangé. Les quatre femmes ont appris à s'éviter dans cet espace exigu avec une délicatesse toute féminine, contrairement aux hommes, ces êtres déficients qui ont une fâcheuse tendance à être maladroit et s'étaler plus que nécessaire, bien que ce soit plus fort qu'eux, évidemment, et qu'ils aient également des bons côtés, mais ça, on en reparlera une autre fois.

La petite nouvelle – elle a filé directement dans la caravane et laissé tomber son sac au beau milieu de la paroisse. Elle vient de Kiev, explique-t-elle en regardant autour d'elle avec un sourire. Elle s'appelle Irina. Elle a l'air fatigué, débraillé et sent vaguement la frite. Où a-t-elle l'intention de mettre ce sac ? Où a-t-elle l'intention de dormir ? Qu'est-ce qui la fait sourire ? Yola aimerait bien le savoir.

~

« Irina, mon bébé, tu peux encore changer d'avis ! Rien ne t'oblige à partir ! »

Ma mère gémissait en se tamponnant les yeux avec un mouchoir en papier, provoquant une scène embarrassante à la gare routière de Kiev.

« S'il te plaît ! Je ne suis pas un bébé ! »

On s'attend à voir sa mère pleurer dans un moment pareil. Mais quand j'ai vu débarquer mon vieux papa tout buriné avec sa chemise froissée et ses cheveux argentés hérissés sur le crâne comme un porc-épic décrépit, OK, j'avoue que ça m'a secouée. Je ne m'attendais pas à ce qu'il vienne me dire au revoir.

« Irina, mon petit, fais attention.

– *Shcho ti,* pappa. Qu'est-ce qui te prend ? Tu crois que je ne vais pas revenir ?

– Fais attention, mon petit. » Sniff. Soupir.

« Je ne suis pas petite, pappa. J'ai dix-neuf ans. Tu crois que je ne suis pas capable de me débrouiller toute seule ?

– Ah, mon petit pigeon. » Sniff. Soupir. Puis ma mère a remis ça. Et sur ce – c'était plus fort que moi – je m'y suis mise, moi aussi, à renifler et à soupirer, jusqu'à ce que le chauffeur du car nous demande de nous dépêcher. Ma mère m'a fourré dans les mains un sac avec du pain, et du salami et un gâteau au pavot, et on est partis. Kiev-le Kent en quarante-deux heures.

OK, j'avoue que quarante-deux heures de car, ce n'est pas amusant. À Lviv, il n'y avait plus ni pain ni salami. En Pologne, j'ai remarqué que j'avais les chevilles qui commençaient à enfler. Quand on s'est arrêtés quelque part en Allemagne pour faire le plein, j'ai engouffré les dernières miettes du gâteau au pavot arrosées d'une gorgée d'eau métallique qui provenait d'un robinet marqué non potable. En Belgique, mes règles ont commencé, mais ce n'est qu'en voyant sur le siège une tache brunâtre de sang qui avait traversé mon jean que je m'en suis aperçue. En France, je ne sentais plus mes pieds. À bord du ferry pour Douvres, j'ai trouvé des toilettes et je me suis lavée. Quand je me suis regardée dans le miroir crasseux, j'ai à peine reconnu le visage tiré aux yeux sombres dont il me renvoyait l'image – était-ce bien moi cette fille sale et débraillée avec les cheveux en bataille et des poches sous les yeux ? J'ai marché un peu pour me dégourdir les jambes, et du pont j'ai regardé à l'aube les falaises blanches d'Angleterre se matérialiser peu à peu dans la lumière délavée. L'Angleterre, si belle et mystérieuse, le pays de mes rêves.

À Douvres, Vulk m'attendait à la descente du ferry, en brandissant un bout de carton avec mon nom dessus – Irina Blazkho. Écrit de travers – classique. C'était le type d'homme que ma mère qualifierait d'une culture limitée, vêtu comme un gangster de bande dessinée d'une horrible veste noire en simili cuir qui crissait à chaque pas – quel *koshmar* ! Il ne lui manquait plus que le revolver.

Il m'a accueillie avec un grognement : « Hrr, tu as passeport ? Papirs ? »

Il avait la voix grasse et caverneuse, et l'haleine qui empestait la cigarette et les dents cariées.

Cette espèce de gangster devrait se brosser les dents. J'ai fouillé dans mon sac et avant que j'aie eu le temps de réagir, il s'est emparé de mon passeport et de mes papiers de travailleuse agricole saisonnière et les a fourrés dans la poche de poitrine de sa veste de *koshmar*.

« Je garder pour toi. Beaucoup les méchants en Angleterre. Peut voler toi. »

Il a tapoté sa poche avec un clin d'œil. J'ai tout de suite vu qu'il était inutile de discuter avec ce genre d'individu, et j'ai mis mon sac à l'épaule, puis je l'ai suivi dans le parking jusqu'à un énorme véhicule noir rutilant qui avait l'air d'un croisement entre un char et un Zill, muni de vitres fumées et de barres en chrome devant – un vrai tank de la mafia. Ces voitures de luxe sont populaires auprès des individus primaires et des indésirables. En fait, il ressemblait à sa voiture – trop gros, bâti comme un char, avec une dent en argent qui brillait devant, une veste noire luisante et une maigre queue-de-cheval qui lui pendait dans le dos comme un pot d'échappement. Très drôle.

Il m'a attrapée par le coude, ce qui n'était pas nécessaire – qu'est-ce qu'il croyait, cet imbécile, que j'allais m'échapper ? –, et m'a poussée sur la banquette arrière, ce qui n'était pas non plus nécessaire. À l'intérieur, le tank empestait encore plus le tabac. J'ai attendu en silence en regardant nonchalamment par la vitre pendant qu'il me scrutait avec grossièreté dans le rétroviseur. Qu'est-ce qu'il avait à me fixer comme ça ? Puis il a allumé un de ces gros cigares qui empestent – mamma appelle ça les cigarettes des nouveaux Russes, quelle infection ! – et s'est mis à tirer dessus. Pfff... Berk.

Je ne prêtais pas attention au paysage qui défilait derrière les vitres fumées – j'étais trop fatiguée –, mais mon corps enregistrait tous les virages, le moindre cahot, le moindre à-coup à chaque fois qu'il freinait ou prenait un tournant. Cette espèce de gangster avait besoin de leçons de conduite.

Il avait un paquet de frites posé à côté de lui sur le siège passager dans lequel il plongeait régulièrement la main pour en enfourner une poignée dans sa bouche. Scrotch. Shrmmf. Scrounch. Scrotch. Shrmmf. Pas franchement raffiné. Cela dit, les frites sentaient extraordinairement bon. Entre l'odeur du cigare, les embardées à chaque fois qu'il se goinfrait d'une main en conduisant de l'autre et la douleur lancinante de mes règles, j'avais à la fois faim et mal au cœur. La faim a fini par l'emporter. Je me demandais quelle langue parlait ce gangster. Biélorusse ? Il était trop brun pour un Biélorusse. Ukrainien ? Il n'avait pas l'air ukrainien. Plus à l'est peut-être ? Tchétchénie ? Géorgie ? Ça ressemble à quoi, les Géorgiens ? Balkans ? Essayant de deviner, je lui ai demandé en russe : « S'il vous plaît, Mister Vulk, est-ce que je peux avoir à manger ? »

Il a levé les yeux. Nos regards se sont croisés dans le rétroviseur. Il avait des vrais yeux de gangster – de petites baies noires empoisonnées sous des sourcils en bataille aussi touffus qu'une haie mal taillée. Il me scrutait de son air agressif, de haut en bas.

« Petite fleurrr vouloir manger ? » Il comprenait sans doute le russe, mais il m'a répondu en anglais. Il devait venir d'un de ces pays de l'ancienne Union soviétique indépendants depuis peu, où tout le monde sait parler russe mais personne ne le fait. Alors, comme ça, il voulait parler anglais ? Qu'à cela ne tienne.

« En effet, Mister Vulk. Si vous voulez bien avoir cette obligeance, je mangerais volontiers quelque chose si cela ne vous dérange pas.

– Pas problema, petite fleurrr ! »

Il a pris une autre poignée de frites – scrotch, shrmmf, scrounch –, puis il a broyé le reste dans le papier gras et me l'a passé par-dessus le dossier. En me penchant pour les attraper, j'ai aperçu autre chose niché sur le siège, à l'endroit où étaient posées les frites. Un petit objet noir menaçant. *Shcho to !* C'était un vrai revolver ?

Mon cœur s'est mis à battre à tout rompre. Pourquoi avait-il besoin d'un revolver ? *Mamma, pappa, au secours !* Bon, on fait semblant de ne rien avoir remarqué. Il n'est peut-être pas chargé. Ce n'est peut-être qu'un allume-cigare. J'ai donc déplié le papier froissé – on aurait dit un petit nid douillet couvert de graisse. Les frites étaient grasses, moelleuses et encore tièdes. Il n'en restait à peu près que six et quelques bouts. Elles étaient légèrement salées, avec une pointe de vinaigre, et elles étaient – mmm ! – incroyablement délicieuses. Le gras me collait aux lèvres et se figeait sur mes doigts, et il fallait bien que je le lèche, ce que j'ai fait aussi discrètement que possible.

« Merci, ai-je dit, car la grossièreté est un signe de culture limitée.

– Pas problema. Pas problema. » Il a brandi le poing comme pour me prouver sa générosité. « Nourriture pour manger transit. Tout ajouter à ton frais subsistance. »

Des frais de subsistance ? J'avais mon compte de surprises désagréables. Je l'ai observé de dos, la veste aux coutures prêtes à craquer, la queue-de-cheval mal peignée, le gros cou jaunâtre, les pellicules qui couvraient le col en simili cuir. Je recommençais à avoir la nausée.

« Comment ça, des frais ?

– Le frais. Le frais. Nourriture. Transport. Logement. » Il a lâché le volant en agitant les deux mains en l'air. « Vie de Ouest trop beaucoup chère, petite fleurrr. Qui tu crois va payer tout le luxe ? »

Il avait beau parler un anglais épouvantable, il débitait son discours comme s'il l'avait préparé. « Tu crois tout fournir gratis ? »

Ma mère avait donc raison. « Cette agence est dirigée par des escrocs. N'importe qui peut le voir. Sauf toi, Irina. » (Vous avez vu cette manie énervante qu'a ma mère de me rabaisser ?) « Et si tu leur mens, Irina, si tu te fais passer pour une étudiante en agriculture alors que ce n'est pas le cas, qui t'aidera si ça tourne mal ? »

Sur ce, elle s'était lancée avec son hystérie habituelle dans un laïus interminable sur tous les risques que couraient les Ukrainiennes qui partent à l'Ouest – tous les ragots et les rumeurs qui circulent dans les journaux.

« Mais tout le monde sait que ça n'arrive qu'aux filles stupides et ignorantes, mamma. Ça ne m'arrivera pas, à moi. »

« Si vous voulez bien me dire quels sont ces frais, j'essaierai de les réduire au maximum. »

Je parlais d'un ton poli et civilisé. La dent chromée a étincelé.

« Petite fleurrr, le frais premier payer, et après toi payer. Pas discussion. Pas problema.

– Et vous me rendrez mon passeport ?

– Exact. Toi travailler, toi avoir passeport. Toi pas travailler, toi pas passeport. Quelqu'un voir ta mamma à Kiev, dire Irina pas bon travail, faire gros problème pour elle.

– J'ai entendu dire qu'en Angleterre…

– Angleterre être changée, petite fleurrr. Maintenant, Angleterre être pays de possibilité. Angleterre pas comme dans livre école. »

J'ai repensé au fringant Mr Brown de *Let's Talk English* – si seulement il était là !

« Vous avez une excellente maîtrise de l'anglais. Et également du russe, peut-être ?

– Anglais. Russe. Serbo-croate. Allemand. Tous langues. »

Il se considère comme un linguiste. Très bien, faisons-le parler.

« Vous n'êtes pas natif de ces rives, Mister Vulk ?

– Tu croire tout que tu vouloir, petite fleurrr. » Il m'a glissé un clin d'œil salace dans le rétroviseur, assorti d'un éclat de dent en argent. Puis il s'est mis à secouer la tête comme pour se débarrasser de ses pellicules.

« Ça, tu aimer ? Femme être séduite ? »

J'ai mis un moment à comprendre qu'il parlait de sa queue-de-cheval. Était-ce sa manière de flirter ? Question séduction, je lui donnais zéro. Pour un individu de culture limitée, il n'était certes pas dépourvu de prétention. Dommage que ma mère ne soit pas là pour le remettre à sa place.

« C'est absolument irrésistible, Mister Vulk.

– Tu aimer ? Hein, petite fleurrr ? Tu vouloir toucher ? »

La queue-de-cheval sautillait. Je retenais mon souffle.

« Allez. Hrr. Tu pouvoir toucher lui. Allez », a-t-il insisté en dégoulinant d'un enthousiasme visqueux.

J'ai tendu ma main encore grasse qui sentait la frite.

« Allez. Être plaisir pour toi. »

Je l'ai touchée. On aurait dit une queue de rat. Puis il a remué la tête et elle s'est tortillée entre mes doigts comme un vrai rat.

« On dire femme pas résister une cheveu comme ça, rappelle elle organe de homme. »

Mais de quoi parlait-il cette fois ?

« Organe ? »

Il a fait un geste grossier des doigts.

« Pas peur, petite fleurrr. Ça rappeler toi petit ami. Hein ?

– Non, Mister Vulk, parce que je n'ai pas de petit ami. »

J'ai tout de suite compris que je n'aurais pas dû dire ça, mais c'était trop tard. Les mots m'avaient échappé et je ne pouvais pas les retirer.

« Pas petit ami ? Comment ce petite fleurrr pas petit ami ? »

Sa voix était aussi poisseuse que du gras de frite tiède. « Hrr. Peut-être alors bon possibilité pour moi ? »

Quelle erreur stupide ! Il te tient maintenant. Tu es coincée.

« Peut-être un jour on peut bon possibiliser, hein ? » Son haleine sentait le cigare et les dents cariées. « Petite fleurrr ? »

À travers la vitre fumée je voyais défiler un paysage de forêts éclaboussées de soleil. Si seulement j'avais pu me jeter par la portière de la voiture, rouler au bas du talus d'herbe et m'enfuir en courant au milieu des arbres ! Mais on allait trop vite. J'ai fermé les yeux en faisant semblant de dormir.

On a continué à rouler en silence pendant une vingtaine de minutes. Vulk a rallumé un cigare. Entre mes paupières mi-closes, je le regardais tirer des bouffées, courbé sur le volant. Pff. Berk. Pff. Berk. Est-ce que c'était encore loin ? Puis il y a eu un crissement de gravier sous les roues et le tank s'est arrêté sur un dernier violent soubresaut. J'ai ouvert les yeux. On s'était garés devant une jolie ferme au toit pentu dressée au fond d'un jardin d'été occupé par des tables et des chaises, qui descendait vers une rivière limpide peu profonde. L'image parfaite de l'Angleterre.

Je vais enfin trouver des gens normaux, me suis-je dit ; ils me parleront en anglais ; ils m'offriront du thé.

Mais ça n'a pas été le cas. Au lieu de ça, un monsieur rondouillard au visage rougeaud en vêtements sales et bottes de caoutchouc est sorti de la maison – le fermier, sans doute – et m'a aidée à descendre du véhicule de Vulk en maugréant quelque chose d'incompréhensible qui n'avait cependant rien d'une invitation à prendre un thé. Il m'a examinée des pieds à la tête avec la même grossièreté, comme un cheval qu'il venait d'acheter. Vulk et lui se sont mis à chuchoter à toute vitesse sans que je puisse suivre ce qu'ils se disaient, puis ils ont échangé des enveloppes.

« Bye-bye, petite fleurrr (avec son sourire de gras de frite). On se revoir un jour. Peut-être on possibiliser ?

– Peut-être. »

Je savais que je n'aurais pas dû dire ça, mais je voulais m'en dépêtrer au plus vite.

Le fermier a fourré mon sac dans sa Land Rover, avant de m'y pousser en me tâtant le derrière au passage, ce qui n'était franchement pas nécessaire. Il lui suffisait de me demander et j'y serais montée toute seule.

« Je vous emmène directement au champ, m'a-t-il dit tandis que nous cahotions sur des petites routes sinueuses. Vous pourrez commencer la cueillette cet après-midi. »

Au bout de quelques kilomètres, la Land Rover a franchi la barrière et j'ai été envahie par le soulagement en posant enfin le pied sur la terre ferme. La première chose que j'ai remarquée, c'est la lumière – l'éblouissante lumière saline dansant sur le champ ensoleillé, les fraises qui mûrissaient, la petite caravane ronde perchée au sommet de la colline et l'autre en forme de boîte oblongue dans le coin, la forêt derrière et la longue courbe de l'horizon, et j'ai souri intérieurement. Ainsi donc, c'est l'Angleterre.

~

La caravane des hommes est en fait une vieille maison mobile délabrée en fibre de verre garée au bas du champ près de la barrière, juste à côté d'un nouveau préfabriqué où chaque jour les fraises sont mises en cageots et pesées. Les toilettes et la douche ont été casées dans un coin du préfabriqué – mais la douche ne fonctionne pas et les toilettes sont fermées la nuit. Pourquoi sont-elles fermées ? se demande Andriy. Qu'est-ce que ça peut bien leur faire qu'on utilise les toilettes la nuit ?

Il s'est réveillé de bonne heure, la vessie pleine, en proie à un vague sentiment d'insatisfaction à l'égard de lui-même, des autres occupants de la caravane et de la vie en caravane d'une manière générale. Pourquoi, par exemple, la caravane des hommes, bien qu'elle soit plus grande, donne l'impression qu'on y est plus à l'étroit ? Elle a deux pièces – une chambre et un salon –, mais Tomasz occupe tout seul le grand lit de la chambre, alors que les trois autres se partagent le salon. Comment ça se fait ? Andriy a récupéré une des banquettes-lits et Vitaly l'autre. Emanuel s'est fabriqué un hamac avec un vieux drap et de la ficelle agricole bleue adroitement torsadée et nouée qu'il a suspendue en travers du salon – il est couché là les yeux fermés, respirant profondément, un sourire angélique sur son visage noir tout rond.

Andriy revoit encore la tête de surprise horrifiée d'Emanuel quand le fermier lui a suggéré de partager le grand lit avec Tomasz.

« Monsieur, nous avons un proverbe chichewa : une narine est trop petite pour deux doigts. »

Par la suite, il a pris Andriy à part et lui a chuchoté : « Dans mon pays l'homosexualisation est interdite.

– Est OK, pas homosexe, juste odeur puante. »

Car ils doivent également supporter les baskets de Tomasz – leur puanteur envahit la caravane. Le pire, c'est la nuit, quand il les a ôtées et rangées sous son lit. Les vapeurs montent, nocives, tenaces, et se dispersent comme des cauchemars par le rideau qui sépare la chambre du salon, flottant sous le plafond comme un esprit du mal. Parfois, la nuit, Emanuel se glisse en silence au bas de son hamac pour aller mettre les baskets dehors sur le marchepied.

Autre chose : comment se fait-il qu'il n'y ait pas de photos sur les parois de la caravane des hommes ? Vitaly a sous son lit un poster de Jordan, la bimbo de la téléréalité, et dit qu'il le mettra quand il trouvera de quoi le fixer. Il a également des jumelles et une réserve secrète de canettes de bière. Tomasz, lui, conserve une guitare et une culotte de Yola sous son lit. Quant à Emanuel, il cache un sac plein de papiers froissés.

Mais le pire, c'est qu'avec la pente et la position de la caravane on ne voit celle des femmes que de la fenêtre qui se trouve au-dessus du lit de Tomasz. Doit-il demander à Tomasz de se pousser pour qu'il puisse vérifier si la fille est encore là ? Non. Il ne ferait que s'attirer des commentaires stupides.

~

Dans leur caravane, les femmes sont debout depuis l'aube. Yola sait par expérience qu'il vaut mieux se lever tôt si elles ne veulent pas que le Gros Chou frappe à la porte, puis s'invite à entrer pendant qu'elles s'habillent et traîne là à les observer avec des yeux de chien affamé – il n'a donc rien de mieux à faire ?

Irina et les Chinoises doivent se lever en premier et replier le grand lit pour que les autres puissent bouger. Pour pouvoir utiliser les toilettes et la douche, il leur faut attendre que le Gros Chou vienne leur apporter la clé du préfabriqué – qu'est-ce qu'il s'imagine ? qu'elles iraient dérouler le papier toilette la nuit ? –, mais il y a une brèche pratique dans la haie à quelques mètres à peine, quoique, Yola se demande bien pourquoi à chaque fois qu'une des femmes va faire un saut derrière la haie, il y a toujours des têtes hilares qui pointent à la fenêtre de l'autre caravane – franchement, ils n'ont rien de mieux à faire là-bas ?

Il y a un robinet d'eau froide et une cuvette à côté de la caravane, et même une douche faite avec un seau percé de trous, alimentée par un baril à huile peint en noir coincé dans un arbre. Le soir, quand il a chauffé toute la journée au soleil, l'eau est à une température agréable. Le jeune et bel Andriy, qui est très galant bien qu'ukrainien, l'a entourée d'un écran de branches de bouleau et de sacs plastique, en dépit des protestations de Vitaly et de Tomasz qui râlaient d'être privés d'une distraction innocente – franchement, ces deux-là sont pires que des gamins de maternelle, ce qui leur manque, c'est une bonne fessée –, et comme, du coup, ils ne peuvent plus voir la douche, ils passent leur temps à faire des commentaires sur ce que les femmes ont suspendu sur leur corde à linge. Récemment, une de ses culottes a disparu dans des circonstances mystérieuses. Yola ne comprend pas que des hommes adultes puissent être aussi stupides. Enfin si, elle comprend très bien.

~

C'est Tomasz qui a volé la culotte la semaine dernière, durant la nuit, dans un instant d'ivresse insouciante. C'est une culotte de coton blanc généreusement coupée et ornée d'un joli ruban mauve sur le devant. Depuis, il guette le bon moment pour la rendre discrètement sans se faire prendre – il ne tient pas à passer pour le genre de type qui vole des sous-vêtements féminins sur la corde à linge et les cache sous son lit.

« Je vois que Yola a encore lavé ses dessous aujourd'hui, dit-il en polonais d'un ton morose en espionnant aux jumelles par la fenêtre qui se trouve au-dessus de son lit. Je me demande bien ce que ça veut dire. »

La culotte blanche se balance en l'air avec provocation. Quand elle l'a recruté dans son équipe de cueilleurs de fraises, Yola avait une lueur pétillante dans le regard, comme si elle l'invitait à… disons autre chose que cueillir les fraises.

« Comment ça, ce que ça veut dire ? demande Vitaly en russe, en imitant l'accent polonais de Tomasz. La plupart du temps, ce que font les femmes n'a aucun sens. »

Vitaly reste vague sur ses origines et Tomasz ne lui a jamais posé de questions, supposant qu'il est plus ou moins clandestin ou gitan. Il est impressionné malgré lui par l'aisance avec laquelle Vitaly passe du russe au polonais ou à l'ukrainien. Il parle même un anglais convenable. Mais à quoi bon toutes ces langues si on n'a pas un grain de poésie ?

« Dans la poésie des sous-vêtements féminins, il y a toujours du sens. Comme les fleurs qui tombent de l'arbre quand vient la chaleur de l'été… Comme des nuages qui s'estompent… »

Une chanson lui vient.

« Ça suffit, dit Vitaly. Les Angliski te traiteraient de vieux dégoûtant.

– Je ne suis pas vieux », proteste Tomasz.

En fait, il vient d'avoir quarante-cinq ans. En se regardant dans la glace le jour de son anniversaire, il a trouvé deux nouveaux cheveux blancs, qu'il s'est empressé d'arracher. Pas étonnant que ses cheveux commencent à se clairsemer. Bientôt il devra se résoudre à grisonner, se couper les cheveux court, ranger sa guitare, troquer ses rêves contre des compromis et se soucier de sa retraite. Qu'est-il advenu de sa vie ? Elle s'écoule comme du sable dans un sablier, comme une montagne érodée par la mer.

« Dis-moi, Vitaly, comment ça se fait que la vie t'ait déjà transformé en cynique à ton âge ? »

Vitaly hausse les épaules. « Peut-être que je n'étais pas destiné à devenir un loser comme toi, Tomek.

– Qui sait ? Tu as encore le temps. »

Comment peut-il expliquer à ce jeune homme impatient ce qu'il a mis quarante-cinq ans à comprendre – que la perte est une part essentielle de la condition humaine ? Qu'à mesure que nous avançons en solitaires sur cette longue route sans connaître notre destination, nous abandonnons toujours quelque chose derrière nous. Toute la matinée, il a essayé de composer une chanson là-dessus.

Posant ses jumelles, il prend sa guitare et se met à gratter, tapant du pied en cadence.

Il était une fois un homme qui parcourait le monde.
Cherchait-il la richesse, la gloire ou le pouvoir ?
Cherchait-il le sens, la vérité ou…

C'est là qu'il sèche. Qu'est-ce que ce pauvre malheureux peut bien chercher d'autre ?

Vitaly lui jette un regard compatissant.

« Manifestement, il cherche à tirer un coup. »

Il prend les jumelles, fait le point en tournant la molette et pousse un petit sifflement entre ses dents.

« Hé, le black, lance-t-il à Emanuel en anglais, viens voir ! Regarde, ça ressemble au petit slip de Jordan sur mon poster. À moins… (Il ajuste de nouveau les jumelles.) À moins que ce soit un de ces filets qui servent à emballer le salami. »

Assis à la table, Emanuel rédige une lettre en mâchant son crayon en quête d'inspiration.

« Laisse-le, laisse-le, dit Tomasz. Emanuel n'est pas comme toi. C'est… »

En quête de la bonne formule, il gratte quelques accords sur sa guitare. « Dans cette boîte en fibre de verre, il cherche une pierre précieuse.

– Un autre loser », ricane Vitaly.

~

Chère Sœur

Merci pour l'argent que tu as envoyé car avec son aide j'ai voyagé de Zomba à Lilongwe et ainsi de suite via Nairobi jusque dans l'Angleterre. J'espère que ces mots te recevront parce que quand je suis venu à l'adresse que tu as donnée à Londres il y avait un nom différent à la porte et personne ne connaissait ton emplacement. Comme j'étais dans le besoin d'argent j'en suis venu à la cueillette de fraises et j'habite dans une caravane avec trois mzungus dans le Kent. Je lutte de toutes mes forces pour améliorer mon anglais mais cette langue anglaise est comme un serpent glissant plein d'anneaux et j'essaie toujours de me rappeler les leçons de sœur Benedicta et sa rude canne de châtiment. Alors j'écris dans l'espoir que tu viendras là et que tu trouveras ces lettres et que tu déchaîneras tes corrections sur elles chère sœur. Et je t'informerai régulièrement de mes aventures dans ce pays frappé par la pluie.

De ton frère bien-aimant Emanuel !

~

La caravane des femmes est déjà au soleil, mais celui-ci n'a pas encore atteint le bas du champ, où Andriy essaie d'allumer le réchaud pour se faire du thé dans la cuisine de la caravane des hommes. Il est agacé par les blagues grossières qui fusent de la chambre et ne veut pas que les trois autres remarquent l'agitation qui s'est emparée de lui depuis la veille. Il gratte une nouvelle allumette qui s'embrase et lui brûle les doigts avant même que la flamme du gaz ne prenne. Par le cul du diable ! Cette fille, la petite nouvelle ukrainienne – ne lui a-t-elle pas souri d'une drôle de manière quand leurs regards se sont croisés ?

Il se repasse la scène comme un film. C'était hier, à peu près à la même heure. Le fermier Leapish arrive comme d'habitude au volant de sa Land Rover avec le petit déjeuner, les plateaux de barquettes vides pour les fraises et les clés du préfabriqué. Puis quelqu'un descend du côté passager de la Land Rover, une jolie brune avec une longue natte dans le dos et des yeux marron pétillants. Et ce sourire. Elle entre dans le champ en regardant autour d'elle. Il est là, près de la barrière, et elle se tourne vers lui, puis lui sourit. Mais lui est-il adressé, ce sourire ? Il aimerait bien le savoir.

Il a insisté pour s'asseoir à côté d'elle au dîner.

« Bonsoir. Ukrainka ?

– Évidemment.

– Moi aussi.

– C'est ce que je vois.

– Comment t'appelles-tu ?

– Irina. »

Il a attendu qu'elle lui demande « Et toi ? », mais elle ne lui a rien demandé.

« Andriy. »

Il a attendu qu'elle dise quelque chose, mais elle n'a rien dit.

« Tu es de Kiev ?

– Évidemment.

– Donetsk.

– Ah, Donetsk. Les mineurs. »

Aurait-il décelé une pointe de condescendance dans sa voix ?

« Tu es déjà allée à Donetsk ?

– Jamais.

– Je suis allé à Kiev.

– Ah oui ?

– En décembre. Au moment des manifestations.

– Tu es venu pour les manifestations ? » Un incontestable soupçon de condescendance.

« Je suis venu manifester contre les manifestations.

– Ah. Évidemment.

– Je t'ai peut-être vue là-bas. Tu y étais ?

– Évidemment. Place Maidan.

– Dans la manifestation ?

– Évidemment. C'était notre Révolution orange pour la liberté.

– J'étais dans l'autre camp. Bleu et blanc.

– Le camp des perdants. »

Elle a de nouveau souri. Un éclat de dents blanches, rien de plus. Il essaie de se remémorer son visage, mais il reste flou. Non, il n'y avait pas que les dents ; il y avait aussi un léger pli autour du nez et des yeux, un petit haussement de sourcils et deux fossettes exaspérantes qui clignaient sous les joues. Ces fossettes – il est obsédé par ces fossettes. Était-ce un simple sourire ou avait-il une signification ? Et s'il a une signification, est-ce à dire que j'ai toutes mes chances ? Des chances d'une relation entre homme et femme ? Faut-il aller plus loin ou la jouer cool ? Une fille comme ça – elle a bien trop l'habitude que les hommes lui courent après. Attendons qu'elle abatte une carte la première. Et si elle était timide – et si elle avait besoin d'un petit coup de pouce pour l'abattre, cette carte ? L'homme doit parfois passer à l'action pour que s'ouvre une possibilité.

Mais ce n'est peut-être ni l'heure ni l'endroit pour tomber amoureux d'une autre Ukrainienne, Andriy Palenko. Et cette *Angliska rosa* que tu es venu chercher en Angleterre, cette jolie blonde aux yeux bleus qui t'attend, même si elle ne le sait pas encore, avec tous ses attributs haut de gamme : un teint de smetana, des seins angliski aux tétons roses, une toison dorée sous les aisselles aussi douce que du duvet de caneton, etc. Et un pappa riche, qui tout d'abord ne verra peut-être pas d'un bon œil le choix de sa fille, car il préférerait qu'elle épouse un banquier en chapeau melon comme Mr Brown – n'est-ce pas le cas de tous les pères ? –, mais qui finira par s'amadouer quand il te connaîtra mieux et t'accueillera à bras ouverts dans sa luxueuse demeure avec salle de bains attenante. Il offrira certainement un joli poste à son gendre ukrainien. Peut-être même une jolie voiture… Mercedes. Porsche. Ferrari. Etc.

Certes, la nouvelle Ukrainienne a des attributs intéressants, un joli visage, un joli sourire, de jolies fossettes, de jolies rondeurs, de quoi remplir la main d'un honnête homme, pas trop maigre, comme ces filles élégantes de la ville qui s'affament jusqu'à ressembler à des allumettes type occidental. Mais c'est encore une Ukrainienne – comme il y en a plein d'où tu viens. Sans compter qu'elle est un peu snob. Elle se croit mieux que toi. Elle se prend pour quelqu'un de très cultivé, un esprit supérieur, et toi pour un garçon du type peu cultivé. (Et même si c'était vrai ? Qu'est-ce que ça a de honteux ?) Ça se voit à sa façon de parler, d'être avare de ses mots, comme si elle comptait de l'argent. Et cette tresse ridicule à la Julia Timochenko, cette mégère tout droit sortie d'une caricature de l'Ukraine traditionnelle. Avec un ruban orange. Elle se croit supérieure à toi parce qu'elle est de Kiev et toi du Donbass. Elle se croit supérieure à toi parce que ton père est un mineur – et un mineur mort, en plus.

Pauvre papa. Ce n'est pas une vie pour un chien, et encore moins pour un homme. Sous terre. Sous les champignons. Avec les légions de mineurs fantômes qui chantent leurs sinistres chants de morts, blottis dans le noir. Non, il ne peut plus redescendre, même s'il ne connaît pas d'autre gagne-pain. Il devra se trouver une autre façon de gagner sa vie. Qu'est-ce que son père aurait voulu ? C'est déjà difficile de combler les attentes de ses parents quand on les connaît. Mais la seule chose que son père lui ait jamais dite, c'est : « Sois un homme. » Qu'est-ce que ça peut bien vouloir dire ?

Quand l'étai de mine avait cédé et que le plafond de la galerie s'était effondré, Andriy se trouvait d'un côté de la paroi et son père de l'autre. Lui du côté des vivants, son père du côté des morts. Il avait entendu le grondement et il avait couru vers la lumière. Il avait couru, couru. Il court encore.

~

JE SUIS UN CHIEN JE COURS JE COURS JE FUIS LA CAGE DU MÉCHANT J'ENTENDS DES CHIENS FURIEUX QUI GRONDENT DES CHIENS FURIEUX QUI ABOIENT ILS VONT SE BATTRE ILS VONT TUER JE SENS LA SUEUR DE CHIEN LA RAGE DE L'HOMME L'HOMME OUVRE LA CAGE L'HOMME TIRE SUR LE COLLIER LES HOMMES FUMENT DISCUTENT LES CHIENS ABOIENT LUMIÈRE AVEUGLANTE UN GROS CHIEN MONTRE LES CROCS LES POILS HÉRISSÉS IL VA TUER JE NE SUIS PAS

UN CHIEN DE COMBAT JE SUIS UN CHIEN QUI COURT JE BONDIS JE COURS JE COURS DEUX JOURS PAS DE VIANDE À MANGER LA FAIM ME DONNE DES CRAMPES AU VENTRE ÇA ME REND FOU JE SENS LA FAIM JE SENS LA PEUR JE COURS JE COURS JE SUIS UN CHIEN

~

La caravane des femmes était petite mais confortable. J'en suis tout de suite tombée amoureuse. J'ai posé mon sac et je me suis présentée :

« Irina. De Kiev. »

OK, j'avoue qu'il y a eu un moment déplaisant quand je suis arrivée. Yola, la chef d'équipe polonaise, une femme fruste et sans éducation avec une haute opinion d'elle-même, a fait des commentaires désobligeants sur les Ukrainiens pour lesquels elle me doit encore des excuses. OK, sur l'instant j'ai été un peu déconcertée par la promiscuité et j'ai peut-être manqué de tact. Mais les Chinoises m'ont très gentiment proposé de partager leur lit. J'ai regretté d'avoir fini le gâteau au pavot, car dans ce genre de situations les petits cadeaux peuvent faire des miracles, mais j'avais encore une bouteille de vodka à la cerise faite maison en cas d'urgence, et s'il y avait urgence, c'était bien là. Bientôt on est toutes devenues très amies.

On a dîné tous ensemble sur la colline et bu le reste de vodka en contemplant le coucher du soleil. J'ai découvert avec plaisir qu'il y avait un autre Ukrainien ici – un mineur de Donetsk très gentil bien qu'un peu fruste. On a bavardé en ukrainien pendant le dîner. Les Polonais et les Ukrainiens se comprennent aussi, mais ce n'est pas pareil. En tout cas, si je suis venue en Angleterre, c'est pour améliorer mon anglais avant de commencer mes études universitaires, et j'espère rencontrer bientôt d'autres Anglais.

Au lycée, l'anglais était ma matière favorite et je me voyais déjà me promenant au milieu d'un vaste panorama de conversations érudites, semblable à un tableau de paysage moucheté de fascinants homonymes et de mystérieux subjonctifs : *would you were wooed in the wood*. Miss Tyldesley était mon professeur préféré. Elle savait même rendre la grammaire séduisante, et quand elle récitait du Byron, elle fermait les yeux et inspirait profondément par le nez, en frémissant avec une sorte d'extase virginale, comme si les phéromones du poète s'échappaient par bouffées de la page. Contrôlez-vous, je vous prie, Miss Tyldesley ! Comme vous pouvez l'imaginer, je mourais d'impatience d'aller en Angleterre. Ma vie va commencer, me disais-je.

Après le dîner, je suis retournée dans la caravane défaire mon sac. Sous le casier en hauteur, j'ai mis la photo de pappa et mamma qui se tiennent côte à côte devant la cheminée de la maison. Mamma a du rouge à lèvres rose et un abominable foulard rose qu'elle est persuadée d'avoir noué avec élégance ; pappa porte sa ridicule cravate orange. OK, ils sont habillés n'importe comment, mais c'est plus fort qu'eux et ça ne m'empêche pas de les aimer. Pappa a le bras autour des épaules de mamma et ils sourient avec une espèce de raideur hésitante, comme à contrecœur, en se contentant de poser devant l'objectif. Je l'ai regardée avant de m'endormir et quelques malheureuses larmes me sont montées aux yeux. Mon père et ma mère qui m'attendent à la maison – il n'y a pas de quoi pleurer, tout de même.

Le lendemain matin, à mon réveil, le soleil inondait la caravane et tout avait changé. Les idées sombres de la veille s'étaient volatilisées dans la nuit comme des fantômes. Quand je suis allée me laver au robinet, l'eau qui éclaboussait les pierres scintillait sous les rayons de soleil en les brisant en milliers d'arcs-en-ciel glacés qui picotaient en dansant entre mes doigts.

Quand je me suis penchée vers le robinet, le ruban orange de ma natte a glissé et s'est mis à tournoyer dans l'eau. Et, brusquement, j'ai revu les ballons et les bannières orange sur la place, les tentes et la musique, mes parents surexcités qui s'enflammaient comme des adolescents en discourant à n'en plus finir sur la liberté et tout le reste. J'ai été assaillie par la tristesse. Puis j'ai récupéré le ruban, je l'ai secoué et suspendu à la corde à linge. Quand j'ai contemplé à nouveau la vallée, mon cœur s'est remis à danser. J'ai respiré à pleins poumons. L'air était si doux, si anglais. J'avais tant rêvé de respirer cet air chargé d'histoire, et pourtant aussi léger que… que quelque chose de très léger. Comment avais-je pu vivre dix-neuf ans sans respirer cet air ? Sans ces gens cultivés, courageux, chaleureux, dont j'avais lu les aventures dans Chaucer, Shakespeare ou Dickens (bon, je l'avoue, en traduction pour la plupart). J'étais prête à les rencontrer.

En fait, j'avais particulièrement hâte de croiser un monsieur à chapeau melon comme le Mr Brown de mon *Let's Talk English*, qui avait l'air si fringant, si romantique avec son costume serré et son parapluie roulé, et plus encore la fascinante protubérance qui saillait autour de la braguette de son pantalon et qu'un précédent propriétaire du manuel avait soulignée à l'encre noire avec un grand réalisme. Qui n'aurait pas eu envie de parler anglais avec lui ? Lord Byron a l'air romantique lui aussi, malgré son étrange turban.

Les Anglais sont censés être incroyablement romantiques. Une célèbre légende populaire raconte qu'un jour un homme a escaladé un mur au péril de sa vie et pénétré par la fenêtre dans la chambre de sa dame pour lui apporter une simple boîte de chocolats. Malheureusement, jusqu'ici le seul Anglais que j'ai rencontré est le fermier Leapish. J'espère qu'il est atypique.

Surtout, n'allez pas croire que je fais partie de ces horribles Ukrainiennes qui viennent en Angleterre pour décrocher un mari. Je ne suis pas comme ça. Mais si je devais croiser l'amour en chemin, mon cœur est libre.

~

La bouilloire siffle. Andriy verse l'eau sur le sachet de thé, ajoute deux cuillerées de sucre, puis descend jusqu'à la barrière en tenant la tasse entre ses mains, et comme souvent quand il a un moment à lui, il reste accoudé là à regarder les voitures qui passent en guettant son *Angliska rosa.* Il savoure la chaleur de chaque gorgée, la brise fraîche qui souffle des Downs et les oiseaux qui jacassent bruyamment en vaquant à leurs activités matinales. Le soleil pointe au sommet de la colline, et bien qu'il ne soit pas encore huit heures, il sent déjà la chaleur sur sa peau. La lumière a une limpidité de cristal et souligne le paysage d'ombres tranchantes.

Il aime venir là contempler cette Angleterre qui lui paraît toujours aussi désespérément hors de portée, bien qu'elle soit juste de l'autre côté de la barrière. Où êtes-vous, Mrs Brown de *Let's Talk English*, avec votre taille si fine et votre chemisier à pois ajusté ? Où es-tu, Vagvaga Riskegipd, avec ton chewing-gum et tes baisers féroces ? Depuis qu'il est arrivé en Angleterre, il y a deux semaines, il n'a pas rencontré une seule *Angliska rosa.* Il en a vu passer en voiture, il sait donc qu'elles existent. Parfois il leur fait signe de la main, et l'une d'entre elles lui a répondu. Même qu'elle était blonde et qu'elle conduisait une Ferrari rouge décapotable. Elle s'est évanouie en un clin d'œil, sans lui laisser le temps de sauter par-dessus la barrière pour voir le becquet rouge disparaître au détour du virage. Mais elle devait habiter dans les parages et il la reverrait certainement un jour ou l'autre. OK, son ex, Lida Zakanovka, était partie avec un footballeur. Et alors, grand bien lui fasse. D'autres femmes l'attendent en Angleterre, et mieux qu'elle.

Il souffle sur le thé brûlant en repensant à son dernier voyage en Angleterre. Ça remonte à quand ? Il y a dix-huit ans à peu près, il devait donc avoir sept ans. Il accompagnait son père qui faisait partie d'une délégation fraternelle venue rendre visite au syndicat des mineurs de Sheffield, qui est jumelée avec Donetsk, sa ville natale. Regarde bien, petit, avait dit son père. Regarde la beauté de la solidarité internationale. Quoique, elle ne lui avait pas servi à grand-chose le jour où il en avait eu besoin. Pauvre papa.

Il ne se souvient pas très bien de Sheffield, mais il garde en mémoire trois images de cette visite. Tout d'abord, il se rappelle un banquet, et un dessert rose gluant dont il avait avalé de telles quantités qu'il en avait inondé de vomi rose l'arrière d'une voiture.

Il se rappelle aussi que le célèbre dirigeant visionnaire de la ville qui les avait accueillis chaleureusement par un interminable discours sur la solidarité et la dignité du travail (son père avait été si impressionné par le discours qu'il le répétait souvent) et qui était assis à côté d'eux au banquet et l'avait gentiment poussé à reprendre de ce dessert traître, le propriétaire même de la voiture à l'arrière de laquelle il avait vomi – il se rappelle que cet homme était aveugle. Andriy avait été fasciné par la cécité stupéfiante de cet homme, la terrible paroi qui se dressait derrière ses yeux de visionnaire, l'isolant de tout. Il avait fermé les paupières en essayant d'imaginer ce que ce serait de vivre derrière ce mur de cécité et s'était promené ainsi en se heurtant aux obstacles, jusqu'à ce que son père lui donne une gifle en lui disant de bien se tenir.

L'autre chose dont il se souvient, c'est son premier baiser. Une fillette plus âgée que lui, plus effrontée aussi – la fille d'un des délégués, sans doute –, avec de longues jambes, des cheveux blond pâle et des taches de rousseur sur le nez. Elle sentait le savon et le chewing-gum. Tandis que les discours fraternels se prolongeaient interminablement dans le hall, ils s'étaient pourchassés comme des fous dans les couloirs résonnant d'échos du vaste édifice municipal, courant dans les escaliers, se cachant dans le recoin des portes en poussant des cris d'excitation. Elle avait fini par se jeter sur lui et réussi à le clouer sur les marches en pierre en l'écrasant de tout son poids. Ils riaient, hors d'haleine. Soudain, elle avait plongé sur lui, la bouche tendue, et l'avait embrassé – un baiser mouillé, insistant, la langue pressée contre sa bouche. Un baiser subjuguant. Il était si jeune, si abasourdi qu'il avait été forcé de capituler. Puis elle lui avait donné un bout de papier où elle avait griffonné son nom, avec des petits cœurs sur les *i*. Vagvaga Riskegipd. Un nom incroyablement sexy. Et un numéro de téléphone. Il l'a toujours au fond de son portefeuille, comme un talisman. À l'école, alors que ses camarades choisissaient d'apprendre le russe ou l'allemand, il avait choisi l'anglais.

Il essaie de se remémorer son visage. Des cheveux blonds. Des taches de rousseur. Il se rappelle avec précision l'odeur du chewing-gum. Une odeur incroyablement sexy. Se souvient-elle encore de lui ? À quoi ressemble-t-elle maintenant ? Elle doit avoir une petite trentaine d'années. Comment réagirait-elle s'il surgissait soudain sur le seuil de sa porte ?

Il paraît que les femmes angliski sont incroyablement sexy. D'après Vitaly, qui s'y connaît, au premier contact ce sont de vrais glaçons, mais quand elles se mettent à fondre – qu'elles fondent au-dedans à la chaleur de la passion –, c'est comme un fleuve qui déborde de son lit. Impossible de stopper ces Vagvaga, ces Mrs Brown. S'il ne garde pas la tête froide, l'homme risque de se noyer dans le torrent de leur passion. Mais pour les amener au point de fusion, il faut savoir s'y prendre, dit Vitaly. L'Angliska est attirée par les hommes d'action flamboyants, les hommes suffisamment téméraires pour entreprendre des voyages hasardeux et escalader le mur de leur chambre avec des boîtes de chocolats, etc. Ce type de comportement fait fondre le cœur glacé de l'Angliska. Est-ce qu'on peut remplacer le chocolat par des fraises ? Tout le reste, il est prêt à l'affronter. Il est prêt à tout. Il se sent animé par une force vitale, il veut vivre – vivre plus agréablement, plus intensément.

« Sois un homme », lui avait dit son père.

~

Ce qu'il y a d'énervant avec ma mère, c'est cette façon qu'elle a de toujours classer les gens selon leur niveau culturel. On dirait qu'elle a en tête une hiérarchie bien précise de la culture.

« Ça ne coûte rien d'être cultivée, Irina, ce qui tombe bien, parce que, autrement, les professeurs seraient les gens les moins cultivés d'Ukraine. »

Le pire, c'est que j'ai l'impression d'avoir hérité de cette manie, même si je sais qu'il ne faut pas juger les gens aux apparences, mais parfois on ne peut pas s'en empêcher. Tenez, regardez notre groupe de cueilleurs de fraises.

Les Chinoises, bien que chinoises, appartiennent incontestablement au type cultivé. L'une est étudiante en médecine, l'autre en comptabilité. Je ne sais plus laquelle fait quoi, mais la médecine est plus savante que la comptabilité. La Chinoise de Chine a les cheveux coupés court comme un garçon et elle est très jolie, mais elle a les jambes trop maigres. La Chinoise de Malaisie est également jolie, mais elle a une permanente, ce qui est ridicule sur ce genre de cheveux. À moins que ce ne soit l'inverse. Elles sont gentilles avec moi, mais elles n'arrêtent pas de parler en pouffant de rire, ce qui est énervant quand on ne sait pas pourquoi elles rient. Leur anglais est épouvantable.

Puis il y a Tomasz, Marta et Emanuel. Tomasz est un type barbant, un bureaucrate d'une administration qui a pris un congé sous prétexte qu'il peut gagner plus d'argent en cueillant des fraises – c'est idiot, non ? Il se dit poète, autant dire très cultivé, sauf qu'il n'y a pas grand-chose pour le prouver, à moins de compter ces chansons soporifiques dont il nous rebat les oreilles dès que Yola est dans les parages. En plus, il est très vieux, une quarantaine d'années au moins, et il a une petite barbe ridicule et des cheveux qui lui descendent quasiment aux épaules, comme un hippie. *Koshmar !* Et puis il sent affreusement mauvais.

Marta a de l'instruction et elle parle même un peu français, mais ce type d'éducation catholique romaine pleine de règles et de mystères manque de contenu pratique – c'est comme les Ukrainiens occidentaux. De toute façon, ma mère dit que le catholique est moins cultivé que l'orthodoxe. Marta est gentille et aimable, mais elle a un gros nez. C'est sûrement pour ça qu'à trente ans elle n'est toujours pas mariée.

Emanuel est adorable, mais il n'a même pas dix-huit ans et il est catholique lui aussi, bien qu'il ait l'air intelligent, et il porte un horrible anorak vert, même quand il ne pleut pas. Évidemment, il est noir, mais ce n'est pas pour ça qu'il est moins cultivé, car comme tous les gens cultivés le savent, les Noirs sont aussi cultivés que n'importe qui. Il chante souvent dans le champ en cueillant les fraises et il a une belle voix, mais il ne chante que des chants religieux. Ce serait bien s'il chantait quelque chose de plus amusant.

Vitaly est mystérieux. Il ne répond jamais clairement. Parfois il disparaît, on ne sait pas où. Visiblement, il est intelligent, parce qu'il parle bien l'anglais et plusieurs autres langues, mais il a des manières plutôt grossières et une chaîne en or avec un canif en argent autour du cou. Il a des yeux bruns pétillants avec de jolis cils recourbés et les cheveux noirs et frisés. En fait, il n'est pas mal, dans le genre frisé tape-à-l'œil. Je lui donnerai sept sur dix. Mais ce n'est pas mon type. Il est peut-être gitan.

Plus bas, il y a Ciocia Yola (strictement parlant, c'est seulement la tante de Marta, mais on l'appelle tous Ciocia). C'est une femme vulgaire avec les dents de devant écartées qui se teint visiblement les cheveux. (Ma mère se teint les cheveux, elle aussi, mais ça ne se voit pas autant.) Elle prétend avoir été institutrice en maternelle, ce qui n'a rien à voir avec un vrai professeur, elle prétend aussi être chef d'équipe, et cette façon qu'elle a de prendre des grands airs sans raison est absolument exaspérante. Elle aime clamer haut et fort ses opinions qui ne valent généralement pas la peine qu'on s'y attarde.

Tout en bas, il y a Andriy, le fils de mineur du Donbass. Malheureusement, les mineurs sont généralement des individus assez frustes, pour qui il est difficile d'être cultivé, malgré tous leurs efforts. Quand il travaille au champ, je sens l'odeur de sa transpiration. Quand il fait trop chaud, il enlève sa chemise en exhibant ses muscles. OK, ils frémissent sous sa peau. Mais ce n'est absolument pas mon type.

Quant à moi, j'ai dix-neuf ans, et pour le reste je suis encore en devenir. Future anglophone. Je l'espère. Future amoureuse. Êtes-vous prêt, Mister Brown ? Futur écrivain célèbre, comme mon pappa. J'ai déjà réfléchi au livre que j'écrirai à mon retour. Mais il faut avoir quelque chose d'intéressant à raconter, non ? Plus intéressant que la vie d'une bande de cueilleurs de fraises dans deux caravanes.

~

Yola plisse les yeux en regardant l'Ukrainienne déambuler entre les rangées de fraises comme si elle avait tout son temps pour remplir ces barquettes. Dans le champ de fraises, la seule hiérarchie qui compte, c'est celle du contrôle. Plusieurs fois par jour, le fermier compte les plateaux de barquettes, les contrôle, les empile sur des palettes dans le préfabriqué et note les gains de chacun. En général, les femmes gagnent moins. Les hommes gagnent plus. Évidemment, c'est le chef d'équipe qui gagne le plus.

Yola est à la fois chef d'équipe et contremaître. Comme c'est une ancienne enseignante, c'est une femme d'action dotée d'une autorité naturelle. Elle est persuadée que la clé du succès est de maintenir une plaisante harmonie sexuelle au sein de l'équipe des cueilleurs et incite pour cela les hommes à ôter leurs chemises au soleil.

Elle ne veut pas de jérémiades ou de commentaires désagréables dans son dos, et encore moins de la part des Ukrainiens, maintenant qu'ils sont deux. Elle n'a rien contre les Ukrainiens, mais elle a la conviction que l'Ukraine a connu son apogée sous la brève occupation polonaise, bien que ses effets civilisateurs aient manifestement été superficiels et de courte durée. Pour être honnête, le jeune Andriy est un parfait gentleman et un bon cueilleur, mais il est parfois mal luné et il réfléchit trop. Ce n'est pas bon pour un homme de réfléchir. Il est plutôt beau garçon, bien trop jeune pour elle, évidemment, et ce n'est pas son genre d'aller séduire un gamin qui pourrait être son fils, quoique, elle en connaît à Zdroj, mais ça, elle en reparlera une autre fois.

Si seulement ils étaient tous aussi bon cueilleurs. Personne ne comprend les problèmes auxquels elle doit faire face, car sa paie dépend non seulement des efforts qu'elle fournit, mais des résultats de l'équipe de bons à rien qu'elle dirige dans le champ. Elle leur dit – mais croyez-vous qu'ils écoutent ? – de cueillir les fraises comme il faut. Trop blanches, le fermier les rejette. Trop mûres, les commerçants se plaignent. Et il faut les manipuler correctement, les poser doucement – et non les jeter – dans les barquettes. Elle a beau leur dire, ils continuent comme avant. Franchement, ce n'est plus de son âge.

C'est le deuxième été qu'elle est contremaître, le septième en Angleterre et le quarante-septième de sa vie.

Elle commence à se dire qu'elle en a assez. Au cours de ces sept étés, elle a cueilli près de cinquante tonnes pour le Gros Chou, et grâce aux revenus qu'elle en a tirés, auxquels se sont ajoutés les paiements reçus en échange de certains services d'ordre privé, elle a pu s'acheter un joli pavillon de trois pièces aux abords de Zdroj avec un demi-hectare de jardin donnant sur la Prosna, où son fils Mirek peut s'amuser à loisir. Dans son portefeuille, elle a une photo de Mirek assis sur une balançoire suspendue à un cerisier en fleur dans le jardin. Ah, ses petits yeux souriants ! Quand il est né, elle a dû faire un choix difficile – renoncer à son poste ou le placer dans une institution. Elle a été les voir, ces institutions. Non merci. Puis, à l'école, quelqu'un lui a dit qu'ils recrutaient des cueilleurs de fraises pour l'Angleterre et sa sœur lui a promis de s'occuper de Mirek pendant l'été, alors elle a saisi l'occasion. Et quelle femme d'action n'aurait pas fait comme elle face à un choix aussi limité ?

L'automne dernier elle a investi une part des revenus des fraises dans l'achat de deux chèvres de Masurie, et cette année deux chevreaux blancs comme neige gambadent dans le jardin, bêlant, cabriolant l'un sur l'autre, broutant les dahlias – bref, détruisant tout sur leur passage. Elle a pensé à eux la nuit dernière, quand elle était allongée sur la paille à l'arrière de la Land Rover noire du Gros Chou, en regardant le plafond qui tanguait pendant qu'il la besognait en ahanant. Elle a souri en son for intérieur et laissé échapper quelques délicieux bêlements qu'il a pris pour des cris d'extase.

D'habitude, Yola amène avec elle une équipe de cueilleurs recrutés à Zdroj, car depuis la fermeture de la chapellerie il y a toujours des gens qui ont désespérément besoin d'argent, mais cette année personne n'a voulu venir. Maintenant que la Pologne fait partie du marché européen, pourquoi aller travailler pour un salaire de misère alors qu'on peut mieux gagner sa vie légalement ? Les amis qui devaient venir l'ont laissée tomber à la dernière minute et elle n'a emmené en Angleterre que Marta et Tomasz. Le Gros Chou a dû trouver de la main-d'œuvre supplémentaire par le biais d'autres agents nettement plus louches et lui a même laissé entendre qu'il ne renouvellerait pas son contrat. Qu'il ose un peu et on verra ce que sa femme en dit.

Ce n'est pas si facile que ça d'être contremaître. Il faut gérer toutes sortes de personnalités. Tenez, Tomasz par exemple, ça fait un moment qu'il lui fait de l'œil, ce qui en soi n'est pas étonnant car on la trouve généralement séduisante, mais tout compte fait il est venu en Angleterre pour cueillir des fraises et non pour des activités d'ordre plus charnel, dont les occasions ne manquent pas en Pologne, Dieu nous préserve ! Ou encore Marta, sa nièce – ses airs de sainteté suffiraient à dégoûter n'importe qui de la religion.

« Ça va, Ciocia ? lui a-t-elle demandé la première fois qu'elle l'a vue couchée à même le sol, ses jolies jambes étendues devant elle, respirant à pleins poumons les yeux fermés.

– Je laisse le soleil pénétrer mon corps pour me réchauffer à l'intérieur, comme un bon mari. Tu devrais faire comme moi, Marta.

– Pourquoi veux-tu que je prenne le soleil pour mari ? lui a rétorqué Marta d'un ton dédaigneux. Moi, c'est l'esprit du Seigneur qui va me réchauffer à l'intérieur. »

Elle n'est pas responsable de cette piété excessive. Elle ne peut la tenir que de sa mère, la sœur de Yola, qui peut être extrêmement agaçante malgré la gentillesse avec laquelle elle s'occupe de Mirek. C'est une chose d'aller à l'église demander le pardon de ses péchés, c'en est une autre de fourrer le nez des autres dans les leurs.

En parlant de nez, ce n'est évidemment pas de la faute de Marta si le sien est si gros, mais peut-être est-ce ce qui explique son manque de discernement à l'égard des hommes, car elle est manifestement attirée par les individus les plus infréquentables et les pécheurs notoires, comme Vitaly par exemple. Yola a observé cette façon qu'elle a de le suivre du regard dans le champ et elle ne veut pas qu'on abuse de cette pauvre fille. Elle connaît bien ce genre d'hommes. Elle a été mariée avec l'un d'eux.

Quant à la nouvelle, Irina, elle est bien trop libre et trop facile avec son sourire à fossettes, et Yola a observé que le regard du Gros Chou s'attardait sur elle plus que nécessaire. Elle cueille des fraises plus blanches que rouges, lui répond avec impertinence quand Yola le lui signale poliment, et prend l'air exaspéré quand elle essaie de lui montrer comment les manipuler, comme ça, en les prenant délicatement dans le creux de la paume, jamais plus de deux à la fois, comme les testicules d'un homme. Irina, ne les écrase pas !

~

Bon, j'avoue que je n'étais pas la plus rapide des cueilleuses, mais cette tata polonaise n'avait pas à me le faire remarquer avec une telle vulgarité.

Ça faisait quatre jours que j'étais là et je n'en revenais toujours pas d'avoir aussi mal au dos et aux genoux à chaque fois que je me baissais à hauteur des fraises. Quand je me redressais, j'avais les os qui craquaient et grinçaient comme une vieille dame.

Le jeune Ukrainien me glissait des fraises dans mes barquettes quand les rangées des hommes et des femmes se rejoignaient, ce qui était gentil de sa part, mais j'aurais aimé qu'il ne me fixe pas comme ça. À un moment, je me suis assise pour me reposer, et il est venu se mettre à côté de moi et m'a fourré une fraise dans la bouche. Je pouvais difficilement la recracher, n'est-ce pas ? Mais il n'a pas intérêt à se monter la tête, parce que je n'ai pas fait tout ce chemin pour passer mon temps à repousser les avances d'un mineur du Donbass.

J'en avais plus qu'assez de repousser celles des garçons du lycée. C'était généralement des individus frustes qui voulaient toujours se jeter sur moi – pas franchement romantiques – et ignoraient les mots tendres et les gestes galants. À mon avis, tout le monde devrait lire *Guerre et Paix*, le livre le plus romantique qui ait jamais été écrit, le plus tragique aussi. Quand Natacha et Pierre se retrouvent enfin, ça procure un sentiment d'une force incroyable. C'est d'un amour dans ce genre dont je rêve – et non un coup rapide derrière les buissons, la seule chose qui semble intéresser les garçons.

« L'amour est comme le feu, disait toujours mamma. C'est un trésor, pas un jouet. » Ma pauvre mère, elle commence à faire très dadame. Sur Kreshchatik, à chaque fois qu'on croisait des filles vêtues de simples bandes de tissu entre le nombril et la culotte en guise de jupe qui riaient à gorge déployée en se faisant asperger de bière par les garçons, elle esquissait une moue désapprobatrice en plissant sa bouche fardée de rouge.

Même s'il est plus romantique pour une fille de se réserver pour *le bon*, ces sourires bouches ouvertes avaient un côté troublant, entendu. Que savaient-elles que j'ignorais ? Peut-être qu'ici, en Angleterre, loin du regard indiscret de ma mère, pourrais-je le découvrir.

En regardant les muscles jouer sur les bras du mineur à mesure qu'il soulevait les palettes de fraises, je me suis remise à réfléchir à tout ça. *Réfléchir, mamma, c'est tout.*

~

Un peu plus haut sur la route, non loin de l'embranchement de Sherbury Down, il y a une aire de stationnement abritée par une rangée de peupliers, d'où l'on peut contempler les champs par une brèche de la haie. De ce poste d'observation, le fermier Leapish observe avec satisfaction cette scène champêtre sans bouger de sa Land Rover. Les hommes, remarque-t-il, aiment faire la course dans les rangées de fraises, tandis que les femmes sont attentives les unes aux autres et prennent garde à ce qu'aucune ne reste à la traîne. Mr Leapish tient compte de ces différences et il a attribué de nouvelles rangées aux hommes, en ordonnant aux femmes de repasser dans les rangées qu'ils ont déjà parcourues. Les femmes gagnent moins, évidemment, mais elles ont l'habitude là d'où elles viennent et elles ne se plaignent pas. En caressant ainsi la nature humaine dans le sens de la fibre, il optimise productivité et profit. Il se félicite de ses talents de manager.

Aujourd'hui, c'est samedi, jour de paie, et comme tout à l'heure il va devoir allonger l'argent, il est plongé dans des questions d'arithmétique. Trois barquettes par plateaux, une livre par barquette, quatre-vingts kilos par cueilleur et par jour en moyenne, six jours par semaine, une saison de plus de douze semaines. Son cerveau se met automatiquement en mode calcul mental. Quand ils auront fini la cueillette dans ce champ, ils en attaqueront un autre plus bas dans la vallée, puis remonteront ici lorsque les plants auront à nouveau donné. Les cueilleurs sont payés trente pence le kilo, hors déductions. Et chaque kilo se vend deux livres. Pas mal. Globalement, c'est assez rentable, son affaire, même s'il gagne moins que Tilley, le nouveau venu, avec ses kilomètres de culture sous tunnels plastique. Il pourrait se faire plus d'argent en vendant aux grands supermarchés, mais il ne tient pas à voir les inspecteurs fouiller du côté de ses caravanes ou l'interroger sur le rapport qu'il y a entre l'entreprise de Wendy et la sienne. Le plus beau, c'est qu'on récupère en frais de subsistance la moitié de ce qu'on leur file en paie. En plus, il aide ces pauvres bougres à empocher un peu d'argent dont ils ne verraient jamais la couleur dans leurs pays. C'est un avantage.

À une heure pile, il ira klaxonner devant la barrière et regardera les cueilleurs de fraises ramasser leurs plateaux de barquettes et se diriger vers le bas du champ. En fait, quand il fait chaud, il devrait récupérer les plateaux plus souvent pour les mettre dans la chambre froide. C'est obligatoire si on veut vendre le kilo à deux livres et demie aux supermarchés. Mais les stations d'essence du coin qui distribuent ses fraises ne posent pas de questions.

Peut-être que le jeune Ukrainien l'attendra en bas pour lui ouvrir la barrière. Plein de zèle. Bon cueilleur. Dur à la tâche. Si seulement ils étaient tous comme ça. La nouvelle a l'air nulle, mais avec un peu de chance elle ira plus vite quand elle aura pris le rythme. Mignonne mais pas très avenante – à son âge, il a besoin d'une femme qui sait s'y prendre pour démarrer son vieux moteur. Allez savoir pourquoi Vulk la lui a envoyée – il lui avait demandé un autre homme. Et voilà que maintenant Vulk veut la reprendre. Il va peut-être essayer de lui trouver un autre poste ailleurs. Il faut qu'il voie comment elle se débrouille au contrôle. Si elle est incompétente, il sera peut-être obligé de la refiler à Vulk.

Après le contrôle, il accordera à ces pauvres bougres une demi-heure pour le déjeuner, qu'il a apporté à l'arrière de la Land Rover. Comme d'habitude, ce sera du fromage en tranches sur du pain de mie tartiné avec de la margarine. Il est particulièrement satisfait aujourd'hui, parce qu'il a trouvé un nouveau fournisseur qui vend le pain de mie tranché à dix-neuf pence. Jusque-là, le pain lui revenait à vingt-quatre pence. Huit pains par jour – deux pour le petit déjeuner, qu'ils mangent avec de la confiture, deux pour le déjeuner, qu'ils prennent avec du fromage, et quatre au dîner, qu'ils mangent avec des saucisses – plusieurs semaines d'affilée, tout ça finit par compter. La nouvelle est plutôt menue et, à son avis, elle ne devrait pas manger beaucoup, aussi il n'a pas jugé nécessaire d'augmenter les provisions, si ce n'est un pain en plus. Il a calculé que c'était un régime alimentaire parfaitement équilibré à un coût minimum, qui contient des féculents, des protéines, des glucides et des lipides, tous les nutriments énergétiques essentiels. Les besoins en fruits et légumes sont couverts par les fraises qu'ils mangent naturellement au cours de la journée et qui contribuent également à les fidéliser. Certains fermiers laissent leurs cueilleurs acheter leurs vivres, mais leur interdisent de manger les fraises. Leapish estime que son système est plus rentable. Ils se lassent vite des fraises. Même avec la commission qu'il paie à Vulk pour les frais de subsistance, il réussit encore à se faire une petite marge.

Chaque travailleur verse quarante-neuf livres par semaine pour la nourriture, y compris le thé, le lait, le sucre et les fraises à volonté (vous connaissez beaucoup d'endroits où on peut vivre comme un lord pour moins de cinquante livres par semaine ?), et cinquante livres pour la location hebdomadaire d'une place dans la caravane, ce qui dans cette région et à cette époque de l'année est extrêmement raisonnable. Peut-être même excessivement raisonnable, en fait. Peut-être devrait-il la fixer à cinquante-cinq livres. Du moins dans la caravane des hommes. Il faut reconnaître que la caravane des femmes est relativement petite. Mais elle occupe une place spéciale dans son cœur.

Quand il la regarde, perchée en haut du champ comme une grosse poule blanche, il a les yeux qui s'embuent. C'est la caravane dans laquelle il est parti en lune de miel avec Wendy, il y a plus de vingt ans de ça – une Swift Silhouette dernier modèle avec plein de rangements, un mobilier sur mesure et une kitchenette intégralement équipée, double plaque à gaz impeccable, mini-évier, égouttoir en inox avec un plan de travail abattant et petit frigo à gaz, Wendy l'adorait. Le camping en haut des falaises de Beachy Head. Des spaghettis bolognaise. Une bouteille de Piat d'or. Ah ça, ils l'avaient bien défoncé, le grand lit pliant.

Lorsqu'ils s'étaient lancés dans la culture des fraises, sept ans plus tôt, Wendy s'était occupée des caravanes. Elle avait monté une société distincte, qui prenait en charge le logement, la nourriture et le transport des cueilleurs – c'est ce qui leur permettait d'éviter les tracasseries administratives qui limitent le montant des déductions sur les salaires. À son humble avis, c'est ça qui paralyse le pays – les tracasseries administratives –, comme s'il était scandaleux de faire du profit. Il a déjà envoyé deux lettres à la *Kent Gazette* à ce sujet. Oui, ils étaient bien plus qu'un simple couple, ils étaient partenaires en affaires. Évidemment, les choses avaient changé. C'est dommage, mais, que voulez-vous, les femmes sont toutes les mêmes. Des sales jalouses. En tout cas, ce n'est pas de sa faute. Tous les hommes feraient la même chose. Inutile de verser dans le sentiment. Oui, la caravane était parfaite pour deux, quatre à la rigueur. Cinq ? Oh, elles s'étaient bien débrouillées, non ? La caravane des hommes, quant à elle, était en fait une maison mobile Everglade vert pâle comme on en voit des centaines en location dans les campings battus par les vents qui dominent les falaises de la Manche ; en son temps, c'était une demeure de grand luxe équipée de rideaux de satin à ruchés roses et de sièges capitonnés en velours également roses, qui avaient certes viré au marron avec les années. Elle était calée sur des briques depuis qu'une des roues avait disparu. Probablement un coup des tondeurs de moutons néo-zélandais, quoique, allez savoir ce qu'ils pouvaient bien faire d'une roue de caravane. À l'intérieur, il y avait une place gigantesque. Cinq livres de plus, ça rapporterait vingt livres par semaine. Inutile d'en parler à Vulk. Et avec vingt livres de plus par semaine, il tiendrait son rêve à portée de main.

Car Mr Leapish a beau être un homme pragmatique, il a un rêve, lui aussi. Son rêve est de couvrir de tunnels plastique les pentes douces de cette colline de fraises ensoleillée.

~

À six heures, les ombres s'allongeaient dans le champ. Quand la Land Rover a de nouveau klaxonné devant la barrière, j'ai ramassé mon plateau de barquettes de fraises et je l'ai apporté au préfabriqué.

« Combien tu en as, Irina ? » m'a demandé Ciocia Yola en fourrant son nez dans mon plateau. OK, je n'avais rempli que douze plateaux de toute la journée. Marta en avait rempli dix-neuf. Yola et les Chinoises, vingt-cinq chacune – il faut les voir s'attaquer à ces fraises. De toute façon, elles sont plus petites que moi, elles n'ont pas besoin de se baisser autant. Les hommes avaient rempli quinze plateaux chacun cet après-midi-là, et quinze autres le matin. Chaque plateau contient à peu près quatre kilos de fraises. J'ai bien vu que le fermier n'était pas content. Il a la figure toute rouge et bosselée comme une fraise. Ou comme un testicule, selon Yola. Quoi qu'il en soit, je suis restée parfaitement impassible quand il m'a annoncé qu'aujourd'hui j'avais gagné quatorze livres, à peine de quoi couvrir mes frais, et que j'allais devoir faire mieux. Il parlait lentement en gesticulant, hurlant presque, comme si j'étais non seulement idiote mais sourde.

« c'est pas bon. nul. il faut cueillir plus vite. tout remplir. à ras. à ras. » Il écartait les bras comme s'il voulait enlacer toutes ses misérables barquettes. « tu comprends ? »

Non, je ne comprenais pas – ces hurlements me troublaient.

« autrement, t'es à la rue.

– La rue ?

– la rue. à la rue, bordel ! pigé ?

– Un bordel dans la rue ?

– non, espèce de gourde, toi, tu te retrouves à la rue.

– Je trouve une gourde dans la rue ?

– oh, laisse tomber ! »

Il a collé mon plateau sur la palette en me congédiant des deux mains d'un geste très malpoli. J'ai senti les larmes me picoter les yeux, mais je n'allais tout de même pas le lui montrer. Ni à Yola, qui me suivait dans la queue d'un air suffisant avec son plateau plein et son sourire édenté. Juste derrière, il y avait Andriy, qui me regardait bouche bée en souriant jusqu'aux oreilles. Qu'il aille se faire voir. Je suis repartie d'un pas nonchalant jusqu'à la caravane et je me suis assise sur le marchepied. Qu'ils aillent tous se faire voir.

Au bout d'un moment, j'ai entendu la Land Rover du fermier franchir la barrière et s'éloigner sur la route. Un agréable silence s'est abattu sur la colline. Même les oiseaux faisaient une pause. Il faisait bon et l'air embaumait le chèvrefeuille. Une aussi belle soirée est un don précieux et je me suis dit que je ne laisserais rien la gâcher. À l'ouest, le ciel pâle et laiteux était strié de filaments lumineux de nuages argentés – un vrai ciel anglais.

Vitaly et Andriy se détendaient sur la banquette arrière de la voiture de Vitaly en buvant une bière – apparemment, le reste de la voiture se désintégrait quelque part sur la bretelle de Canterbury. Du Vitaly tout craché. Tomasz avait disparu dans le champ d'à côté pour jeter un œil à ses pièges à lapins. Emanuel écrivait une lettre, assis sur un cageot devant la caravane des hommes avec un bol de fraises à ses pieds. Les Chinoises lisaient leurs horoscopes, blotties sur le lit de Marta. Marta avait déjà allumé le feu sous les saucisses et notre petite caravane était emplie d'une odeur aussi appétissante qu'écœurante. Yola prenait une douche. Je me suis allongée quelques instants sur son lit. J'étais tellement fatiguée, j'avais des courbatures dans tous les muscles. Je voulais juste me reposer un peu avant le dîner.

~

JE SUIS UN CHIEN JE COURS JE COURS JE TUE LE LAPIN JE MANGE TOUT JE LÈCHE LE SANG BON SANG MON VENTRE EST PLEIN ÇA FAIT DU BIEN D'AVOIR LE VENTRE PLEIN JE TROUVE UNE RIVIÈRE JE BOIS DE LA BONNE EAU JE BOIS JE SENS LA CHALEUR DU SOLEIL SUR MOI JE ME REPOSE LA TÊTE SUR LES PATTES AU SOLEIL JE DORS JE DORS JE RÊVE JE RÊVE QUE JE TUE JE SUIS UN CHIEN

~

Marta a la certitude que notre nourriture quotidienne est un don de Dieu que l'on doit préparer avec respect et que partager un repas est un sacrement. C'est pour cette raison qu'elle fait toujours en sorte de servir aux cueilleurs de fraises un dîner aussi agréable que possible, mais ce soir c'est le dix-huitième anniversaire d'Emanuel et elle a fait un effort particulier pour relever le défi des ingrédients guère inspirants que le fermier leur a fournis.

Dans la poêle, les saucisses ont déjà viré au rose vif et laissent suinter une espèce de liquide gélatineux vaguement grisâtre qui détrempe le pain que Marta a coupé en lanières et mis à frire avec les saucisses et des pommes de terre trouvées par Vitaly au bord de la route. Il y a des cèpes sauvages et des feuilles d'ail des bois posés à côté de la poêle, qu'elle ajoutera au dernier moment. Avec le reste du pain elle a confectionné des boulettes de pâte, auxquelles elle a ajouté des fleurs de thym mauves et des œufs de caille que Tomasz a dénichés dans la forêt. Ils sont en train de bouillir allégrement dans une casserole. Marta fait cuire toutes les saucisses – pour les hommes et les femmes. Pourquoi cela? Parce que les Polonaises sont des femmes convenables, voilà pourquoi.

Ciocia Yola prend une douche en se préparant pour une nouvelle nuit d'amour coupable avec le fermier. L'eau du tonneau réchauffée par le soleil doit être à la bonne température, car Ciocia Yola fredonne un air sans queue ni tête d'une voix discordante en se savonnant au savon parfumé. Ciocia n'est pas très douée pour le chant.

Puis on tape doucement à la paroi de la caravane et on entend une voix d'homme qui parle en polonais : «Belles dames, j'ai ici une petite offrande qui pourrait améliorer votre dîner.» C'est Tomasz qui tient entre ses mains la dépouille ensanglantée d'un lapin. «Peut-être la belle Yola acceptera-t-elle ce modeste témoignage de mon affection.

– Laisse-le sur le marchepied, Tomasz, lance Ciocia Yola de la douche. J'en ai pour une minute.

– Tu veux peut-être que je te l'écorche?» Il jette un regard plein d'espoir vers la douche. Il y a des trous dans l'écran en plastique, mais ils sont mal placés.

«Non, ça va. Laisse-le. Je sais faire», lui répond Marta.

Elle lui prend le lapin en soupirant et caresse sa fourrure soyeuse. Pauvre petit être. Mais elle a déjà en tête une bonne recette pour l'expédier dans l'autre monde. Tomasz s'attarde sur le seuil, et l'instant d'après il est récompensé par l'apparition de Yola qui émerge de la douche simplement enroulée dans une serviette.

« Va-t'en, Tomek, lance-t-elle sèchement. Qu'est-ce que tu fais là à traîner comme une mauvaise odeur ? On te préviendra quand le dîner sera prêt. »

Il dévale le champ sans demander son reste.

De l'avis de Marta, sa tante ferait mieux de se trouver un homme convenable et sérieux comme Tomasz, malgré toutes ses excentricités, au lieu de perdre son temps avec ces ex-maris ou soi-disant maris qu'elle semble affectionner. Mais, comme en tout, Ciocia Yola a sa petite idée sur les hommes.

Marta prend le lapin et d'une main experte donne un coup de couteau bien aiguisé le long du ventre soyeux de l'animal. Elle l'écorche et le coupe en petits morceaux qu'elle fait revenir dans la poêle avec la graisse des saucisses et des feuilles d'ail des bois et de thym sauvage. Un délicieux parfum se répand jusqu'au bas du champ. Au dernier moment, elle jette les saucisses grillées, les cèpes et les pommes de terre, et vide une canette de bière de Vitaly pour faire une sauce appétissante. Elle goûte du bout de la langue et, en bonne Polonaise, ferme les yeux avec délectation.

Andriy et Emanuel ont fait un feu sur un carré d'herbe, tout en haut du champ. Bien qu'ils aient ce qu'il leur faut de bois sec et de brindilles dans les fourrés, ils doivent tout de même souffler comme des bœufs en agitant des branches pour le faire partir. Une fois le feu allumé et la fumée dissipée, ils disposent autour des rondins et des caisses assortis de la vieille banquette de voiture pour s'asseoir. Les Chinoises ont sorti les assiettes et les couverts (comme il n'y en a que six, certains devront partager ou improviser). Emanuel a cueilli un énorme saladier de fraises que Marta a mises à mariner dans du thé froid avec du sucre et des feuilles de menthe sauvage. Elle s'est aperçue qu'elle était à présent obligée de modifier ou de masquer la saveur des fraises pour que les cueilleurs les trouvent à leur goût. Cette fois, elle a l'intention de les disposer dans un récipient tapissé de pain de mie, afin d'en faire un pudding en guise de gâteau d'anniversaire pour Emanuel, qui lui inspire une affection particulière. Il n'y a pas de bougies, mais tout à l'heure il y aura des étoiles.

Emanuel regarde Tomasz accorder sa guitare. Puis il la lui passe et entreprend de lui montrer des accords de base. Vitaly sort son stock de bières et sa caisse. Ciocia Yola a mis la culotte à ruban mauve toute propre qu'elle a décrochée de la corde à linge, une jupe courte à volants et une blouse décolletée. C'est sans doute pour les beaux yeux de son amant. Marta ne comprend pas ce que sa tante trouve au fermier. Mon Gros Chou, elle l'appelle. On dirait plutôt un gros pudding à la graisse de rognon. Tant qu'à se rendre coupable de fornication avec un homme, autant le choisir beau garçon. Mais Dieu lui pardonnera sans doute. En cela, Il est bon.

Puis la Chinoise tape sur une casserole comme sur un gong et ils s'installent tous autour du feu en se délectant à l'avance du festin de Marta.

Dans la vallée, une brume d'été miroite au-dessus des arbres, et déjà l'ombre s'étend. La brillance cristalline de la lumière s'adoucit, devient plus sourde comme si elle luisait à travers de multiples couches de soie. Les filaments de nuages argentés ont viré au rose, mais le ciel est encore clair et le soleil n'atteindra la cime des arbres que dans une heure ou deux. C'est presque le solstice d'été. Une grive s'égosille, perchée sur la branche d'un frêne, et son compagnon lui répond, de l'autre côté du taillis. À part les aboiements d'un chien qui résonnent dans la forêt, au loin, c'est le seul bruit qui vient rompre le silence.

Une aussi belle soirée est un don de Dieu, se dit Marta en rendant grâce au Seigneur et en se préparant pour la célébration.

~

Il ne manque plus qu'Irina. Andriy part à sa recherche et la trouve encore endormie, blottie dans la caravane. Elle a les mains croisées sous le menton et sur les joues, deux taches de couleur pareilles à des pétales roses. Elle a les lèvres entrouvertes et des mèches éparses de cheveux bruns sont répandues sur l'oreiller. Il la contemple un moment. Décidément, pour une Ukrainienne, elle a des attributs extrêmement positifs.

« Réveille-toi. Le dîner est prêt. »

Il a failli lui dire : « Réveille-toi, ma douce. » Mais pourquoi dirait-il une chose pareille ? Heureusement, les mots sont restés coincés sur sa langue, évitant ainsi de le plonger dans l'embarras. Irina bâille et s'étire en se frottant les yeux. Elle se laisse rouler au bas du lit, encore engourdie par le sommeil. Il lui prend la main pour l'aider à descendre de la caravane et elle s'appuie brièvement sur lui avant de s'écarter.

Les cueilleurs de fraises assis en cercle se passent les plats fumants : ragoût de boulettes, de lapin et de saucisses accompagné de pain frit, d'ail, de champignons et de pommes de terre. Le parfum délicieux de chaque plat lui paraît miraculeux ; il frémit d'impatience. Il est incroyablement affamé. Une fois que Marta a dit le bénédicité, Vitaly leur vend à chacun une canette d'excellente bière à prix réduit. Au début, ils mangent en silence, écoutant l'oiseau et contemplant les variations magiques de lumière à mesure que le soleil s'enfonce à l'horizon. Au bout d'un moment, les conversations fusent en un brouhaha de langues diverses.

Il regarde du coin de l'œil Irina, qui est assise à côté de lui sur un rondin. Il aime sa façon de manger, d'engloutir allégrement ce qu'elle a dans son assiette en ne s'arrêtant que de temps à autre pour rejeter en arrière les mèches qui glissent sur sa figure.

Il se penche et lui murmure à l'oreille : « Tu as un petit copain chez toi ? »

Elle se tourne vers lui et lui lance un regard noir.

« Oui, évidemment. Il fait deux mètres et c'est un boxeur.

– Ah oui ?

– Évidemment.

– Comment s'appelle-t-il ?

– Attila. »

Elle n'a pas une tête à avoir un petit copain boxeur, mais les femmes sont imprévisibles, c'est bien connu, et il paraît que les plus raffinées sont parfois attirées par de vrais rustres. Qui sait, peut-être a-t-il toutes ses chances avec elle après tout ?

À sa gauche, Tomasz tente une approche similaire. Il est assis à côté de Yola sur la banquette de voiture de Vitaly et lui chuchote : « Y a-t-il quelqu'un qui t'attend en Pologne, belle Yola ?

– En quoi ça te regarde ? réplique sèchement Yola.

– C'est juste que si c'est le cas, il a bien de la chance.

– Pas autant que tu le crois. Depuis quand ça te connaît, la chance ? rétorque-t-elle. Quand on ne sait pas de quoi on parle, on se tait, monsieur le poète. »

De l'autre côté, Emanuel et la Chinoise Numéro 2 essaient mutuellement de comprendre d'où ils viennent. Emanuel découvre qu'elle n'est pas originaire de Chine, ce qu'il trouve bizarre, tandis qu'elle s'aperçoit qu'il vient d'Afrique, ce que tout le monde sait déjà. Puis Vitaly insiste pour leur passer une autre bière et Marta le gronde gentiment de profiter d'Emanuel, qui est trop jeune et a manifestement assez bu. La Chinoise Numéro 2 part d'un fou rire incontrôlable, et bientôt tout le monde se met à glousser, même Marta.

Puis Tomasz prend sa guitare et entonne une chanson calamiteuse de son cru, entièrement rimée, sur les déboires d'un homme en quête de la femme de ses rêves. Yola lui demande de se taire. Andriy se tourne vers Irina.

« Tu nous chantes quelque chose, Ukrainka ? »

Elle le fusille encore une fois du regard.

« Pourquoi tu ne demandes pas à Emanuel ? » Elle plante les dents dans un morceau de lapin.

Hmm. Il n'a pas l'air d'avoir beaucoup de succès avec cette fille.

~

Chère Sœur

Je regrette que tu ne sois pas là car dans le Kent les fraises sont encore plus délicates que les fraises de Zomba.

Comme aujourd'hui c'est mon dix-huitième anniversaire nous avons passé une soirée remarquable. Avec mon ami mzungu Andree nous avons fait un grand feu de camp que nous avons allumé avec beaucoup de battage enfiévré et de fumée et on nous a servi un festin délicat préparé par une bonne Martyre catholique bien qu'elle ne soit pas encore montée au ciel et après avoir festoyé nous avons admiré de la colline le coucher de soleil magnifique (mais pas aussi magnifique que le coucher de soleil de Zomba) avec le soleil qui se couche comme un disque de feu et la première étoile du ferment scintillonnant comme un diamant dans le ciel et les collines fraîches dans leur obscurissement. Et quand nos cœurs se sont ouverts tout le monde a commencé à chanter.

Le mzungu de Pologne qui s'appelle Tomach a une guitare qui présente un intérêt extrême pour moi et il a chanté la ballade du beau Dilane qui tambourine suivi de son escorte de disciples. Puis les deux Chinoises ont chanté en soprano aigu un chant ineffable d'une grande beauté. La fille d'Ukraine a aussi chanté joliment avec l'accompagnement choral de Andree qui la lorgnait avec convoitise. Puis la Martyre catholique a chanté un chant de louanges avec l'assistance de sa tantine. Et j'ai chanté mon chant Oh viens Oh viens Emanuel que Sœur Theodosia m'a appris. Et à la fin tout le monde a chanté Joyeux anniversaire Emanuel et il est advenu que cette chanson remarquable est disponible non seulement en anglais mais aussi en ukrainien polonais et chinois !!! Et ainsi unis dans le chant nous avons contemplé la Splendeur du soir.

~

J'avais bu deux bières, plus que dans mes habitudes. À chaque fois qu'on me servait à boire, ma mère me serinait toujours : « Irina, une femme ivre est comme une rose saccagée. » En fait tout le monde avait trop bu, même Marta. Marta était en train de faire la vaisselle. Yola était censée l'aider, mais elle avait disparu. Les Chinoises avaient bu deux bières chacune et elles étaient rentrées dans la caravane – elles sont très sensibles aux moucherons. Emanuel en avait bu huit et il s'était endormi, couché devant les braises. Tomasz en avait bu six en maugréant qu'il préférerait de loin un bon verre de vin de Géorgie et il s'était remis à gratter sa guitare en braillant une autre chanson lugubre sur les temps qui changent. Vitaly ramassait les canettes vides et comptait la recette de la soirée. Andriy en avait bu au moins huit, j'avais remarqué, et quand j'ai enlevé sa main de mon genou, il s'est éloigné d'un pas mal assuré jusqu'au bas du champ. Un mineur soûl n'est pas très séduisant.

Le froid qui gagnait à mesure que le soleil disparaissait faisait frissonner mes bras et mes jambes nus, et je suis allée dans la caravane chercher mon pull et mon jean. J'y ai trouvé Yola qui peignait ses cheveux teints et se barbouillait d'un rouge à lèvres rose bon marché en prévision de son rendez-vous galant avec le fermier rondouillard. Elle n'arrêtait pas de faire des bonds pour regarder par la fenêtre comme un caniche surexcité. Soudain, elle a aboyé : « Regardez, les filles. On a de la visite. »

Elle tendait le doigt par la fenêtre. Au lieu de la Land Rover du fermier, une espèce d'énorme tank noir se garait au bas du champ. Mon cœur s'est mis à cogner dans ma poitrine. À croire que j'avais reçu un coup de poing. La portière s'est ouverte et une pesante silhouette vêtue de noir a émergé. Malgré la distance, je l'ai tout de suite reconnu.

Vulk a regardé autour de lui, puis il a commencé à remonter le champ à pas lourds en piétinant les plants de fraises. Je n'ai pas hésité une seconde. Je me suis levée d'un bond et sans me retourner je me suis ruée dehors. Je me suis faufilée dans le taillis en me glissant par la brèche de la haie. Mon cœur battait à tout rompre. La tête baissée, je me suis éloignée de la caravane sur la pointe des pieds en longeant la haie de l'autre côté avant de m'enfoncer dans un bosquet. Je me suis tapie derrière un épais buisson d'épicéa et j'ai tendu l'oreille. J'ai entendu des voix, des voix d'hommes et de femmes, mais je ne comprenais pas ce qu'elles disaient. Le sang cognait si fort sous mon crâne que je ne m'entendais même pas penser. On aurait dit un de ces cauchemars où l'on est réveillé par le battement de son cœur. Boum boum. J'ai enfoncé mes ongles dans la paume de la main, mais la douleur était bien réelle.

Au bout d'un moment, Yola est sortie dans le champ et m'a appelée :

« Irina ? Irina ? Viens, ma fille, il y a un beau visiteur pour toi. »

Cette femme est un fléau. Pourquoi ne part-elle pas avec Vulk puisqu'il lui plaît tellement ? À tous les coups, c'est son genre d'homme. Je suis restée immobile, retenant mon souffle, jusqu'à ce qu'elle renonce et retourne dans la caravane. Alors seulement j'ai respiré. Mais je n'ai pas bougé. Entre lui et moi, c'est à celui qui sera le plus patient. Sur une branche, à quelques centimètres de mon nez, une araignée tissait frénétiquement sa toile. Je l'ai regardée se laisser tomber sur une branche puis remonter le long de son échelle de soie en hissant son gros corps sur ses pattes délicates. Elle s'est posée au milieu de sa toile et a attendu que sa proie tire sur les fils.

Au bout d'un moment, j'ai entendu la voix de Vulk. Il était tout près de la haie. Il a appelé :

« Petite fleurrr ! Viens, petite fleurrr ! Viens ! »

Cette voix pâteuse. J'ai eu un haut-le-cœur. De ma cachette je ne pouvais pas le voir, mais j'imaginais sa queue-de-cheval qui se balançait dans son dos.

« Viens ! Viens ! »

J'ai pris ma respiration, puis j'ai retenu mon souffle. Mon cœur cognait si fort dans ma poitrine que j'étais persuadée qu'il pouvait m'entendre en marchant de long en large de l'autre côté de la haie, martelant le sol à chaque pas. Crac crac. « Petite fleurrr ! Petite fleurrr ! »

Puis une horrible puanteur familière a envahi mes narines. Il avait allumé un cigare. Il devait fumer dans le champ, juste à côté de la haie. Pff... Berk. Je ne le voyais pas, mais je le sentais tout près. J'avais le corps entièrement tendu, le souffle haletant, comme dans ces cauchemars où l'on a beau essayer de courir, on reste paralysé. J'étais incapable de dire combien de temps s'était écoulé. Le jour s'estompait peu à peu. Au bout d'un moment, l'odeur du cigare a fini par s'estomper, elle aussi. La voie était-elle libre ? Je m'apprêtais à bouger quand soudain j'ai de nouveau entendu des voix. Il était retourné à la caravane. J'ai tendu l'oreille. Je ne comprenais pas ce qu'il disait, mais j'ai entendu le rire vulgaire de Yola, puis au bout d'une éternité, le bruit que j'attendais – le moteur du tank de la mafia qui démarrait.

La barrière a claqué et le bruit du moteur s'est évanoui dans le silence.

Ce n'est qu'à la nuit tombée que je me suis enfin décidée à sortir de ma cachette pour retourner dans la caravane illuminée.

« Ah, te voilà ! s'est écriée Marta. J'étais si inquiète.

– Te voilà ! » Yola avait un ton de reproche. Elle m'a examinée des pieds à la tête et m'a lancé un coup d'œil vulgaire. « Tu as l'amant secret. » Elle a pris soin de parler en anglais pour les Chinoises. « Bel homme te cherche.

– Pas si bel homme que ça. » J'ai froncé le nez.

Les Chinoises se sont mises à rire.

« Suffisamment, a répondu Yola. Pas chauve. Beaucoup de bons cheveux.

– Trop long. Comme cheveu femme, a dit la Chinoise Numéro 1. Comme Toh-mah. » Elles se tordaient de rire.

« Il avait les fleurs, a dit Yola.

– Des fleurs ? Pour quoi faire ? » La seule idée qu'il m'ait apporté des fleurs me donnait la nausée.

« Fleur en main pour toi. Hi hi. » La Chinoise Numéro 2 a mis son menton au creux de ses mains en riant tant et plus. « Fleur rose. Rose. Fleur amour. » Comme si le rose y changeait quoi que ce soit. Elles trouvaient ça désopilant.

« Je n'en veux pas, de ces fleurs », ai-je dit d'un ton nonchalant. Je jubilais encore d'avoir réussi à m'échapper et voulais à tout prix éviter de repenser à ce voyage terrifiant, les frites froides, la nausée, la peur. « Non seulement il est vieux, mais il est franchement laid et d'une culture limitée.

– Nous sommes tous des créatures de Dieu », a répondu Marta d'un ton réprobateur. Elle n'a jamais dû recevoir de fleurs à cause de son gros nez. Elle est très gentille, mais quelquefois je me dis qu'elle pousse un peu côté religieux.

~

Andriy a descendu au moins huit bières et le voilà dos tourné au champ, concentré sur l'agréable sensation de diriger un torrent de pisse chaude sur une ortie obstinée qui dépasse de la haie. Elle vacille sous le jet, mais rebondit. Il vise et frappe à nouveau. Elle plie, mais ne rompt pas. Quand il remonte sa braguette, ses feuilles pointues luisent effrontément. La prochaine fois je t'aurai, promet-il à la petite plante tenace.

En retournant à la caravane dans la pénombre irréelle de la nuit tombante, une vision d'une incroyable beauté surgit devant ses yeux. Est-il complètement ivre ou est-ce un rêve ? Généreusement proportionnée, dotée de courbes sensuelles, belle et cependant mystérieuse, cruelle et cependant soumise, monstrueuse et cependant admirable de perfection. Il tend la main, les doigts tremblants, pour la toucher. Elle est bel et bien réelle. Il caresse la masse luisante de noirs et de chromes. Il en fait le tour. Elle est parfaite sous tous les angles.

Et à l'intérieur ? Il essaie la portière côté passager. Elle n'est pas fermée. Il monte, se hisse jusqu'au siège du conducteur, s'enfonce dans le cuir souple mais ferme au parfum de tabac. Quelle hauteur ! Quelle puissance ! Il flatte le volant tapissé de cuir. Parcourt de la main le tableau de bord. L'éventail de commandes est impressionnant. Il débraye. Passe toutes les vitesses. Elles glissent comme du beurre. Il essaie les pédales de frein et d'accélérateur. Elles sont fermes mais dociles. Il cherche la clé de contact. Elle n'est pas là. Il ouvre la boîte à gants. Il tâtonne à l'intérieur. Il y a quelque chose dedans – un objet froid et massif. Pas des clés. Un revolver. Par le cul du diable !

Il le sort, le prend et le retourne dans ses mains. Il le serre entre ses doigts. Le danger est palpable. Il ouvre le barillet. Pourquoi n'y a-t-il que cinq balles ? Qu'est-il arrivé à la sixième ? Sans savoir pourquoi, il prend le revolver et le glisse dans la poche de son pantalon. Il est si lourd qu'il tire sur sa ceinture. C'est agréable de le sentir là, contre lui, mais hors de sa vue. Il descend du véhicule et referme la portière en silence.

Quand il retourne auprès du feu de camp, il découvre que toutes les femmes sont rentrées dans leur caravane. Emanuel s'est endormi. Vitaly a disparu. Tomasz continue à chanter tristement dans son coin. Il décide de s'en prendre une dernière fois à cette pauvre ortie avant d'aller se coucher. Il se trouve dans l'ombre entre la haie et la caravane des hommes lorsqu'il voit le propriétaire du 4 × 4 noir traverser le champ et monter au volant. Malgré la pénombre, il dégage une impression antipathique. Quel gâchis ! Et puis il y a l'histoire du revolver – quel besoin a-t-il d'un revolver ?

Les événements se précipitent alors dans la confusion de l'alcool, de la lumière aveuglante et de l'obscurité, si bien que par la suite il ne saura jamais exactement ce qui s'est passé.

Au moment même où la pénombre engloutit les feux arrière du 4 × 4, le bruit d'un autre moteur déchire le silence de la vallée. Il croit tout d'abord que c'est la Land Rover du fermier qui s'emballe, mais c'est un vrombissement plus puissant, plus profond, rythmé par une excitante ligne de basse. Il sort de l'ombre en espérant apercevoir le bolide au passage. Mais le moteur stoppe devant la barrière, celle-ci s'ouvre et la Ferrari rouge s'engouffre à toute allure, décapotée, tous phares allumés. Son cœur s'affole. Deux fois le même soir. Ce doit être un rêve. Puis la blonde descend de la Ferrari.

Elle est peut-être plus mûre qu'il l'avait imaginée, mais la lumière est si trompeuse qu'elle peut jouer bien des tours. Elle est grande, plus grande que lui, et ses cheveux blonds sont relevés sur sa tête en un gros chignon négligé. Elle porte un pantalon blanc moulant qui renvoie l'éclat des phares, révélant des formes moins parfaites qu'il les avait rêvées, davantage berline familiale peut-être que coupé sport, mais elle n'en demeure pas moins la blonde *Angliska rosa* aux yeux bleus. Elle s'avance sans le voir tapi près de la caravane et traverse le champ au pas de gymnastique.

« Lawrence ! crie-t-elle d'une voix sèche retentissante de fureur. Lawrence ! Où t'es ? Viens ici, espèce de salaud ! »

Ses paroles résonnent dans la vallée et ne rencontrent que le silence.

Malgré sa déception initiale, Andriy se dit qu'il doit saisir l'occasion, ne serait-ce que pour la Ferrari. Après tout, c'est une nuit miraculeuse où il a déjà assisté à deux prodiges et qui verra peut-être toutes sortes de mystères et de métamorphoses. Il émerge de l'ombre en ouvrant les paumes d'un geste apaisant.

« Madame… »

Elle fait volte-face.

« Qui êtes-vous ? » lui aboie-t-elle à la figure. Franchement, il ne lui avait pas imaginé cette voix, non plus.

« Madame... »

Soudain, son anglais l'abandonne. Alors il s'avance vers elle et fait un geste qu'il a déjà observé parmi des vieux Ukrainiens, un geste qu'il n'a jamais fait de sa vie et qui en d'autres circonstances lui donnerait envie de rentrer sous terre rien que d'y penser ; sur l'instant, pourtant, il lui semble être l'évidence même. Il lui prend la main, la porte à ses lèvres et y dépose un baiser.

L'effet est instantané. L'*Angliska rosa* le saisit à bras-le-corps et l'embrasse sauvagement sur la bouche. Il est agréablement surpris. Il a beau savoir que les femmes le trouvent séduisant – il a connu quelques succès par le passé –, jamais la magie n'a été aussi immédiate. Elle se renverse sur le capot de la Ferrari, le tire vers elle et l'embrasse vigoureusement. Ses lèvres chaudes sentent le whisky. Comme le cuir du 4 × 4, son corps est ferme, mais cède sous ses doigts.

« Tu feras l'affaire, mon lapin. » Elle arrache les boutons de sa chemise. Mais qu'est-ce qui se passe ? Ce genre de débordements de passion est-il typique des Anglais ? Non sans une nouvelle pointe de déception, il s'aperçoit que le coupé sport n'est pas du tout une Ferrari mais une Honda (mais bon, c'est tout de même un coupé sport, et un coupé rouge, qui plus est) et que la bouche pressante, dominatrice de l'*Angliska rosa* n'est pas sans lui rappeler étrangement... mais oui, son premier baiser. Vagvaga Riskegipd le chevauchant sur les marches de l'hôtel de ville de Sheffield en glissant de force sa petite langue déterminée entre ses dents. Décidément, ces femmes angliski !

Puis il entend le grondement d'une autre voiture qui entre dans le champ, mais quand il essaie de jeter un œil, elle lui tire la tête d'un coup sec en maintenant sa bouche collée à la sienne. Sa langue besogne avec acharnement. Sur ce, il entend Yola qui hurle en haut du champ : « Gros Chou ! Gros Chou ! Attention ! »

Essayant de se libérer de l'étreinte de la blonde, il redresse la tête et voit le fermier qui le regarde fixement, planté à côté de la Land Rover. Il n'a pas l'air très content. Cloué au capot par la blonde, Andriy commence à se demander s'il était judicieux de céder à la passion de l'*Angliska rosa.*

« Bordel de !… Sale garce ! Salope ! »

Le fermier fonce droit sur eux. L'*Angliska rosa* lève la tête par-dessus l'épaule d'Andriy, et de sa main libre, l'autre étant occupée à tripatouiller sa braguette, elle brandit deux doigts à la figure du fermier. Andriy essaie de profiter de l'occasion pour s'échapper, mais la blonde le tient fermement, et soudain voilà que le fermier enragé se jette sur son dos en poussant un grognement. Par ma barbe ! Ça ne se passe pas du tout comme prévu. Il est coincé entre eux deux comme le rosbif dans un sandwich dément. Le fermier est si lourd qu'il peut à peine respirer. Tandis que Leapish se démène dans tous les sens en tentant d'agripper Andriy par la gorge, la blonde réussit à se dégager en se tortillant, se précipite dans le coupé et démarre. La voiture fait un bond en avant, le fermier glisse du capot et tombe par terre avec un bruit sourd.

« Attention, mon Gros Chou ! »

Andriy, qui est toujours accroché au capot, entend Yola glapir en haut du champ. Il se retourne et la voit dévaler les rangées de fraises en vacillant sur ses fines sandales à hauts talons. En se relevant, le fermier l'aperçoit à son tour.

« Va-t'en, Primevère ! » Il lui fait signe de s'éloigner.

La voiture fait marche arrière, accélère légèrement et soudain fonce en avant. Il y a un craquement horrible. Le fermier s'écroule en se tortillant par terre. La voiture recule et accélère à nouveau. Andriy s'agrippe d'une main à un essuie-glace et de l'autre cogne contre le pare-brise.

« Stop ! Stop !

– Mon Gros Chou ! »

Il entend Yola hurler derrière lui, mais ne voit pas très bien ce qui se passe. À l'instant où la voiture repart à l'assaut, il se jette du capot et atterrit sur le fermier, qui se roule au sol en se tordant de douleur, la bouche ouverte comme s'il criait, mais ne laissant échapper que quelques faibles gargouillis. Andriy se dépêtre en tremblant et contemple le spectacle avec horreur. Les os de la jambe gauche du fermier dépassent de tous les côtés. La voiture repart en marche arrière et charge à nouveau.

« Mon pauvre Gros Chou ! » Yola se précipite en trébuchant, plonge en avant en tentant de dégager le fermier, mais il est trop lourd pour elle. La voiture se dirige droit sur eux. Andriy se redresse en chancelant, et à deux ils réussissent à tirer de côté le fermier qui se contorsionne, échappant de justesse au pare-chocs de la voiture qui fonce à toute allure, avec au volant la blonde *Angliska rosa* qui sourit comme une démente.

Crac ! Dans un horrible fracas métallique, la voiture va s'encastrer à l'arrière de la caravane des hommes, qui tombe de la pile de briques et bascule de travers sur son axe.

L'*Angliska rosa* descend pour inspecter les dégâts de sa voiture. Puis elle s'avance vers le fermier qui se tortille par terre dans l'éclat éblouissant des phares et lui flanque un coup de pied.

« Pauvre connard. La prochaine fois, tu es fichu.

– Wendy, grogne-t-il, c'était rien ! Un peu de pelotage, c'est tout. »

Jusque-là, Yola ne s'est pas interposée devant la blonde, mais le flegme n'a jamais été son point fort.

« Potage ! C'est quoi, potage ? Hein ? » Elle lui enfonce ses orteils fuchsia dans les côtes. « Je suis primevère, pas potage !

– Yola, je t'en prie… » Andriy tente de la retenir, mais elle se libère et se rue vers le fermier.

« Lâche-le ! crie la blonde. C'est peut-être une ordure, mais c'est mon ordure, pas la tienne ! » Elle se jette sur Yola, lui fait perdre l'équilibre d'un croche-pied bien placé, la saisit par la taille et la plaque au sol. Elles se crêpent sauvagement le chignon en haletant.

« Tous des ordures ! » Yola se débat comme elle peut, mais la blonde est plus grande et plus forte qu'elle. « Lâche-moi !

– Arrêtez, je vous prie ! Du calme ! s'écrie Andriy en empoignant la blonde à bras-le-corps. Madame, s'il vous plaît… »

Yola profite de l'occasion pour déguerpir et se réfugier dans la caravane des hommes. Il s'empare de sa main et essaie de la porter à ses lèvres, mais elle la lui arrache et dans un craquement la lui balance de toutes ses forces dans la mâchoire.

Des étoiles surgissent dans l'espace noir entre ses yeux.

~

Les Chinoises regardent par la fenêtre en essayant de comprendre ce qui se passe dans le champ, en contrebas. Entre l'éclat des phares et les flaques d'ombre, l'action paraît décousue, confuse. Elles voient la voiture reculer, puis avancer. Elles voient Yola se jeter sur le corps étendu au sol. Elles entendent le fracas de la voiture qui emboutit la caravane. Elles voient Irina et Marta côte à côte juste en dessous de la caravane, observant la scène qui se déroule en bas du champ.

Au milieu de tout ce chaos, le 4 × 4 de Vulk franchit la barrière tous phares éteints et longe silencieusement le champ de fraises jusqu'à la caravane des femmes. Irina se retourne et le voit surgir de l'obscurité. Elle hurle et se précipite vers le taillis, mais cette fois il lui court après et s'empare d'elle. Les Chinoises assistent à l'enlèvement sans pouvoir réagir. Vulk pousse dans le 4 × 4 Irina qui se débat en hurlant et repart dans la nuit.

Adieu fraises, bonjour mobilfon

J'ai crié, crié. J'ai vu les Chinoises et Marta se retourner et courir vers moi. J'ai vu la terreur se peindre sur leurs visages blancs dans l'éclat des phares. J'ai senti la main de Vulk se refermer sur mon épaule, son bras qui me bloquait le cou. Puis je me suis évanouie.

Quand je suis revenue à moi, j'étais ballottée dans un véhicule qui fonçait sur une route dans la nuit. Je sentais l'ignoble odeur de tabac du revêtement en cuir collé contre ma joue. Un spasme d'horreur et de désespoir m'a noué le ventre. Comment avais-je pu me laisser avoir ? *Espèce d'idiote. Imbécile. Inconsciente. Tu as baissé la garde une minute et ça a suffi. Tu aurais pu mourir. Mieux vaut mourir. Mieux vaut mourir que… Non, n'y pense pas. Oublie ça. Oublie.*

J'avais les épaules tremblantes. Les pieds et les mains glacés. *Mamma, pappa, aidez-moi, je vous en supplie. C'est moi, votre petite Irina. Un trésor, pas un jouet. Ne soyez pas fâchés. Aidez-moi. Tu vas sûrement trouver de l'aide. Tu es en Angleterre.*

« Petite fleurrr OK ? » Cette voix grasse ! J'étais roulée en boule par terre à l'avant, les jambes repliées inconfortablement sous moi, la tête sur le siège passager. Le bouquet de fleurs abîmé était posé à quelques centimètres de ma figure.

« Petite fleurrr croire peut échapper Vulk. Petite fleurrr croire que elle malin. Mais Vulk partout plus malin. Je attendre. Je reviendre. Hop. Je attrape. Je possibiliser. »

Arrête. Réfléchis. Il doit bien y avoir un moyen… La portière – peut-être qu'elle s'ouvrira. La voiture roule vite. Tu vas te blesser – peut-être même te tuer. Mieux vaut être morte que… Non. Arrête. Réfléchis. Parle-lui. Embobine-le. Pense à quelque chose, vite. Mamma, pappa, aidez-moi. Imagine une stratégie. La portière s'ouvre. Non, la portière est fermée. Non, la portière s'ouvre. Tu tombes, tu roules. Tu es blessée mais en vie. Tu cours. Tu vas trouver de l'aide. Tu es en Angleterre. Tu cours. Il te poursuit. Il a un revolver.

Vulk a poussé le bouquet abîmé vers moi et les tiges se sont prises dans mes cheveux.

« Tu aimer ça, fleurrr ? »

J'ai fermé les yeux sans répondre. Je l'ai entendu se pencher vers moi en faisant crisser sa veste en cuir. J'ai senti le tabac et les dents cariées. Il m'a touché la figure. J'ai senti ses doigts rugueux passer le long de ma joue et de ma mâchoire. La voiture a fait une embardée. J'ai gardé les yeux fermés. Ses doigts m'ont tripoté le cou. Je les ai sentis s'attarder dans le creux de ma clavicule et se glisser sous mon chemisier.

« Belle fleurrr. Tu aimer ça, fleurrr ? »

Réfléchis. Parle. Tu es maligne – sers-toi de ta tête. Des mots bien choisis peuvent te sauver la vie. Dis quelque chose.

Je n'ai rien pu dire. Ma gorge s'est contractée. J'ai été prise d'un violent haut-le-cœur. Un filet de liquide plein de grumeaux s'est mis à dégouliner de ma bouche directement sur le siège. J'ai senti la voiture ralentir, braquer et cahoter sur un terrain accidenté. Il avait dû quitter la route. Il s'est penché pour ouvrir la portière de mon côté. On était garés sur un chemin sombre qui semblait mener dans une forêt. Il a poussé ma tête par la portière.

« Tu vomir dehors. »

J'ai vomi à n'en plus finir dans la nuit, la tête à la portière. Vulk attendait.

Maintenant. C'est maintenant qu'il faut t'échapper. Saute. Sauve-toi. Dans la forêt. Plonge derrière les buissons. Disparais dans l'ombre des arbres. Reste immobile. Cache-toi.

Mes yeux se sont accommodés à l'obscurité. Je me suis tendue. Et comme s'il avait lu dans mes pensées, Vulk a dit : « Tu enfuir, je tirer revolver. »

Mieux vaut mourir que… Oublie. Mourir. Oublie.

J'ai sauté.

~

JE SUIS UN CHIEN JE COURS JE COURS JE SENS LA TERRE LE BOIS L'EAU LES ARBRES LES BUISSONS LES RONCES JE SENS LE RENARD JE SENS LE LAPIN BUISSONS TROP PRÈS M'ARRACHENT LA PEAU JE SAIGNE JE COURS PIERRE POINTUE MAL À LA PATTE LE SANG LÉCHER LE SANG MAL JE COURS LOIN UN CHIEN FURIEUX ABOIE LOIN UN HOMME CRIE SILENCE À CÔTÉ UN OISEAU DE NUIT APPELLE UN OISEAU DE NUIT RÉPOND MOTS D'AMOUR D'OISEAUX SILENCE DES ARBRES DES BUISSONS DES HAIES UN GRAND CHAMP L'HERBE DOUCE CLAIR DE LUNE JE COURS JE COURS JE SUIS UN CHIEN

~

« Tu ferais mieux de décamper », dit Wendy. Elle fait un numéro sur son portable. Dans le clair-obscur, elle a le visage blafard, l'air d'une folle. Andriy la regarde en se demandant ce qui lui a pris.

« Camper ?

– Décamper. Avant que la police arrive. »

Il comprend « police arrive ».

« Mais je…

– Tu l'as percuté avec ma voiture, n'est-ce pas ? Une dispute au sujet de la paie.

– Mais… »

Andriy regarde en direction du fermier. Il s'est apparemment évanoui.

« La police croira qui, à ton avis ? Tiens. » Elle lui jette une clé de voiture.

Son cœur bondit. Mais ce n'est pas la clé du coupé sport, c'est celle de la Land Rover. « Et tu peux emmener l'autre tarte aux fraises, tant que tu y es. » Elle indique le haut du champ. De quoi parle-t-elle ? Il met la clé dans sa poche et s'avance pour la prendre dans ses bras. Elle recule.

« File. »

Il monte dans la Land Rover et met le contact. Elle démarre instantanément. Les pédales et les vitesses sont dures. La dernière fois qu'il a conduit, c'était au volant de la Zaporozhets de son père. Il est d'abord tenté de franchir la barrière et d'appuyer sur le champignon, mais son passeport et deux semaines de paie sont fourrés dans une vieille chaussette cachée sous son matelas. Et puis il y a autre chose qui le retient – cette fille émergeant du sommeil avec ses longs cheveux étalés sur l'oreiller. Il ne veut pas partir sans lui dire au revoir. Adieu et bon vent ? Ou au revoir et à un de ces jours ? Il aimerait bien le savoir.

Il coupe le moteur et retourne à la caravane des hommes qui est posée de travers sur son unique roue. Il y trouve Yola assise sur le lit en pente de Tomasz, tremblante, pleurant toutes les larmes de son corps, au côté de Tomasz qui essaie de la consoler.

«Je pars», dit Andriy. Il prend son passeport et son argent et fourre ses affaires dans son sac. «Avant que police arrive.»

Yola lève les yeux d'un air ébahi.

«Police arrive?»

Il hoche la tête. Elle bondit en écartant Tomasz.

«Je pars aussi. Je cherche mon sac.» Elle se dirige vers la porte. «Attends. S'il te plaît, attends.»

Tomasz sort son sac de son casier et commence également à faire ses bagages.

«Je viens avec vous.»

Emanuel qui dort sur le lit de Vitaly émerge de son sommeil et se redresse sur un bras en se protégeant les yeux de la lumière, tout en marmonnant quelque chose dans sa langue.

«On part. Au revoir, mon ami.» Andriy referme doucement la porte et regagne la Land Rover avec son sac.

Il remonte la bordure du champ au volant de la Land Rover, dépassant Tomasz qui court au milieu des plants de fraises, le sac et la guitare rebondissant dans le dos. La direction de la Land Rover est molle et la seconde n'arrête pas de sauter. Il va devoir rouler prudemment.

Il frappe et entre dans la caravane des femmes. À l'intérieur, c'est l'hystérie et le chaos. Yola essaie de rassembler ses affaires à la lueur d'une lampe à huile tout en s'efforçant de calmer Marta et les Chinoises qui sanglotent sans pouvoir s'arrêter.

« Où est Irina ? demande-t-il.

– Homme prendre », répond une des Chinoises en tremblant. Et l'autre intervient : « Homme cheveu femme prendre.

– L'homme avec une voiture de gangster a enlevé Irina », explique Marta en polonais.

Le sang lui monte à la tête. Comment est-ce arrivé ? Comment a-t-il pu laisser une chose pareille arriver ? Quel homme laisserait sa petite amie (est-ce sa petite amie ?) se faire enlever ainsi ? Il se sent mal, nauséeux.

« Par où ? »

La fille indique vaguement le bas du champ. À quoi bon, il est découragé. Quel idiot. La blonde. La Ferrari. Quel triple imbécile.

« On y va. On y va. »

Il attrape le sac de Yola et celui de Marta qui veut partir avec sa tante, puis les deux Chinoises se mettent à hurler et se lamenter.

« Nous pas rester. Nous venir. Méchant cheveu femme revenir.

– Prenez vos affaires, vite vite », dit Yola.

Elles fourragent dans tous les coins, tremblant de panique, devant Tomasz qui les encombre en les cognant avec sa guitare à chaque fois qu'il bouge. Andriy croit apercevoir un éclat de lumière bleue entre les arbres au fond de la vallée. Soudain, il trouve la solution. Il saute dans la Land Rover, manœuvre, recule et attache la caravane au crochet d'attelage. Il y a même une prise dans laquelle il branche le connecteur. Ça lui prend à peine deux minutes. Puis il démarre.

Il roule en cahotant en bordure du champ lorsque soudain une petite silhouette en anorak vert titube devant lui, encore éméchée après ses huit canettes de bière. Il donne un coup de freins. La caravane fait une embardée et manque de se détacher du crochet. Hmm. Il faudra se rappeler de ne pas freiner aussi brutalement.

« Monte ! » crie-t-il. Emanuel se hisse péniblement à l'arrière de la Land Rover et s'installe dans la paille.

Wendy est toujours penchée sur le fermier étendu face contre terre. Elle lève les yeux sur leur passage et Andriy croit apercevoir l'éclat d'un sourire sur son visage, mais peut-être est-ce la lumière qui lui joue des tours.

Il n'arrive pas à passer la troisième, la seconde n'arrête pas de sauter, et avec une direction aussi molle ce n'est pas évident de contrôler le roulis de la caravane rebelle qu'il traîne derrière lui. Sans compter les gyrophares qui remontent la vallée dans le hurlement des sirènes. Par la sainte relique ! Il a à peine parcouru quelques kilomètres qu'ils sont déjà à sa poursuite.

Comment en es-tu arrivé là, Andriy Palenko ? Il y a un quart d'heure, tu avais une Land Rover, de l'argent dans les poches, la voie libre, un amour de jeunesse qui t'attendait. Et te voilà maintenant avec six passagers, une caravane réfractaire et la police à tes trousses. Pourquoi ne pas avoir refusé ?

Devant lui, à gauche, la route bifurque – un chemin d'herbe qui a l'air de mener dans la forêt. Il s'y engage. Au bout de quelques mètres, le chemin aboutit sur un parking équipé d'une vieille table de pique-nique. Il se gare. À l'arrière de la Land Rover, Emanuel dort sur la paille. Andriy passe la tête par la porte de la caravane.

« Tout va bien là-dedans ? »

Les quatre femmes et Tomasz sont pelotonnés sur le sol. Marta a vomi.

« Où on est ? demande Tomasz.

– Je ne sais pas. Je ne sais pas où on est ni où on va. On reste ici. Demain matin, on décide. »

Il s'assied par terre à côté des autres, la tête entre les mains. Il s'aperçoit qu'il a les genoux qui tremblent. Il est couvert de sueur. Si la police arrive, il expliquera tout. Il leur dira que c'est une erreur et assumera les conséquences en homme. Il est en Angleterre.

~

Yola n'a absolument rien à se reprocher. Absolument rien. Quand une femme d'action se fait trahir et traiter de potage par son amant, elle agit. Il y avait ce gros balourd d'Andriy qui essayait de calmer tout le monde. À quoi bon être calme dans une situation pareille ? Naturellement, la femme lui mettrait tout sur le dos. Que des mensonges. Mais allez essayer de dire ça à un policier. Elle sait ce que ça pense, un policier – elle a été mariée à un policier. Un policier, ça se dit : le coupable, c'est celui qui a une raison d'agir. Andriy a-t-il une raison d'écraser le Gros Chou ? Non. A-t-elle une raison ? Oui.

Alors, le mieux est de se tenir à l'écart de la police. Rentrer en Pologne. Vite vite. Mais cette cervelle de betterave dit qu'il ne peut plus conduire, il veut dormir. Et à sa façon de regarder le lit, on voit bien qu'il estime avoir le droit de dormir ici, dans la caravane des femmes. Et Tomasz, ce voleur de culotte (il croit qu'elle ne sait pas, mais il se trompe), lui, il a enlevé ses chaussures. Pouah ! Quelle puanteur. Toutes les filles poussent des cris et se bouchent le nez. Elle croise les bras sur sa poitrine et déclare avec fermeté :

« C'est caravane de femmes, seulement pour femmes. »

Mais cette espèce de cervelle de betterave entêtée va l'écouter, oui ou non ?

« Yola, peut-être tu étais reine du champ de fraises, mais ici, sur route, je suis patron. Et si je dois conduire à Douvres, j'ai besoin bonne nuit sommeil. »

Yola explique patiemment qu'en l'absence du fermier, pour lequel, au fait, elle nie toute responsabilité, c'est elle qui est l'aînée et qui décidera des arrangements pour la nuit.

« Je suis femme mûre et responsable, hors question je partage ma chambre avec homme. »

La réponse d'Andriy est si grossière qu'elle se refuse à la répéter ici, et se contentera de dire qu'il y est question de son âge, de ses sous-vêtements, de son pays d'origine et de sa relation avec le fermier, qui était un simple arrangement commercial, qui plus est dans un pays étranger, et qui n'a par conséquent aucun rapport avec un quelconque débat sur sa personnalité, nuance probablement trop subtile pour un Ukrainien.

« Andriy, s'il te plaît ! intervient Tomasz d'un ton très calme et très digne. Pas de problème. Tu peux dormir dans Land Rover et moi, je reste ici par terre.

– Non, non ! s'écrient toutes les filles en chœur. Pas place par terre !

– Eh bien, on va tous dormir dans Land Rover. On se débrouillera comme on peut. »

Et ils se sont débrouillés. Comme ils ont pu. La chose était réglée.

~

Andriy a passé un bon savon à Yola ; ça lui a fait du bien. Déjà, dans la fraîcheur de l'aube, le ciel commence à blanchir et les étoiles ont disparu. Tomasz a de nouveau enlevé ses baskets qu'il a posées sur le capot et s'est allongé sur les sièges avant de la Land Rover en laissant ses pieds dépasser par la vitre, répandant dans la brise le parfum de ses chaussettes. Andriy se demande où Irina passe la nuit. À cette seule pensée, il a le ventre qui se noue. Il se glisse à l'arrière et se blottit à moitié sur Emanuel qui n'a pas ouvert l'œil depuis le début et dort roulé en boule dans la paille qui sent bon, le menton sur les genoux. Il trouve une vieille couverture par terre et l'étale sur eux deux. En dépit du froid, le silence de la forêt et le souffle qui monte de la terre, des racines et de la sève finissent par le plonger dans un sommeil si profond qu'il ne se réveille qu'en sentant les premiers rayons de soleil filtrer à travers les troncs argentés.

~

JE SUIS UN CHIEN JE COURS JE COURS SEUL UN CHAMP UNE HAIE UNE ROUTE IL FAIT TOUT NOIR JE VOIS UNE LUMIÈRE BLEUE CLIGNOTER JE FLAIRE J'ÉCOUTE J'ENTENDS HURLEMENTS DE ROUES PON PIN PON JE COURS UN CHAMP UNE RIVIÈRE JE BOIS DES PETITS ANIMAUX DÉTALENT ODEUR D'HERBE DE TERRE DES CHOSES MORTES QUI POURRISSENT ODEURS D'ANIMAUX DE PISSE FRAÎCHE BLAIREAU RENARD BELETTE LAPIN JE COURS UNE ROUTE UN CHAMP UNE FORÊT UNE ROUTE UNE FORÊT STOP SNIFF SNIFF JE SENS DES PIEDS UNE BONNE ODEUR DE PIEDS JE VAIS CHERCHER L'ODEUR DES PIEDS JE COURS JE COURS JE SUIS UN CHIEN

~

J'ai sauté.

Je suis tombée. Le sol était mou. J'ai roulé, je me suis relevée et j'ai couru. *Mamma, pappa, aidez-moi, je vous en prie. C'est moi, votre petite Irinochka.*

Je me répétais – les arbres – il faut que je m'enfonce entre les arbres. J'ai escaladé le talus et me suis élancée vers la forêt en courant tête baissée sous les branches basses. C'était mon seul espoir. Avec un peu de chance, les arbres arrêteraient les balles. J'ai rassemblé mes forces, tressaillant, m'attendant à tout instant à entendre le coup de feu qui me dirait que j'étais morte. Il n'y a pas eu de coups de feu. Je n'entendais que des pas, les siens et les miens, qui craquaient dans les broussailles et les branches mortes qui jonchaient le sol. Crac. Crac. *Pas de coups de feu. Pourquoi il n'y a pas de coups de feu ? Peut-être que je suis déjà morte ?* Il faisait si noir. Noir comme dans le placard sous l'escalier. Noir comme dans une tombe. Au début il y avait la lueur des phares, mais là je courais dans l'obscurité totale. Il faisait trop noir pour courir. Trop d'obstacles, d'ombres qui se changeaient en arbres, de branches qui vous frappaient le visage, de racines qui vous agrippaient les jambes, terreurs invisibles. Pas de clair de lune. J'ai cru apercevoir d'un côté la lisière de la forêt, la lueur grise du ciel à travers les arbres. J'ai bifurqué vers la droite et je me suis laissée glisser le long du talus pour regagner le chemin, puis j'ai foncé en silence dans l'herbe. Je l'entendais encore derrière moi dans la forêt. Crac. Crac.

Après un virage, le chemin s'est mis à monter en pente raide le long d'une haie mal taillée. Au-dessus de la haie, je voyais le ciel et les étoiles sautiller, hors d'haleine, tandis que je courais. Je me suis arrêtée en haletant pour reprendre mon souffle. J'avais le thorax qui explosait. Le sang battait dans mes oreilles – boum boum boum boum. *Continue. Ne t'arrête pas. Tu es plus jeune, en meilleure forme. Tu peux le distancer.* Quand je n'ai plus pu courir, je me suis cachée à l'abri d'un tronc d'arbre et j'ai écouté. Je respirais par grands à-coups. J'entendais encore le craquement des pas dans la forêt, sans pouvoir dire à quelle distance. Ainsi donc il n'avait pas encore renoncé. Je me suis remise à courir comme une folle en trébuchant. *Ralentis. Fais attention. Si tu tombes, tu es finie.*

C'est ce qu'éprouvent les bêtes traquées, me suis-je dit, le souffle coupé, la terreur qui submerge tous les sens, allant jusqu'à noyer la peur. J'ai trouvé une brèche dans la haie et je m'y suis faufilée malgré les épines qui se prenaient dans mes vêtements. Je me suis retrouvée sous la clarté des étoiles dans un long champ labouré. Je respirais de façon anarchique, haletant, suffoquant. J'ai essayé de courir, mais c'était impossible dans les sillons, alors j'ai marché un peu en respirant lentement, titubant dans les ornières. Puis je me suis accroupie et j'ai tendu l'oreille. Le silence. Pas de bruit de pas. Pas de coup de feu. Rien.

Un peu plus loin, j'ai coupé par le chemin et je me suis remise à courir plus lentement. Mon cœur cognait dans tous les sens comme un oiseau sauvage aux barreaux d'une cage. *C'est fini ? Il est parti ? La dernière fois, il a attendu que tu le croies parti et puis il est revenu.*

À mesure que je montais, le ciel s'éclairait. Quand je n'ai plus pu courir, j'ai continué en marchant. J'ai marché longtemps sans m'arrêter. Et puis j'ai trouvé un creux à l'emplacement d'un gros arbre déraciné. Je me suis fait un lit de feuilles mortes et je me suis abritée sous des branches, pour que l'on ne puisse pas me voir de la route. Je me suis couchée là sans bouger et j'ai attendu que mon cœur ralentisse – boum, boum – en regardant le jour se lever couleur de pêche avec de petits nuages en forme d'ailes d'ange.

~

Andriy est le premier à se réveiller, il sent quelque chose de tiède et de lourd qui lui pèse sur les jambes. Au début, il croit que c'est Emanuel qui a roulé sur lui au milieu de la nuit. Il le pousse doucement et tombe sur une chaude fourrure recouvrant une masse compacte de muscles. Par ma barbe !

C'est une énorme créature poilue qui renifle en dormant. Il se redresse en se frottant les yeux. Le chien se redresse aussi et le contemple de ses yeux bruns pleins de douceur avec ce qu'il est bien forcé d'appeler de l'adoration. C'est un beau chien au pelage court et uniformément noir, à l'exception de quelques poils blancs autour du museau et sur le ventre qui lui donnent l'air mûr et distingué.

« Wouf! dit-il en battant sa queue vigoureuse contre le flanc de la Land Rover.

– Salut, le Chien ! répond Andriy en lui caressant les oreilles. Qu'est-ce que tu fais là ?

– Wouf! » répond le Chien.

Puis Emanuel se réveille au son de la queue qui tambourine en cadence contre la Land Rover, l'air nettement moins enchanté de voir le Chien.

« Ça va, Emanuel. Est bon chien. Pas mordre.

– En chichewa, nous avons un dicton : là où le chien pisse, l'herbe meurt.

– Wouf», dit le Chien. Andriy voit bien que, malgré lui, Emanuel est très impressionné par les battements de queue enthousiastes et la langue rose et humide qui pend entre les longs crocs pointus.

Mais entre Tomasz et le Chien, la rencontre atteint des sommets de passion – c'est une véritable frénésie, l'animal fourre le museau contre ses pieds, lui lèche la figure, fait des bonds en l'air et se roule par terre. Puis il se met à flairer d'un air extatique et tombe sur les baskets de Tomasz sur le capot de la Land Rover, en saisit une dans ses mâchoires malgré les protestations de Tomasz et s'échappe en courant pour aller la réduire consciencieusement en pièces. Ce chien est tout à fait remarquable, se dit Andriy, il est grand temps qu'ils soient débarrassés de ces baskets. Sans compter qu'avec un tel odorat il peut être précieux pour retrouver une personne disparue.

~

JE SUIS UN CHIEN JE SUIS UN CHIEN CONTENT JE COURS JE PISSE JE FLAIRE J'AI MES HOMMES ILS VONT PISSER DANS LA FORÊT LA PISSE DE L'HOMME SENT BON LA PISSE DE CET HOMME SENT LA MOUSSE ET LA VIANDE ET L'HERBE C'EST BON JE FLAIRE LA PISSE DE CET HOMME SENT L'AIL ET LES HORMONES DE L'AMOUR C'EST AUSSI BON MAIS LES HORMONES DE L'AMOUR SENTENT FORT JE FLAIRE LA PISSE DE CET HOMME ELLE SENT TROP AIGRE MAIS SES PIEDS SENTENT BON JE FLAIRE DANS CETTE FORÊT D'AUTRES ODEURS D'HOMME DU VOMI DE LA FUMÉE D'HOMME DE L'HUILE DE ROUE JE NE FLAIRE PAS D'ODEUR DE CHIEN JE VAIS FAIRE MON ODEUR DE CHIEN ICI JE COURS JE PISSE JE SUIS UN CHIEN CONTENT JE SUIS UN CHIEN

~

Yola trouve que le chien déborde d'un enthousiasme excessif, avec cette manie qu'il a de fourrer son museau en permanence sous sa jupe, on dirait… Non. C'est une femme mûre et responsable, et il y a des secrets qu'elle n'est pas disposée à partager avec des petits fouineurs.

Il manifeste également un grand intérêt pour l'urine. Quand les femmes se lèvent, environ une heure après les hommes, il les accompagne une à une dans la forêt lorsqu'elles vont faire pipi chacune à son tour, et elles sont obligées de le chasser.

« D'où il vient, le chien ? demande Yola. Il doit rentrer chez lui. »

Mais personne n'a l'air de savoir. Puis il la regarde avec une tendresse suppliante et elle fond aussitôt, car c'est une femme au grand cœur, et elle prend le ruban orange d'Irina et le noue de façon charmante au cou du chien.

Marta remarque des égratignures qui saignent sous les pattes du chien, comme s'il avait parcouru une longue distance, et elle lui applique une excellente crème antiseptique polonaise. Elle partage même avec lui un peu de pain, leur seul petit déjeuner, mais ce n'est pas nécessaire, car il disparaît dans la forêt et resurgit un peu plus tard avec un lapin dans la gueule.

Après avoir mangé, il se couche au pied de Tomasz, la tête sur les pattes, et dresse une oreille en écoutant leur conversation. Pour l'instant, ils se lancent dans d'interminables discussions sur leur destination, ce qui est complètement inutile puisque Yola a déjà décidé qu'ils allaient à Douvres.

Ils trouveront sûrement l'Ukrainienne là-bas. Ce n'était pas une mauvaise fille, après tout, mais elle a certainement provoqué cette disparition en souriant à tort et à travers. Une fois que ces gangsters se mettent une idée en tête, que faire ? Et puis c'était gentil de lui apporter des fleurs.

En ce qui concerne Yola, tout est très clair. Andriy, qui a eu le mérite de s'excuser en gentleman de s'être emporté hier soir, les a mis dans ce bocal de cornichons en flirtant avec la femme du fermier, et maintenant c'est à lui de se débrouiller pour les tirer de là vite vite avant que la police arrive.

« Quand police intervient, une petite chose peut durer très longtemps. Tout est empêtré dans paperasserie. » Elle sait par expérience à quel point une bureaucratie peut être bureaucrate. Elle a été mariée avec un bureaucrate. « Et pendant ce temps, pauvre Mirek nous attend à Zdroj. Mirek. Chèvres de Masurie. Prunes mûres dans jardin. Temps de rentrer. » Elle essuie une larme théâtrale.

« C'est qui, Mirek ? couine Tomasz avec ses cheveux de hippie, la figure retournée comme une crampe au ventre.

– Mirek est mon fils bien-aimé.

– Et aimé de Dieu, ajoute Marta en roulant les yeux au ciel. Un enfant chéri de Dieu. »

Quel besoin a Marta de s'étendre sur les difficultés du pauvre petit et de les claironner à la terre entière ? Elle a déjà fait fuir deux maris potentiels avec ses miaulements de bigote. Yola lui donne un coup de pied discret.

« Et son père ? Son père attend, lui aussi ? insiste Tomasz.

– Son père est parti. » Yola plante son regard d'acier sur Tomasz. « Pourquoi tu poses autant de questions, monsieur Pieds-qui-Puent ? Tu as assez de problèmes pour pas venir fourrer ton nez dans les miens. »

Maintenant, tout le monde veut avoir son mot à dire.

« On va Londres, dit une des Chinoises. À Londres beaucoup Chinois. Beaucoup travail argent pour Chinois. Mieux que fraise.

– J'ai l'adresse d'un homme en Angleterre. Attendez, je vous prie, merci. » Emanuel se met à fourrager dans ses papiers. Frrt frrt. « Un homme remarquable de bonté. Il s'appelle Toby Makenzi et avec son assistance j'espère que je retrouverai l'emplacement de ma sœur.

– Pourquoi tu pas venir avec nous Pologne, Emanuel ? » suggère gentiment Yola. Ce garçon a besoin d'une mère, se dit-elle, pas d'une sœur. Peut-être même d'un petit frère.

Et Tomasz renchérit : « Si tu viens en Pologne je t'apprendrai chanter et jouer la guitare. » De l'avis de Yola, Emanuel chante déjà bien mieux que Tomasz.

«Je me demande où est Vitaly», dit Marta. Yola a remarqué que Marta lorgnait en douce Vitaly d'un regard qui ne peut signifier qu'une chose, et elle trouve pour le moins paradoxal qu'une fille aussi pieuse puisse être attirée par un homme avec une pareille tête de pécheur. Mais c'est souvent comme ça.

Sur ce, Tomasz remet ça et la contemple de son regard de chien battu.

« J'irai à Douvres avec toi. De là en Pologne. Bateau, car. On y va tous. Peut-être que ton fils a besoin d'un père ? Qu'est-ce que tu dis, Yola ? »

Yola sourit d'un air évasif. « D'abord, tu trouves de nouvelles chaussures. »

Il a les cheveux trop longs. Il sent mauvais. Pas son genre.

« Andriy ? C'est quoi tu veux faire, maintenant ? demande-t-elle.

Andriy garde le silence quelques minutes, et Yola s'apprête à lui reposer la question quand il dit doucement : « Je trouverai d'abord Irina. »

Les autres se taisent brusquement. Marta se met à pleurer.

~

J'ai dû m'endormir. Je me suis réveillée en sentant un rayon de soleil dans le creux où je m'étais blottie. J'avais les membres encore engourdis par le froid du sol humide. J'avais mal partout. Je me suis levée en m'étirant. Puis ça m'est revenu. Vulk. La forêt. La fuite. Était-il encore là à m'attendre ? Je me suis de nouveau tapie. Il était encore trop tôt pour crier victoire, mais j'étais en vie, indemne, et c'était un nouveau jour.

Le soleil devait être levé depuis plusieurs heures. L'air était frais et voilé de brume, de ces brumes légères qui annoncent le beau temps. Vous savez, ces matins où on se réveille empli de bonheur à la seule idée d'être vivant.

J'entendais les oiseaux chanter, les moutons bêler et plus loin autre chose, un son doux et joyeux. Des cloches d'église. On devait être dimanche. À Kiev, le dimanche, on entend les cloches sonner d'un bout à l'autre de la ville et on voit toutes les paysannes arriver, vêtues de leurs plus beaux habits avec leurs foulards noués sur les oreilles et leurs dents en or qui scintillent, puis se signer en sortant de l'église, et mamma fait du gâteau au fromage blanc avec des raisins secs et donne un petit peu de crème à notre chat Vaska, qui se lèche le bout des pattes quand il a fini et les passe derrière ses oreilles – dis, tu te souviendras de moi quand je reviendrai, Vaska ? Reviendrai-je jamais ? Soudain, les larmes me montent aux yeux. Sniff. Sniff. *Arrête. Tu dois garder la tête froide et les yeux ouverts. Réfléchis à un plan.*

Plus bas, j'apercevais le chemin séparant le champ de la forêt que j'avais pris hier soir. Je repensais à ma terreur. Mon cœur battant à tout rompre. Les étoiles tressautant au-dessus de la haie mal taillée. De jour, le chemin paraissait si joli, si champêtre, avec ses lacets qui grimpaient innocemment la colline boisée. Dans la direction inverse, il dessinait un méandre au bas de la pente avant de disparaître au regard. Où étais-je ? Avions-nous fait beaucoup de chemin, hier soir ? Combien de temps étais-je restée évanouie ?

J'ai scruté les champs un à un ; peut-être verrais-je le champ de fraises de là où j'étais. Je le reconnaîtrais aux deux caravanes. Le paysage était familier, mais je me suis vite aperçue que tous les champs se ressemblaient plus ou moins, comme une espèce de patchwork de mouchoirs marron et verts parsemés de persil. Est-ce qu'on parsème les mouchoirs de persil ? Peut-être pas. Il y avait un chemin qui grimpait entre de grandes haies, une rangée de peupliers. Je les ai comptés – un, deux, trois, quatre, cinq. Était-ce les mêmes peupliers ? Non loin, il y avait un bosquet qui ressemblait vaguement au taillis qui se trouvait en haut du champ de fraises. Mais où était la caravane ? À l'ouest, j'ai vu un étrange champ blanc qui miroitait comme un lac. Il était trop carré. On aurait plutôt dit un champ couvert de verre ou de plastique. Y avait-il des champs comme ça dans le coin ? Je ne m'en souvenais pas. Je ne voyais aucune maison, juste un clocher trapu qui s'élevait d'un bouquet d'arbres du côté du champ miroitant. Peut-être qu'il y avait un village caché dans les replis du terrain. Peut-être même des cloches et des gens qui allaient à la messe du dimanche.

Au-dessous, à l'endroit où le chemin devait déboucher sur la route, quelque chose brillait – à travers les feuilles j'ai aperçu un éclat de soleil sur du métal. Ce devait être une voiture garée. Mon cœur s'est remis à cogner – boum boum. Mon ventre s'est noué. Était-il encore là à m'attendre ? Allait-il se mettre à ma recherche ? Je me suis de nouveau terrée au fond du creux et j'ai tiré une branche pour qu'on ne me voie pas. Cette fois il ne m'aurait pas. Il pouvait attendre le temps qu'il voulait, j'attendrais encore plus longtemps.

~

Si Andriy a déjà du mal à avancer avec la caravane, le pire, c'est de reculer. On dirait qu'elle n'en fait qu'à sa tête. Ils ne sont prêts à partir qu'en fin de matinée. Il sort de l'aire de pique-nique en marche arrière avec l'aide d'Emanuel qui le dirige tout en faisant le guet. Yola, Marta et les Chinoises sont à l'arrière de la Land Rover avec le Chien à leurs pieds. Tomasz est dans la caravane où il essaie de rattraper le sommeil perdu.

Une fois sur la route, il a moins de mal à conduire. C'est assez intéressant de traîner un poids aussi lourd, se dit-il, on est obligé d'anticiper pour éviter toute manœuvre soudaine. Arrivé à la bretelle de Canterbury, il commence à s'y habituer, quand subitement il remarque devant une voiture de police et deux policiers qui examinent les véhicules qui passent. Par la sainte relique ! Ils sont déjà sur ses traces ? Il bifurque brusquement à gauche, accélère à fond et se trouve sur une route en sens interdit qui mène au centre-ville avec la caravane qui tangue derrière lui et les autres à l'arrière qui lui crient toutes sortes de directions. Inutile de crier. Ça ne fait que le distraire. On ne peut aller que tout droit.

Il atterrit dans un labyrinthe de ruelles ; des voitures garées dans tous les coins ; des piétons qui traversent sans même regarder. Quel cauchemar ! Ce n'est pas une mince affaire de conduire à gauche. Comment faire pour récupérer la rocade ? Il tourne à droite et engage la caravane sous une arche étroite qui portait peut-être un sens interdit, mais de toute façon c'est trop tard, quand soudain Marta s'écrie : « Stop ! Stop ! »

Il freine à mort. La caravane se cabre et s'ébroue. Ne recommence jamais ça, Palenko. La prochaine fois, tu pompes doucement sur la pédale. Un fracas suivi d'un cri jaillit de la caravane, et quelques instants plus tard Tomasz émerge, titubant en caleçon et chaussettes, frottant ses yeux encore endormis.

« Qu'est-ce qui se passe ? Pourquoi on s'est arrêtés ?

– Je ne sais pas, dit Andriy. Pourquoi on s'est arrêtés ?

– Regardez ! » lance Marta, le doigt pointé.

Il s'extirpe de son siège et rejoint les autres sur le trottoir. Ils regardent tous vers le haut. Devant eux une immense masse ivoire de vieille pierre sculptée, une interminable succession d'arches ornées de nervures aux étranges motifs alambiqués, aussi fines que du papier, s'élève dans le ciel, vertigineuse, et les figures solennelles de saints depuis longtemps disparus les observent du haut de leur piédestal.

Il a vu les dômes d'or des cathédrales de Kiev, le panorama miraculeux de Lavra, mais là c'est autre chose – c'est vraiment incroyable. Pas de peinture ni de dorure. La beauté est uniquement dans la pierre. Et s'il avait travaillé ainsi dans le ciel, à tailler et sculpter cette pierre lumineuse au marteau et au ciseau au lieu d'abattre le charbon dans l'obscurité des galeries ? Aurait-il été un autre homme – plus proche des anges ?

Il incline la tête et se signe à la manière orthodoxe, au cas où. Tous se taisent. Marta ferme les yeux et se signe également. Yola tire l'ourlet de sa jupe sous ses genoux et se signe des deux mains. Tomasz retourne dans la caravane enfiler un pantalon. Les Chinoises, elles, se contentent de regarder.

Emanuel chuchote à Andriy : « C'est quoi, ces monstrures et ces lutins ? Pourquoi ils ont mis les symboles de sorcellerie sur une église chrétienne ?

– Ne t'inquiète pas, lui murmure-t-il. Est OK. »

~

Chère Sœur

Aujourd'hui j'ai eu le bonheur d'une visitation de la cathédrale de Canterbury qui est un remarquable édifice bâti complètement en pierre et miraculeusement sculpté de démons et de farfadets terribles assis dehors la gueule grande ouverte. Mais l'intérieur est rempli de Paix mystérieuse car dans cette cathédrale se trouvent beaucoup de prodigieux carreaux comme je n'en ai jamais vu même à Saint-Georges sur l'île Likomo qui approfondissent la lumière du soleil en rouge et bleu et qui racontent les histoires de Notre Seigneur et de ses Saints avec un art coloré.

Et un prêtre est venu nous trouver et a demandé si nous voulions prier et j'avais peur de prendre part au culte protestant mais la Martyre catholique m'a chuchoté que toutes ces cathédrales appartenaient anciennement à notre Bonne Religion et que elles nous ont été volées par des protestants ignorants. Alors nous sommes allés dans une petite chapelle pleine de prière magnifique de silence et de lumière et nous avons demandé au Seigneur de délivrer notre sœur Irina qui est tombée dans les griffes de la Progéniture de Satan et que personne ne connaît son emplacement. Et j'ai aussi prié pour cet homme impie qui est passé au travers du filet de pêche de l'Amour. Après les prières tout le monde a dit Amen même le Chien j'aimerais bien que tu voies ce chien il est remarquable de piété. Parce que dans le silence de cette chapelle faiblement éclairée j'ai senti la Présence du Seigneur qui se tenait tout près de nous et écoutait nos prières et j'ai senti son souffle dans l'air froid de la pierre.

Puis j'ai entendu la musique de l'orgue et un chœur chantait Que les brebis paissent en paix ce qui m'a remué parce que cette cathédrale a reçu le nom de saint Augustin. Et alors le bon père Augustine de Zomba a frappé à la porte de ma mémoire et ses manières pleines de bonté ont rempli mes yeux de larmes de souvenirs du pays.

~

Après leurs prières dans la cathédrale, Andriy se sent mieux. Ce n'est que de retour à la caravane qu'il s'aperçoit qu'Emanuel manque à l'appel. Il retourne le chercher dans la chapelle, mais il a disparu. Quelque part dans la cathédrale résonne un orgue qui accompagne un chœur. Guidé par la musique, il remonte un bas-côté en pierre où des vitraux anciens projettent des flaques de lumière colorée sur le sol et tombe en pleine célébration. Et là, au premier rang des fidèles, il aperçoit Emanuel.

Il a les yeux fermés, si bien qu'il ne voit pas les regards curieux que lui lancent les autres, mais il a la bouche ouverte, d'un rose saisissant au milieu de son jeune visage noir, et chante d'une voix pure avec le chœur, le visage ruisselant de larmes. Les yeux fermés, la bouche ouverte, les larmes et la musique dégagent une telle impression de vulnérabilité mêlée de force qu'Andriy retient son souffle. Qui est ce jeune homme ? Andriy a envie de lui enlacer les épaules, mais il se ravise, comme on hésite à réveiller un somnambule de peur que le choc soudain de la réalité lui brise le cœur.

Tout d'un coup, un souvenir lui revient – un cercle de visages transportés lors d'une messe orthodoxe clandestine dans un ravin boisé, où sa grand-mère l'avait emmené enfant. Le prêtre chantait la litanie et les aspergeait d'eau bénite en leur promettant le pardon de leurs péchés et le réconfort dans les épreuves quotidiennes de leur vie. « Kyrie eleison. Seigneur, prends pitié. »

Son père disait que la religion était l'opium du peuple et qu'il trouvait dommage que sa mère, qui était une femme exemplaire et une bonne communiste, puisse croire des idioties pareilles.

Quand le chœur se tait, il s'approche d'Emanuel et lui touche le bras. Emanuel ouvre les yeux, regarde autour de lui et sourit.

« Ndili bwino, mon ami. »

~

Ses prières lui ont donné un agréable sentiment de vertu, et il est bien naturel qu'après la vertu viennent la faim et la soif. Pour ce qui est de Yola, leur priorité, quand ils arrivent à Douvres, est donc de déjeuner.

Contrairement à Canterbury où tous les magasins étaient ouverts, à Douvres tout est complètement fermé. Dans une ruelle, ils finissent par trouver une petite épicerie sinistre avec deux allées étroites, qui sent les épices et une autre odeur assez déplaisante de moisi. L'épicière est une Indienne replète de l'âge de Yola, vêtue d'un sari vert et le front orné d'un point rouge. Yola l'examine avec curiosité. Elle est plutôt séduisante, dans le genre asiatique. Le point rouge n'a pas l'air d'être au bon endroit. Il devrait sûrement être sur sa joue.

En tant que chef d'équipe, c'est Yola qui est naturellement chargée des courses, mais pour préserver l'harmonie elle laisse chacun donner son avis. Ils tombent d'accord pour acheter cinq pains de mie (meilleur que le pain de campagne polonais et très bon marché), de la margarine (plus moderne que le beurre et moins chère), de la confiture d'abricot (la préférée de Tomasz), du thé en sachets, du sucre (jusque-là ils ont fait sécher leurs sachets pour les réutiliser, mais il y a une limite), des bananes (c'est ce qu'a choisi Andriy, en bon Ukrainien), des cacahuètes salées (à la demande expresse d'Emanuel), une grosse barre au chocolat rhum-raisin, deux grandes bouteilles de Coca-Cola pour les Chinoises et une boîte de pâtée pour chien. Tomasz s'attarde dans le rayon des boissons alcoolisées, en étudiant les étiquettes, mais Yola refuse fermement d'acheter une bouteille de vin comme il l'a suggéré. C'est inutile. Trop cher. Andriy traîne également dans le même rayon en regardant les bières.

« Vous avez vu un peu la marge que s'est faite Vitaly sur la bière qu'il nous a vendue ? » bougonne-t-il. L'Ukrainien typique.

Marta est restée dans la Land Rover avec le Chien, et Yola ne se rappelle pas ce qu'elle avait demandé en particulier.

« Tss, tss, fait l'épicière indienne en encaissant le tout. Vous ne mangez pas équilibré.

– Pas équilibré ? » Il en va de la responsabilité de Yola de veiller à ce qu'ils se nourrissent convenablement.

« Protéines. Il faut une protéine. Si vous mangez tout ça, vous allez être malades. »

Yola regarde le tas de provisions et s'aperçoit que l'épicière a raison. La seule vision de toutes ces choses lui soulève un peu le cœur.

« Qu'est-ce que vous recommandez ?

– Hmm. » L'épicière cogite.

« Des sardines. » Elle indique le fond du magasin. « Du poisson. Bon pour vous. Pas cher. En conserve, là-bas. »

À voir l'image collée sur la boîte de conserve, la sardine a l'air dodue et appétissante, et Yola est agréablement surprise par le prix. Ils en prennent deux boîtes.

Entre la taille du sari de l'épicière et le haut, on aperçoit un bourrelet de chair sombre. Normalement, dans les pays civilisés, c'est une zone du corps que les femmes dissimulent, mais Yola remarque que l'Ukrainien la regarde fixement.

« Madame, dit-il très poliment, je voudrais vous demander, où vous avez appris cette sagesse ? »

Quel flatteur, cette cervelle de betterave, on dirait presque un Polonais. (Évidemment, la pratique du baisemain a donné aux Polonais une réputation de coureurs, malheureusement ça ne fait pas d'eux de bons maris, comme Yola l'a appris à ses dépens.) L'épicière a un petit rire pudique et montre au-dessus du comptoir la photo d'une vieille dame habillée en bleu vif, avec un triple rang de perles et un élégant chapeau bleu.

« Cette dame est ma source d'inspiration. »

Ils s'approchent tous pour regarder. La vieille dame de la photo regarde derrière elle avec un sourire joyeux en saluant de sa main gantée. Yola juge inutile de porter à la fois un voile et de petites plumes bleues sur un chapeau : l'un des deux aurait amplement suffi.

« C'est une dame de très grand âge et très grande sagesse. Pendant ses longues années, qui sont finies malheureusement, elle a donné plein d'indications joyeuses des choses importantes de la vie. C'est un plaisir que d'avoir des amis qui viennent de loin – une de ses grandes paroles. » L'épicière croise les bras sur le comptoir avec un sourire bienveillant. « Vous n'être pas d'ici. Vous venez tous de loin, non ?

– Vous avez raison, madame. » Tomasz sourit d'un air mielleux. « Nous venons des quatre coins du monde – Pologne, Ukraine, Afrique, Chine. »

Il fixe lui aussi le bourrelet de peau sombre. Franchement, les hommes sont incorrigibles.

« Et Malaisie, ajoute la Chinoise Numéro 2.

– Amusez-vous bien, mes chers amis, et bon appétit ! » L'épicière leur fait un grand sourire derrière le comptoir. Une autre de ses paroles.

« C'est une grande parole, déclare Emanuel. Je vais l'apprendre par cœur. »

~

Mais la Chinoise Numéro 1 chuchote à la Numéro 2 : « Je crois que la parole attribuée à la vieille dame en bleu est en fait une parole de Confucius. »

Et la Chinoise Numéro 2 montre le point rouge au milieu du front de l'épicière et murmure à son tour : « Je crois que c'est un trou de balle. »

Elles se mettent à glousser.

~

JE SUIS UN CHIEN JE SUIS UN BON CHIEN JE SUIS AVEC MON HOMME JE MANGE LA NOURRITURE DE CHIEN L'HOMME MANGE LA NOURRITURE D'HOMME LE PAIN LE POISSON NOUS MANGEONS TOUS ON EST TOUS ASSIS SUR DES PETITES PIERRES LISSES PRÈS DE LA GRANDE EAU LE SOLEIL BRILLE CHAUD L'EAU N'EST PAS BONNE À BOIRE ELLE A MAUVAIS GOÛT LA GRANDE EAU COURT APRÈS LE CHIEN LE CHIEN COURT APRÈS LA GRANDE EAU LA GRANDE EAU SIFFLE AU CHIEN SSSS LE CHIEN ABOIE À LA GRANDE EAU WOUF LE CHIEN FLAIRE SNIFF SNIFF PAS D'ODEUR DE CHIEN PAS D'ODEUR D'HOMME JUSTE L'ODEUR DE LA GRANDE EAU PARTOUT DES PIERRES LA FORÊT LES HERBES LES ORDURES LE CHIEN TROUVE UNE CHAUSSURE D'HOMME À CÔTÉ DE L'EAU CHAUSSURE MOUILLÉE AVEC UNE BONNE ODEUR D'HOMME LE CHIEN APPORTE LA CHAUSSURE MOUILLÉE

À L'HOMME À L'ODEUR DE PISSE AIGRE ET DE PIEDS IL EST CONTENT BON CHIEN IL DIT JE SUIS UN BON CHIEN JE SUIS UN CHIEN

~

Après avoir fini son déjeuner, Andriy se sent nauséeux. Ces sardines à la sauce tomate – c'était bon, mais il n'aurait peut-être pas dû en manger autant. Pendant que les autres s'en vont à pied vers la gare maritime, il étale sa serviette sur la plage de galets et s'étend au soleil avec le Chien à côté de lui. La lenteur du flux et du reflux sur le rivage est apaisante. Le Chien s'endort presque aussitôt et se met à siffler et ronfler en cadence comme la mer. Andriy est incroyablement fatigué, mais à chaque fois qu'il est sur le point de s'endormir, il est agité par un soudain sentiment de panique et se réveille. *Ce n'est pas moi.* La conduite à gauche, la nervosité des passagers, cette caravane entêtée, la dispute avec Ciocia Yola et une vague angoisse pareille à un voile de brume qui tournoie en permanence dans sa tête sans jamais se préciser, tout cela l'a épuisé, mais il est incapable de trouver le repos.

Il a dû finir par s'assoupir quand soudain il est brusquement sorti de sa torpeur par un fracas assourdissant à quelques mètres de lui. Son sang se fige ; son cœur se met à cogner. Dans un demi-sommeil, comme s'il émergeait d'un cauchemar, il écoute le vacarme effroyable – un long crescendo, un écho terrible, un roulement sourd qui s'éloigne lentement. C'est l'interminable mugissement de la terre qui hurle de douleur. Le grondement du front de taille qui s'écroule sous terre dans l'obscurité. Il s'assied, se frotte les yeux. Il n'y a rien. Rien si ce n'est les vagues qui frappent les galets à quelques centimètres de ses pieds. La mer est montée. Et pourtant, quand il s'est réveillé, il a revécu la terreur qu'il avait éprouvée en plongeant les yeux dans les ténèbres de bruit et de poussière envahies de fumée en sachant que son père n'en sortirait jamais vivant.

Ce bruit – non, il ne pourra plus jamais travailler sous terre. Il ne peut pas retourner au fond. En fait, il ne voulait pas être mineur. Il voulait continuer ses études pour devenir professeur ou ingénieur. Mais quand il avait seize ans, son père lui avait fourré un pic entre les mains – il y avait longtemps que les outils électriques avaient été abandonnés – et lui avait dit : « Apprends, petit. Apprends à être un homme. »

Avec tout l'aplomb d'un gamin de seize ans qui le fait frémir quand il y repense, il lui avait rétorqué : « Parce que être un homme, c'est fouiller sous la terre comme une bête ? »

Et son père lui avait répondu : « Un homme, c'est quelqu'un qui gagne son pain, qui pense à la sécurité de ses camarades avant la sienne et ne se plaint pas. »

Dans le bassin du Donbass, il n'y a qu'une manière de gagner son pain. Quand ils avaient décrété que le puits n'était pas rentable, la solidarité internationale n'avait servi à rien, le syndicat des mineurs non plus. Alors ils étaient redescendus au fond et s'étaient servis tout seuls. Il faut bien vivre, n'est-ce pas ? Quand le plafond s'était écroulé, Andriy avait survécu avec deux de ses camarades. Six autres étaient morts. La nouvelle n'avait pas même fait la une dans le reste du pays.

Mais pourquoi lui ? Pourquoi avait-il survécu alors que les autres étaient morts ? Parce qu'une voix en lui répétait : Si tu veux vivre, cours – cours et ne t'arrête pas. Ne te retourne pas.

Il regarde un banc de nuages gris qui s'amassent à l'horizon.

Et pourquoi Sheffield ? Parce que Sheffield est une ville où les desserts sont roses et les filles vous mettent la langue dans la bouche quand elles vous embrassent. Et puis il y avait cet aveugle, la douceur avec laquelle il avait parlé de l'accueil réservé aux étrangers dans sa ville, sa manière de vous serrer la main en ayant l'air de vous regarder droit dans le cœur alors qu'il ne regardait rien, évidemment. Oui, maintenant tu te souviens. Il s'appelait Vloonki.

Et une fois à Sheffield ? Andriy n'y a pas encore réfléchi. Demain il cherchera Irina, et quand il l'aura trouvée, il prendra la route.

~

Vulk pouvait m'attendre le temps qu'il voulait, j'attendrais encore plus longtemps.

À l'abri des feuilles, j'ai regardé le soleil tracer son arche lente des collines boisées de l'est jusqu'au-dessus de la mosaïque ondoyante de champs vert et or avant de redescendre de l'autre côté de l'horizon. J'avais beau voir le soleil bouger, j'avais l'impression étrange que le temps était immobile. J'attendais – j'attendais en m'efforçant de ne pas penser à la raison de cette attente, car c'était une pensée si horrible que je craignais de ne plus pouvoir la chasser de mon esprit si je la laissais s'insinuer en moi. « Tu aimer ça, fleurrr ?… »

Quand je reviendrai à Kiev, me disais-je, j'écrirai une histoire là-dessus. Un thriller, qui racontera les aventures d'une courageuse héroïne qui fuit à travers toute l'Angleterre, poursuivie par un gangster sinistre mais ridicule. Ça me fait du bien de penser à cette histoire. Quand on écrit une histoire, on peut décider comment elle se termine.

À mesure que le soleil avançait dans le ciel, une écume de nuages marbrés qui se déployait dans son sillage commençait à s'épaissir et s'alourdir. C'est curieux, je n'avais jamais remarqué à quel point les nuages pouvaient être aussi expressifs que les gens, changeant, vieillissant, s'éloignant les uns des autres.

J'ai dû finir par m'endormir, car soudain je me suis aperçue en ouvrant les yeux que le soleil avait disparu et que ce que j'avais pris pour une chaîne de collines bleues au lointain était en fait un long banc de nuages qui avaient englouti le ciel. Il allait pleuvoir. J'étais affamée. Je me suis dit que si je ne mangeais pas vite quelque chose, j'allais m'évanouir. Je me suis extirpée de mon trou et j'ai scruté le chemin.

À l'endroit où j'avais aperçu une lueur métallique, il n'y avait plus que des feuilles. Était-il parti ou était-ce seulement que le soleil avait bougé ? M'attendait-il en embuscade ? Peut-être sera-t-il toujours en embuscade, où que j'aille ? *Arrête. Ne pense pas à ça. Autrement, tu seras prisonnière toute ta vie.*

Il fallait que je trouve à manger, je le savais. Il y avait des arbres, des buissons, de l'herbe, des feuilles. Y avait-il quelque chose de comestible là-dedans ? J'ai arraché une poignée d'herbe – si les vaches en mangeaient, ça ne pouvait pas faire de mal, non ? Je l'ai mâchée, mais je n'ai pas pu me résoudre à avaler. Sur un buisson, il y avait des baies rouges qui luisaient d'un éclat toxique. Mamma, pappa, vous connaissez ces choses-là. *Ne sois pas idiote, Irina. Tu sais que tu ne dois pas manger de baies ou de champignons à moins d'être absolument certaine qu'ils sont comestibles. Combien de fois dois-je te le répéter ?*

Tout en ruminant ces pensées, j'avais commencé à redescendre vers le chemin. De jour, il semblait tout près. J'ai rampé et j'ai marché de l'autre côté de la haie pour échapper aux regards. En bas, le chemin s'élargissait et il y avait une vieille table de pique-nique avec des bancs de part et d'autre, dont les planches avaient été arrachées ici et là. Il n'y avait pas de voiture en vue, mais le sol était creusé de traces de pneus. Soit il était revenu, et plus d'une fois, soit il y avait eu d'autres véhicules. J'ai regardé de plus près. Et là, au fond d'une ornière laissée par les pneus, j'ai remarqué un mégot de cigare. Mon cœur s'est remis à cogner – boum boum. Je me suis rappelé qu'il avait un cigare hier, mais était-ce le même ? Ou était-il revenu ? Avait-il attendu dans son tank en fumant un cigare ? *Petite fleurrr !* J'ai piétiné le mégot en l'enfonçant dans l'herbe. Et puis il y avait un autre objet, une chose grise caoutchouteuse. Ça ressemblait à un morceau de chaussure. Quelle puanteur ! Mais Vulk avait des chaussures noires cirées.

Sous la table cassée, j'ai aperçu une boule de papier froissé. J'ai tout de suite su ce que c'était. Décidément, j'avais de la chance ! Je l'ai ramassé. Cette odeur ! je n'ai pas pu m'en empêcher. Je salivais comme un chien. J'ai déplié le papier et je les ai comptées. Une, deux, trois… Il y en avait plein ! Mon ventre gargouillait de bonheur. Elles étaient froides et raides comme les doigts d'un cadavre. Elles étaient absolument délicieuses. Et il y avait autre chose enfoui sous les frites, quelque chose de doré et de craquant. J'en ai pris un morceau que j'ai posé sur ma langue. C'était comme une manne tombée du ciel. C'était… C'était fini.

Puis je me suis dit : quelle idiote de rester là plantée à côté de la route où n'importe qui peut te regarder te goinfrer des restes de quelqu'un ! Si mamma te voyait… *Et alors, elle ne te voit pas, n'est-ce pas ?*

Les restes de quelqu'un… Qui donc ? Avait-il des frites dans la voiture hier soir ? Non, j'aurais remarqué l'odeur. Elles devaient être à quelqu'un d'autre. À moins qu'il soit allé acheter des frites, puis qu'il soit revenu m'attendre dans la voiture. M'attendre pour pouvoir… *Arrête ! N'y pense pas. À chaque fois que tu penses à lui, ça devient une obsession.*

~

À la gare maritime ferry presque déserte, seuls résonnent les pleurs d'une petite fille fatiguée couverte de chocolat, accrochée à la jupe de sa mère également épuisée. Marta repense à la fièvre et l'agitation qui régnaient à leur arrivée, il y a de cela quelques semaines à peine. Tout le monde a l'air si abattu maintenant. Andriy est resté sur la plage. Emanuel est allé regarder les bateaux. Les deux Chinoises mangent une glace dehors. Yola et Tomasz errent dans la gare en quête d'un bureau où ils pourraient faire changer leurs billets. Yola a la figure toute rouge : le stress peut-être, à moins que ce ne soit le soleil tout à l'heure sur la plage, quand son chapeau s'est envolé et qu'elle s'est mise à jurer comme un charretier. Tomasz a une basket puante au pied et une autre mouillée qui fait deux tailles de trop. Lui aussi a pris un coup de soleil sur le nez. Marta ne peut pas vraiment s'occuper des autres car elle cherche désespérément des toilettes.

Tandis que Yola et Tomasz se mettent en quête du bureau de vente, situé dans un autre bâtiment, Marta suit le panneau qui indique les toilettes. En revenant, elle remarque un jeune homme avec un portable du côté du bar. Il a l'air de chercher quelqu'un. Il est très grand, élégant, avec une chaîne en or autour du cou et un bijou qui brille à l'oreille. Son crâne rasé est d'un brun luisant et il a des lunettes de soleil qui lui donnent un air vaguement patibulaire. Sa tête lui dit quelque chose. Elle le regarde de plus près en essayant de ne pas le fixer de manière trop insistante. Soudain, il sourit en lui faisant signe. Doit-elle lui répondre ? Puis il enlève ses lunettes et elle le reconnaît instantanément : c'est Vitaly.

Il glisse le portable dans sa poche et la rejoint d'un pas nonchalant.

« Salut, Marta. Comment va ?

– Ça va. » Elle hésite. Il s'est passé tant de choses depuis leur dernier dîner. « En fait, pour être honnête, pas bien. On a été obligés de partir de l'exploitation de fraises. Le fermier a été blessé et Ciocia Yola a peur de la police.

– Hmm. La police, c'est pas bon.

– Ils sont en train d'essayer de changer les billets maintenant.

– Ils rentrent en Pologne ?

– On rentre tous, dès que possible. Et toi, Vitaly, qu'est-ce que tu fais ? Tu es très élégant. Tu as arrêté les fraises ?

– Adieu fraises, bonjour mobilfon. » Il sourit d'un air mystérieux, puis il baisse la voix. « Consultant en recrutement, dit-il en anglais.

– Vitaly ! » Marta est impressionnée. « Qu'est-ce que c'est que ça ?

– Solution d'emploi dynamique. Réponse organisationnelle innovante, radicale, fouit, fouit (d'un geste vif, il zèbre l'air du tranchant de la main), à tous vos besoins de flexibilité de main-d'œuvre. » Son aisance en anglais est ahurissante.

« Tu es devenu un vrai businessman, Vitaly ! Un VIP qui parle anglais. »

Elle le contemple fixement, un peu gênée d'avoir une allure aussi miteuse. Déjà le cueilleur de fraises souriant avec ses cheveux frisés et ses airs séduisants de mauvais garçon s'est noyé dans ce nouvel homme d'affaires à l'assurance tranquille qui passe sans effort du polonais à l'anglais.

« C'est dommage de rentrer aussi tôt. Je peux te trouver un emploi excellent dans cette branche. Bien payé. Conditions de vie agréables.

– Oh, Vitaly, c'est tellement tentant ! J'aimerais bien rester, mais je crois que Ciocia Yola veut rentrer. Son fils lui manque. » Elle surprend une lueur pécheresse dans l'œil de Vitaly et songe que ce serait bien agréable de le ramener sur le chemin de la vertu.

Sur ces entrefaites, Yola et Tomasz réapparaissent, l'air furibond. Ils n'ont pas pu changer leurs billets. Le bureau est fermé. Quelqu'un – ils ne savent pas trop qui – leur a dit qu'ils devaient revenir demain ou aller faire la queue dans le bureau du centre-ville pour essayer d'obtenir une annulation. À présent, ils se chamaillent pour savoir qui leur a donné cette information et ce que cette personne leur a dit au juste. Yola prétend que ce n'est qu'une femme de service ou peut-être une autre passagère mécontente et qu'il ne faut pas la croire sur parole. Tomasz, lui, dit que c'est une responsable des autorités portuaires et que Yola n'aurait pas dû l'envoyer sur les roses sans même écouter ce qu'elle avait à dire.

« Ils pourraient mettre un panneau au lieu de nous obliger à courir dans tous les sens comme des imbéciles par cette chaleur, fulmine Ciocia Yola. Où sont les toilettes ? Tu as trouvé les toilettes, Marta ? C'est qui ? » Elle écarquille les yeux. « Vitaly ? »

Vitaly lui serre chaleureusement la main.

« J'ai appris que tu as l'intention de retourner en Pologne, Yola.

– Qui t'a dit ça ?

– C'est moi, Ciocia, dit Marta de son ton le plus apaisant. Ne te fâche pas. Mais Vitaly dit qu'il peut nous trouver un très bon emploi bien payé dans cette branche. Dis-lui ce que tu fais, Vitaly.

– Consultant en recrutement. Consultant solution d'emploi innovante, radicale, fouit, fouit, dynamique avec capacité flexibilité de pointe réponse à vos besoins organisationnels de main-d'œuvre. » On dirait qu'il prend de la vitesse à mesure qu'il se répète.

« Mon Dieu ! s'exclame Yola. Tu es devenu quelqu'un d'important, Vitaly. »

Il baisse humblement la tête.

« Je travaille pour société anglaise. Nightingale Human Solution. J'ai suivi séminaire de formation.

– Céminère d'information – qu'est-ce que c'est, Vitaly ? » Marta ne peut cacher son admiration.

« Oh, rien, répond Vitaly avec un sourire modeste. N'importe qui peut faire. Il faut seulement apprendre quelques mots en anglais. Et bien sûr les contacts. L'essentiel, c'est avoir les contacts.

– Tu as des contacts, Vitaly ? » s'étonne Yola. Malgré son ancien statut de contremaître et chef d'équipe, elle est tout aussi abasourdie par la métamorphose de Vitaly.

« Il a un mobilfon », chuchote Marta.

Seul Tomasz ne semble pas impressionné.

« Merci, Vitaly, on ne cherche pas de nouveau travail. On a l'intention de rentrer en Pologne dès qu'on pourra changer nos billets.

– Ah, c'est impossible de changer des billets. Il faut acheter de nouveaux billets. Pour ça, vous aurez besoin d'argent.

– Ce très bon emploi dont tu parles, Vitaly, poursuit Yola. Tu dis qu'il est bien payé, c'est-à-dire ? »

Vitaly marque une pause comme s'il effectuait un calcul mental.

« Ce sera dans les cinq cents, six cents par semaine. Ça dépend des résultats. Peut-être même plus. »

Ils ont tous le souffle coupé, même Tomasz. C'est trois fois plus qu'ils gagnaient dans le champ de fraises avant les déductions.

« Et vous pouvez dire adieu à la caravane. Vous serez logés dans l'hôtel de luxe.

– Et cet emploi – que ferons-nous ? demande Marta.

– La volaille. » Vitaly repasse à l'anglais. « Vous contribuerez à la résurgence dynamique de l'industrie de la volaille dans les îles britanniques. Ou comme on dit en polonais (il fait un clin d'œil à Marta), vous donnerez à manger aux poules. »

Marta s'imagine entourée d'une joyeuse volée de poules rousses qui caquettent et se rengorgent tandis qu'elle leur lance des poignées de grain. Elle fond.

Mais Tomasz murmure à Ciocia Yola : « Pense à Mirek. Pense à la police.

– Oui, dit Yola, l'air abattu. On ne veut pas d'ennuis. Mieux vaut rentrer. Si on réussit avec les imbéciles qui gèrent les traversiers. On réessaiera demain. Qu'est-ce que tu dis, Marta ? »

Sans laisser à Marta le temps de répondre, Vitaly intervient :

« J'ai appris par mes contacts que puisque le fermier n'est pas tué, seulement blessé, pas le problème avec police.

– Mais même s'il est blessé, dit Tomasz, ils doivent faire une enquête.

– Ce sera simple formalité. Je trouve c'est dommage de passer à côté de cette occasion de gagner beaucoup d'argent anglais. Pensez à investissements vous avez fait dans le voyage pour venir ici. Pense à tous les produits de luxe que tu peux acheter à ton fils avec cet argent, Yola.

– Mmm », fait Yola. Marta voit les images passer devant ses yeux.

Subitement, une musique joyeuse éclate à ses oreilles. Di di daa daa ! Di di daa daa ! Marta sursaute. C'est le portable de Vitaly.

« Excusez-moi, je vous prie. » Il le sort prestement de sa poche et se met à parler dans une langue qui n'est ni de l'anglais, ni du polonais, ni de l'ukrainien, ni du russe, en agitant en l'air sa main libre. Il est de plus en plus fébrile. Le ton monte. À un moment il met sa main sur le téléphone et chuchote aux autres : « Je suis vraiment désolé, pardon. Affaire urgente. »

Marta essaie de saisir quelques mots, mais il parle trop vite. Yola et Tomasz comparent le charme des poules et celui de retrouver la Pologne, quand les Chinoises apparaissent soudain en serrant le reste de leurs cornets de glace soigneusement léchés. Quand elles reconnaissent Vitaly, elles s'arrêtent et se mettent à glousser. Elles aussi sont ébahies par sa transformation.

« Il est devenu... Qu'est-ce que tu es, Vitaly ? »

Vitaly glisse son portable dans sa poche d'un air radieux et remet ses lunettes noires.

« Consultant en recrutement d'emploi dynamique innovante radical fouit fouit pour toute votre solution de flexibilité. »

Il esquisse une petite courbette. Les Chinoises gloussent de plus belle, mais Vitaly les fait taire d'un geste théâtral et poursuit dans son anglais impeccable :

« Si vous cherchez également un nouvel emploi, mesdames, j'ai de nombreuses possibilités intéressantes que je serais heureux de vous soumettre. »

Elles échangent un regard d'angoisse fébrile.

« Je peux peut-être vous trouver un bon travail à Amsterdam. Vous connaissez Amsterdam ? C'est une ville d'une extraordinaire beauté, entièrement construite sur l'eau. Comme Venise, mais encore mieux.

– Je voir photos, dit la Chinoise Numéro 2. Plus beau que Kuala Lumpur.

– Mais vous avez sûrement des petits amis qui vous attendent en Chine ? Vous faites plein de bêtises, hein, les filles ? » Vitaly a subitement pris une voix basse et mielleuse. « Vous couchez quelquefois avec petit ami, petites coquines, hein ? Faire bien l'amour ? » Voilà qui ressemble davantage au pécheur jovial qu'elle a connu qu'au nouveau businessman qu'est devenu Vitaly, se dit Marta qui est cependant étonnée par ces questions.

« Pas petit ami », répond la Chinoise Numéro 1. La Numéro 2 se contente de secouer tristement la tête.

« Pas de petit ami. C'est une très bonne nouvelle. Eh bien (il consulte de nouveau son portable et tapote quelques touches), j'ai peut-être un bon poste pour s'occuper d'enfants dans une famille de diplomate. Un diplomate chinois basé à Amsterdam. Il a six enfants, trois garçons et trois filles, vous vous occuperez de trois chacune, c'est pour ça qu'il faut deux personnes. C'est des enfants très intelligents – il faut beaucoup d'attention et de patience. Ne jamais les frapper ou leur crier dessus. Vous pensez que vous êtes capables ?

– Oui, oui ! s'exclament-elles. Mais… »

Il surprend le regard de la Chinoise Numéro 2 et s'empresse d'ajouter : « Un travail temporaire. Trois mois seulement. Leurs nounous habituelles sont en vacances. Hé, n'ayez pas peur, vous me connaissez. Vous pouvez me faire confiance – je suis votre ami, je m'occupe de vous. » Il fait un clin d'œil. « Vous habiterez avec cette famille dans sa grande maison luxueuse au cœur de la vieille ville d'Amsterdam. Vous aurez un appartement de luxe à vous et vous vous déplacerez partout en bateau. C'est un poste très prestigieux avec un haut niveau de responsabilité et le salaire est proportionné. Vous serez en euros. » Il jette de nouveau un œil à son portable. « Cinq mille par mois. »

Elles ont le souffle coupé, même si elles n'ont aucune idée du taux de change entre l'euro, la livre, le yen ou le ringgit. « Il faut que je passe des coups de fil pour m'assurer des détails et voir si le poste est encore libre. Rendez-vous ici demain midi. Apportez vos sacs avec vous. Et vos passeports. »

« Moi aussi, ça m'intéresserait de m'occuper d'enfants », dit Marta.

Soudain, les poules rousses ont perdu de leur charme. Vitaly l'observe un moment en fixant son nez et sourit gentiment.

«Je crois que c'est mieux pour toi de t'occuper des poules. »

~

Après sa pénible sieste sur la plage, Andriy décide qu'il est temps de faire un tour à Douvres. Le Chien, qui a toujours son ruban orange autour du cou, l'accompagne en trottant auprès de lui, filant parfois de son côté pour flairer une piste intéressante avant de le rattraper au galop.

Le ciel est lourd désormais, et la lumière grisâtre. Dormir au soleil lui a donné mal à la tête et il sent peser sur lui un nuage de pessimisme. Il était tellement persuadé qu'il retrouverait Irina à Douvres – un pressentiment tout d'abord, et puis le fait qu'il était lui-même passé par Douvres pour venir en Angleterre. Mais à présent il ne sait plus par où commencer. Les rues de Douvres sont déprimantes : les magasins fermés, les maisons et les hôtels délabrés, les gens moroses, le visage tendu. On dirait que le cœur de la ville a cessé de battre. À vrai dire, ça lui fait penser à Donetsk. Des chômeurs désœuvrés qui traînent dans la rue, boivent, mendient, le regard fixe. Trop d'étrangers comme lui qui cherchent en vain quelque chose, attendant que la chance leur sourie. Et dans le fond le craquement lugubre de la mer et la triste plainte des mouettes.

Tandis qu'il erre dans les rues, il mesure peu à peu l'impossibilité de la tâche qui l'attend. Par où commencer ses recherches ? Et d'abord, pourquoi cherche-t-il cette fille ? Ce qui lui est arrivé lui est arrivé, et s'il avait pu, il l'aurait empêché, évidemment, mais enfin il n'est pas responsable d'elle. C'est à son petit copain boxeur de s'occuper d'elle. Point final.

En revenant vers la plage, il croise un jeune homme avec un seau et une canne à pêche. Avec son visage rond et ses yeux bruns, il a une tête d'Ukrainien, mais il s'avère qu'il est bulgare. Dans un mélange de mauvais anglais, de bulgare et de russe, il lui explique qu'il a été pêcher sur la jetée – il pointe vaguement la main au-delà de la plage – et qu'il vend ses poissons. Andriy lui achète cinquante pence un petit maquereau et deux autres poissons non spécifiés, et retrouve un peu de gaieté.

À son retour, les autres sont déjà à la caravane. Les Chinoises étudient leur horoscope à l'intérieur en chuchotant avec une agitation mal réprimée. En chemin, Tomasz a trouvé sur le parking des poids lourds un vieux bout de bâche et de la corde bleue qu'il destine à quelque usage surprenant. Yola et Marta mangent une glace et Marta lui en a rapporté une. Emanuel a eu la présence d'esprit de remplir d'eau les deux bouteilles de Coca-Cola au robinet des toilettes.

Andriy éprouve une pointe d'agacement quand ils lui racontent qu'ils ont croisé Vitaly. Adieu fraises, hmm ? Bonjour mobilfon ? Ils sont tous là à discuter fiévreusement de leurs nouvelles perspectives d'emploi. Son orgueil lui permettra-t-il de demander à Vitaly de lui trouver quelque chose ? Et dans ce cas, est-ce que ce sera comme l'histoire de la marge sur les canettes de bière – une opportunité commerciale déguisée en faveur ?

« Viens, Andriy, dit Marta. C'est la dernière soirée qu'on passe tous ensemble. Il faut fêter ça. » Sur ce, le Chien déboule avec un poulet à demi congelé entre ses mâchoires.

~

Chère Sœur

Notre petite famille de fraises arrive à sa fin. Les mzungus polonais doivent subir le travail du poulet et les Chinoises prennent la désignation d'Amsterdam. Andree, moi et le Chien, nous allons subsister seuls dans la caravane. Pour notre fête Tomach a présenté une bouteille de vin italien et nous avons trouvé un champ près de Douvres qui bénéficie d'une abondance de carottes que Martyre a considérées avec avidité. Le Chien a aussi fait l'offrande d'un poulet congelé.

Tandis que Martyre tranchait les carottes Andree et moi nous sommes allés ramasser le bois et nous avons trouvé un creux ombragé où nous avons rencontré Tomach et Yola qui marchaient ensemble et parlaient avec une voix solennelle. Et quand nous sommes revenus à la caravane Yola tenait la main de Tomach et dans l'autre main des sous-vêtures de femme.

Puis Tomach et Andree ont construit une tente de tout premier ordre avec de la bâche et de la corde bleue ramassée par Tomach et il m'a été donné de dormir tout seul à l'arrière de la landrover seyante à ma petite taille.

Le festin préparé par Martyre était remarquable et aussi le vin de Tomach et puis est venu le temps de chanter. Tomach a composé une chanson remarquable sur une troupe de voyageurs et leurs histoires d'amour et de mauvaise conduite qu'il a chantée avec le compagnonnage de sa guitare et je serais très intéressant d'apprendre à jouer une guitare parce que Tomach m'a déjà appris des accords. Quand mon tour est venu, j'ai chanté le Benedictus de la messe en si mineur de Bach que sœur Theodosia m'a appris et nous avons rendu grâces pour l'amitié que nous avons partagée ensemble dans le champ de fraises. Et dans mon cœur j'ai prié de nouveau pour que nous soyons réunis chère sœur et que Irina soit promptement délivrée parce que je savais qu'un orage approchait vu que le soleil rouge s'est couché dans un gonflement furieux de nuages blancs et gris qui obscurcissaient le lever de la lune.

~

Après avoir fini les frites, j'ai léché les miettes collées au papier. Puis le gras. Puis j'ai réfléchi aux choix qui s'offraient à moi.

Si je tournais à droite, je me dirigeais vers la rangée de peupliers et le champ blanc qui miroitait. Si c'était les mêmes peupliers, ce chemin me ramènerait au champ de fraises, où je pourrais récupérer mon sac et le peu d'argent que j'avais réussi à économiser, et les autres s'occuperaient de moi et m'aideraient à m'enfuir. Si je partais à gauche, cela me conduirait probablement à Douvres. J'irais voir la police qui me renverrait à Kiev, où ma mère m'attendrait les larmes aux yeux. «Je t'avais prévenue, Irina, mais tu n'as pas voulu m'écouter!» me dirait-elle en reniflant. Et je resterais à traîner dans l'appartement avec mamma et le chat, en se tapant mutuellement sur les nerfs, regrettant que pappa ne soit pas là et rêvant d'aller en Angleterre.

J'ai tourné à droite.

Le soleil s'était couché, le jour baissait et le vent venait malheureusement de se lever. Il valait mieux que je ne m'arrête pas ou j'allais geler sur place.

Je me suis mise à marcher en balançant vigoureusement les bras pour me réchauffer car je n'avais qu'un pull léger sur moi. Encore heureux que j'avais enfilé mon jean pardessus mon short quand les moucherons s'étaient mis à piquer l'autre soir. Comme le chemin serpentait entre de hautes haies, la plupart du temps je ne voyais pas où j'allais, parfois je montais un peu, parfois je redescendais. La rangée de peupliers avait totalement disparu.

Je ne me rendais pas compte du chemin que j'avais parcouru. Une voiture est passée, pleins phares, mais elle ne s'est pas arrêtée. Puis il s'est mis à pleuvoir. Au début, ça ne me dérangeait pas car j'avais soif et j'ai sorti la langue pour attraper des gouttes d'eau. Puis mon pull est devenu tout trempé et je me suis mise à grelotter entre le vent qui s'acharnait sur mes vêtements mouillés et la pluie qui me fouettait le visage. C'était horrible !

Je me suis mise à courir, la tête baissée sous la pluie, les mains fourrées dans les poches de mon pull. Une autre voiture est arrivée, mais le temps que je lui fasse signe, elle m'avait déjà dépassée en trombe dans une grande gerbe d'eau. J'avais l'impression que la pluie me pénétrait la peau, quand je suis tombée sur une espèce de vieux hangar ou de garage en tôle ondulée à l'écart de la route. J'ai poussé la porte grinçante. Dedans, ça sentait l'huile et une carcasse de moteur rouillait sous une bâche en plastique. Il y avait même une chaise. Quelle chance ! Je me suis assise. La chaise a branlé. Elle n'avait que trois pieds. Je n'avais plus qu'à attendre le lendemain matin.

~

Bien au chaud dans son lit, Marta écoute la pluie qui tambourine sur le toit arrondi de la caravane, des coups légers, discrets, comme un ami qui demande à entrer. Elle pense à Irina. Dans l'autre lit, Ciocia Yola marmonne dans son sommeil, plongée dans une dispute nocturne. Même en dormant, sa tante trouve toujours quelqu'un à sermonner. Les gouttes se font plus bruyantes, insistantes. Le vent s'est renforcé, secouant les panneaux légers de leur abri précaire et gonflant les rideaux à carreaux tirés sur les fenêtres ouvertes. Les Chinoises sont également réveillées et se blottissent l'une contre l'autre dans le grand lit. Dans un ultime grognement, Ciocia Yola sort victorieuse de son rêve de dispute et se lève pour aller fermer les fenêtres. Marta met l'eau à chauffer, prépare des tartines de margarine et de confiture d'abricot, et bientôt la caravane se réchauffe et s'emplit de buée. Elles s'assoient en chemise de nuit au bord du grand lit et mangent leurs tartines de confiture en chuchotant sans raison.

Sur ce, on entend un coup plus fort à la porte, puis des voix d'hommes. Marta va ouvrir. Andriy et Tomasz sont plantés là comme deux chaussettes mouillées sur une corde à linge. Leur auvent s'est envolé. Bien que ce soit une caravane uniquement réservée aux femmes, Yola se laisse fléchir en les voyant aussi trempés.

« Entrez. Vous pouvez vous abriter de l'orage. »

Ils se sèchent et s'installent également au bord du lit. Marta leur sert un thé noir sucré bouillant. Puis elle entend le Chien aboyer doucement – snouff ! snouff ! – et on frappe discrètement à la porte. Le Chien et Emanuel sont venus les rejoindre. Ils ne sont pas mouillés – dans la Land Rover ils étaient au sec –, ils veulent juste de la compagnie. *C'est un plaisir que d'avoir voir des amis qui viennent de loin*, déclare Emanuel en s'essuyant les pieds sur le paillasson avant d'entrer.

Ils se débrouillent tant bien que mal pour tenir à sept, Andriy sur un tabouret, Tomasz, Emanuel et le Chien par terre, les femmes blotties sur le grand lit. Ils boivent leur thé et mangent le reste de pain et de confiture en écoutant la pluie qui martèle le toit. Je me souviendrai toujours de cette nuit, se dit Marta. Une amitié comme celle-là est un don de Dieu.

Au bout d'un moment, quand le sommeil les gagne, Tomasz et Andriy se couchent sur les petits lits et Emanuel se pelotonne dans le minuscule espace qui reste au sol. Marta et Yola se serrent dans le grand lit avec les Chinoises et le Chien se glisse dessous. Marta, qui est au milieu, doit jouer des coudes entre sa tante et la Chinoise, de l'autre côté. Quand elle roule sur Marta, elle a un corps étonnamment ferme et chaud. Marta se demande laquelle c'est. Bien qu'elle ne sache pas grand-chose des Chinoises, la promiscuité de la caravane les a en quelque sorte rapprochées.

Tandis qu'elle flotte dans un demi-sommeil, Marta se remémore le dîner de la veille. C'était un véritable chef-d'œuvre. Tout d'abord, elle a fait revenir le poisson d'Andriy dans de la margarine avec des feuilles d'ail des bois et des champignons que Tomasz avait ramassés dans le champ. Elle a pris un peu de vin afin de préparer une sauce succulente pour le poulet, qu'elle a coupé en morceaux et fait mijoter à petit feu avec des herbes et du thé. Dommage qu'ils aient acheté aussi peu de choses tout à l'heure, avait-elle dit à sa tante avec un soupçon de reproche dans la voix, mais il restait du pain rassis qu'elle avait taillé en petits croûtons puis légèrement frit avec de la marjolaine cueillie au bord de la route, pour les servir en un délicieux accompagnement. Les carottes coupées en julienne avaient été tout d'abord cuites à l'eau, puis revenues à la margarine et glacées à la confiture d'abricot. Elle regrette que les carottes aient été volées, ce qui est un péché, mais prie le ciel que leur propriétaire en soit récompensé au paradis, car celui qui nourrit les pauvres nourrit le Seigneur. Et bien qu'ils n'aient eu chacun qu'une petite tasse de vin, ils ont pu porter un toast à leur amitié et leurs retrouvailles dans un avenir non spécifié.

En fait, personne ne réussit vraiment à fermer l'œil de la nuit. Ils écoutent la tempête qui fait rage dehors en parlant à voix basse jusqu'à ce que le vent finisse par tomber, que le crépitement de la pluie s'estompe et que le jour se lève.

Le lendemain, Vitaly les attend à la gare maritime. Il discute encore au portable en regardant autour de lui d'un air anxieux, crispé. Marta remarque pour la première fois la nervosité qui se lit dans ses yeux et cela la met mal à l'aise. Après l'intimité partagée la nuit précédente, cette façon qu'il a de pérorer sur son portable sonne faux. Mais il les accueille avec un large sourire.

Il est en compagnie d'un jeune homme au crâne également rasé et au teint tout aussi basané, un peu plus âgé cependant, les traits plus épais, avec une cicatrice qui lui barre toute la joue gauche jusqu'en haut de la lèvre et qu'il leur présente comme étant un certain Mr Smith.

« Mr Smith va vous escorter, dit-il aux Chinoises. Il va vous accompagner à Amsterdam pour vous présenter à famille de diplomate distingué. N'est-ce pas, Mister Smith ? »

Mr Smith sourit en étirant la cicatrice de sa lèvre supérieure contre ses dents.

« Mesdames, veuillez me suivre. Vous avez vos passeports ? »

Il les guide à travers la foule jusqu'à une grande voiture argent garée dehors.

« Au revoir », lancent-elles en leur faisant signe derrière la vitre fumée.

~

Song Ying, connue sous le nom de Chinoise Numéro 1, vient de la province de Guangdong dans le sud de la Chine. Son père, qui travaille au sein d'une nouvelle banque d'une grande ville industrielle, occupe un certain rang dans la communauté. Sa mère est professeur. Song Ying, enfant unique, est choyée par ses parents qui ne reculent devant aucune dépense pour elle, et elle se fait donc une haute idée de ce que lui réserve l'avenir. Elle est brillante et ils lui ont payé des cours particuliers. À dix-neuf ans, elle a réussi l'examen d'admission à la prestigieuse école de commerce de l'université de Pékin. Ses parents ont économisé de quoi couvrir les frais de scolarité. Ses cours commencent à l'automne. Ou étaient censés commencer, du moins.

Il y a seize mois, sa mère est tombée enceinte. Les autorités étaient devenues plus souples sur la question de l'enfant unique et elle a cru pouvoir s'en tirer à bon compte, mais dans un de leurs accès périodiques d'orthodoxie elles ont de nouveau durci leur position. Elle est convoquée au conseil de la province qui la place devant le choix d'avorter ou de devoir payer une lourde taxe. La mère de Song Ying utilise une partie de ses économies pour faire pratiquer en secret une échographie. Celle-ci lui révèle qu'elle porte un garçon. Les parents de Song Ying discutent du choix qui s'offre à eux jusque tard dans la nuit. Son père supplie sa mère d'avorter, mais sa mère pleure tellement qu'il finit par céder. Ils gardent l'enfant et paient la taxe. La taxe engloutit tout l'argent qu'ils avaient mis de côté pour les études de Song Ying, allant même jusqu'à les endetter. Le bébé est magnifique. Il est gâté par tous les membres de la famille et grossit à vue d'œil. La mère de Song Ying est heureuse et ne prête presque plus attention à Song Ying, si ce n'est pour lui dire : « Regarde, ton frère est magnifique. Ça ne te suffit pas ? » Le père de Song Ying accepte une promotion afin d'aider à payer la taxe supplémentaire et travaille également le soir dans un restaurant. « Ne t'inquiète pas, dit-il à sa fille. Je te trouverai un bon poste à la banque même sans diplôme universitaire. » La nuit, Song Ying pleure au creux de son oreiller, mais personne ne l'entend.

Puis Song Ying entend parler d'un institut anglais où l'on peut s'inscrire moyennant des frais dérisoires et obtenir un visa d'étudiant sans avoir à suivre les cours. Avec un visa d'étudiant, elle peut venir étudier en Angleterre tout en travaillant à mi-temps. Personne n'ira vérifier le nombre d'heures qu'elle effectue. Tant qu'elle paie les frais, l'institut confirmera volontiers qu'elle suit bien les cours. On l'y aidera même à trouver un emploi. Elle pourra travailler autant qu'elle le souhaite et le taux de change avec le yuan est si favorable qu'une fois payé les billets d'avion et les frais de scolarité, l'argent qu'elle aura gagné suffira largement à couvrir sa première année à l'université de Pékin – elle a soigneusement calculé, car elle n'a pas le droit à l'erreur. Sur ce, elle fait sa demande d'inscription à l'institut, qui est acceptée, et elle signe un accord par lequel elle s'engage à rembourser ses billets d'avion et ses frais de scolarité avec l'argent qu'elle gagnera.

Elle est déçue par l'institut – ce n'est qu'un simple local de quelques pièces au-dessus d'un bureau de paris dans une rue miteuse située à des kilomètres du centre de Londres. Il n'y a que quatre classes. Tout comme elle, la plupart des étudiants ne sont pas venus faire des études. Quand elle rentre de son travail dans un restaurant très fréquenté, elle est souvent trop fatiguée pour se concentrer sur les quelques cours d'anglais auxquels elle assiste. À l'institut, elle a rencontré Soo Lai Bee, une Chinoise de Malaisie, qui s'est inscrite à un cours d'anglais (l'institut organise quelques vrais cours à côté de ses autres activités). Pour Song Ying qui a grandi sans frère ni sœur dans l'environnement excessivement protégé de sa famille, c'est un véritable bonheur que d'être en compagnie d'une fille de son âge. Elles parlent la même langue et ont tant de choses à se dire. Soo Lai Bee compatit à ses malheurs et lui fait partager ses propres soucis. Elles deviennent inséparables. Quand l'institut annonce qu'on recherche des candidats pour la cueillette des fraises et propose (moyennant rétribution, évidemment) de leur fournir les attestations nécessaires certifiant qu'elles sont étudiantes en agriculture, toutes deux décident sur un coup de tête de tenter leur chance.

Bien que Song Ying ait déniché cet emploi de cueilleuse de fraises grâce à l'institut, elle n'a pas encore gagné assez d'argent pour rembourser ses frais de scolarité et encore moins pour en mettre de côté en vue de l'université. Toutefois elle est travailleuse, brillante et ambitieuse. Elle trouvera bien un moyen pour réaliser son rêve.

~

Quand on est un Chinois de Malaisie, il faut être deux fois plus intelligent et travailler deux fois plus dur pour arriver à quelque chose – c'est ce que le père de Soo Lai Bee a dit à sa fille. Et encore, parfois ça ne suffit pas. Alors, lorsque Soo Lai Bee, connue sous le nom de Chinoise Numéro 2, s'est vu refuser l'admission à l'école de médecine malgré les cinq A d'affilée qu'elle avait décrochés à ses examens de STPM, alors que bon nombre d'étudiants malais bumiputras avec des notes inférieures obtenaient des places grâce aux quotas, tous ses espoirs se sont envolés. C'est parce que les Chinois sont trop prospères en Malaisie, a tristement maugréé son père. Si la majorité de la population bumiputra se met à éprouver du ressentiment, il y aura des émeutes contre les Chinois. Il suffit de regarder l'Indonésie. Mais ça lui restait sur le cœur. Ses parents, qui avaient de l'ambition pour elle, étaient d'avis qu'elle aille faire ses études en Angleterre.

Certes, c'était cher. Mais son père, qui avait créé une entreprise de construction familiale florissante, avait des fonds. Pour les Chinois de Malaisie, la seule façon de faire des affaires est de s'associer à des sociétés malaises. Elles se chargent d'obtenir les contrats conformément aux règlements qui limitent l'attribution de ceux-ci aux non-Malais, puis vous leur rachetez lesdits contrats. Elles font des affaires, vous faites le travail, la loi est respectée et tout le monde est content.

En fait, le père de Lai Bee s'entendait très bien avec son associé bumiputra, Abdul Ismail, qui était devenu millionnaire en vendant aux Chinois des permis d'importation de voitures issus des quotas réservés aux Bumiputras, tout en s'occupant par ailleurs des contrats de construction. Il leur arrivait même de se retrouver en société. C'est ainsi que Soo Lai Bee avait fait la connaissance de son fils, Zia Ismail. Si elle avait été attirée par lui, c'est entre autres parce qu'il était bumiputra, et s'il avait été attiré par elle, c'est entre autres parce qu'elle n'était pas malaise. Les jeunes gens ont le don de tomber amoureux de celui ou celle qu'il ne faut pas. Et c'est ce qui leur était arrivé.

Abdul Ismail était furieux. Il avait lancé un ultimatum à son associé : soit mettre fin à cette relation, soit mettre fin à leur collaboration. Soo Lai Bee avait eu beau pleurer, il n'y avait pas le choix. Sa mère et ses deux sœurs aînées avaient fait pression sur elle. Son père l'avait prévenue que sans cette collaboration et les contrats lucratifs du secteur public, il n'aurait pas les fonds nécessaires pour financer ses études supérieures en Angleterre. « Ne t'inquiète pas, je t'attendrai », avait dit Zia Ismail.

Sa place à la faculté de médecine dépendait des résultats qu'elle obtiendrait à l'examen international d'anglais et ses parents jugeaient préférable de se débarrasser d'elle au plus tôt. Elle s'était inscrite dans un institut pour les étudiants étrangers à Londres. Deux semaines à peine après son départ pour l'Angleterre, Soo Lai Bee apprenait que Zia était fiancé à une autre.

Au début elle avait été triste, puis furieuse, et finalement soulagée d'être loin de chez elle, dans un pays où personne ne se souciait de vos origines. À l'institut, elle s'était liée d'amitié avec Song Ying, une autre Chinoise qui ne faisait même pas d'études mais avait besoin d'un permis de travail. Elles parlaient pendant des heures des mères, des pères, des petits amis, des frères, des sœurs, des Polonais, des Ukrainiens, des Malais et des Anglais. Elles riaient et pleuraient ensemble. Elles allaient souvent cueillir les fraises ensemble. Et c'est ensemble qu'elles étaient parties à Amsterdam.

Buttercup Meadow

Peut-être dans les années cinquante le Majestic Hotel de Shermouth faisait-il figure de palace, comparé aux hôtels de la Baltique, mais il n'a jamais été vraiment rénové ni même convenablement entretenu depuis. Entre autres multiples désagréments, l'ascenseur est cassé (la chambre de Yola et Marta est au cinquième étage), l'eau est coupée après vingt et une heures dans les salles de bains communes (attenantes, vous plaisantez !) et c'est infesté de cafards. Cela étant, elles ont une très belle vue sur la mer.

Mais le pire, au Majestic, c'est que ses énormes murs gothiques en brique grouillant de cafards abritent quelque deux cents pensionnaires, non pas des voyageurs ou des touristes, mais des gens qui essaient de vivre sur place – des travailleurs immigrés comme elles, des demandeurs d'asile venus des quatre coins du globe, des familles sans abri issues des quartiers miséreux des grandes villes d'Angleterre – entassés les uns sur les autres comme des âmes en enfer, se bousculant devant les toilettes répugnantes, chapardant les bouteilles de lait dans les réfrigérateurs communs couverts de moisissure, s'empêchant mutuellement de dormir avec leurs disputes, leurs fêtes et leurs cauchemars.

L'hôtel ne fait pas restaurant, et les pensionnaires doivent prendre leurs repas dans des cafés ou se débrouiller pour manger dans leurs chambres – à la plus grande joie des cafards. Et s'il n'y a pas de petits oiseaux qui chantent, il n'y a jamais de silence non plus. Car même en pleine nuit il y en a toujours un qui se lève pour prendre son poste au petit matin ou rentre après avoir assuré celui du soir, qui se dispute, qui fait un bébé, qui console un enfant en pleurs, tant et si bien que la seule solution pour ne pas devenir fou est de se couper du monde, de refouler la cohue humaine qui s'écrase contre les murs, les sols et les plafonds. Yola résume la situation en deux mots : « Trop d'étrangers. »

Si elles étaient réellement en enfer, cependant, il y aurait des diables armés de fourches, se dit Yola. Au lieu de quoi, on leur a affecté une chambre qu'elles partagent avec deux femmes slovaques qui, ayant été seules jusque-là, ne se montrent pas particulièrement aimables envers les nouvelles venues, et ont étalé leurs affaires dans tous les coins et mis à sécher leurs culottes un peu partout, encombrant la pièce et saturant l'atmosphère d'humidité. Certes, ce n'est pas de leur faute si l'hôtel n'a pas de service de blanchisserie, mais ce que leur reproche Yola, c'est le type de culottes qu'elles ont choisi, en l'occurrence des strings. Les derrières imposants des Slovaques rebondissent sous ces strings avec un déplorable laisser-aller et Yola ne comprend absolument pas qu'une femme puisse délibérément s'infliger une telle gêne alors qu'on trouve partout des culottes amples en coton blanc, peu onéreuses, connues pour leurs avantages hygiéniques et, contrairement à ce que l'on pourrait supposer, jugées séduisantes par les hommes les plus raffinés, dont elle est réduite à penser qu'ils sont une espèce rare en Slovaquie.

Marta a également ces strings en horreur, quoique pour de tout autres raisons.

~

Quand Yola et Marta ont été déposées à l'hôtel, Tomasz s'est entendu dire qu'il devait rester dans le minibus car il était attendu à Titchington, à l'élevage de poulets de Sunnydell. Il a protesté avec véhémence que tout ce qu'il voulait, c'était être avec Yola, qu'il se fichait totalement de ce nouveau boulot et préférait simplement jouer à la guitare et chanter pour elle. Mais déjà le minibus repartait, et Yola et Marta lui faisaient signe par la vitre arrière avant de disparaître.

« Inquiète pas. Pas loin, disait le chauffeur. Tu revenir quand tu avoir bonne paie dans poche et alors tu avoir bon possibilité. Hé hé. »

Curieusement, tous les sièges du minibus avaient été enlevés, obligeant les passagers à s'accroupir par terre. De là, il ne voyait pas grand-chose du paysage, si ce n'est des champs, des forêts, et à un moment un coin de mer. Puis ils ont franchi une série de ralentisseurs sur une longue allée goudronnée et ils sont arrivés.

Le minibus s'est garé devant deux petits pavillons en brique qui se dressaient dans un jardin envahi par les herbes à l'abri d'une palissade. Ils auraient pu être charmants, mais au premier coup d'œil Tomasz leur a trouvé un côté louche, menaçant. Les rideaux étaient tirés, alors qu'ils étaient en fin de matinée, et devant les portes, plusieurs sacs-poubelles noirs débordants empestaient l'atmosphère.

« Là, a dit le chauffeur en montrant la maison de gauche. Tu dormir là. » Puis, comme pour le rassurer, il a indiqué celle de droite. « Et je dormir là. »

Tomasz a pris son sac et jeté sa guitare sur son épaule. Ça le changerait de dormir enfin dans une maison, s'est-il dit, au moins la nuit il pourrait fermer les yeux et fermer la porte.

« Quand tu prêt, tu aller dans bureau là-bas. »

Le chauffeur indiquait un portail à deux battants donnant sur une grande cour où se trouvait un bâtiment bas en brique avec quelques véhicules garés devant. Derrière le bâtiment, une autre allée menait à une série de hangars gigantesques séparés d'une vingtaine de mètres. C'est de là que provenait l'odeur, s'est soudain rendu compte Tomasz.

~

JE SUIS UN CHIEN JE SUIS UN CHIEN TRISTE MON HOMME GENTIL AVEC UNE BONNE ODEUR DE PIED EST PARTI MA FEMME QUI MET LA CRÈME SUR LA PATTE EST PARTIE MA FEMME QUI SENT BON SOUS LA JUPE EST PARTIE TOUS PARTIS AU REVOIR LE CHIEN ILS ONT DIT AU REVOIR BON CHIEN JE SUIS UN CHIEN TRISTE JE SUIS UN CHIEN

~

La cour de ferme avait beau empester, Tomasz ne s'attendait pas à être assailli par une telle puanteur en franchissant le seuil de la petite maison : une odeur de renfermé, de transpiration, d'urine, d'excrément, de sperme, de cheveux gras, de mauvaise haleine, de caries, de chaussures pourries, de vêtements sales, de nourriture moisie, de cigarettes, d'alcool. L'odeur humaine. Et bien qu'il soit davantage immunisé que d'autres à ces odeurs, il s'est couvert la bouche et le nez en suffoquant.

Il y avait deux pièces au rez-de-chaussée. Dans la première, dont la porte était ouverte, il y avait six chaises autour d'une table où traînaient des restes de repas graisseux qui n'avaient pas été débarrassés. En ouvrant la porte de la seconde, qui était en façade, Tomasz a été submergé par une puanteur étouffante d'air vicié. Dedans se trouvaient six – non, sept – silhouettes endormies pelotonnées sur des matelas posés par terre, au milieu de leurs piètres affaires qui s'échappaient des fourre-tout et des cabas – un fatras de chaussures, de vêtements, de sacs de couchage, de papiers, de paquets de cigarettes, de bouteilles et autres vestiges humains. Tout ce beau monde reniflait et ronflait allégrement en chœur. Il s'est empressé de ressortir en refermant la porte.

En haut, c'était la même chose. Dans la plus petite des deux chambres, quatre matelas étaient posés par terre les uns contre les autres, si bien qu'on était obligé de marcher dessus pour traverser la pièce, et sur chaque matelas une silhouette endormie était couchée sur le ventre. La plus grande chambre, quant à elle, était occupée par six matelas et six silhouettes endormies. Non – le matelas du fond était libre et Tomasz s'est rendu compte la mort dans l'âme que c'est celui qui lui était destiné.

Il est redescendu dans la salle à manger, a pris une chaise et sorti sa guitare avec un sentiment d'abattement si profond qu'il en était presque réjouissant. Ainsi donc, voilà à quoi il en était réduit. Il n'était qu'un simple fragment brisé d'humanité remonté à la surface pour venir s'échouer sur ces rives lointaines. C'est là que son périple l'avait conduit.

Il devait bien y avoir moyen d'en faire une chanson.

~

J'ai été réveillée par un chant d'oiseau si proche, si mélodieux, que l'espace d'un instant je me suis crue dans la caravane. J'ai ouvert les yeux et regardé autour de moi. Où étais-je ? Le soleil entrait à flots par une fenêtre poussiéreuse. Puis je me suis souvenue : au milieu de la nuit, j'avais abandonné la chaise à trois pieds pour m'enrouler au sol dans une bâche en plastique. J'avais dû dormir comme ça. Mes vêtements étaient encore humides. Pas étonnant que je sois ankylosée. Je me suis levée et je me suis étirée en tendant péniblement les membres un à un. *Ujjas !* Quelle nuit ! Je me suis rappelé que j'avais fait un rêve – un de ces rêves terrifiants où l'on court à n'en plus finir sans pouvoir bouger. De ces cauchemars dont on émerge heureux de se réveiller par une belle journée ensoleillée.

Mon ventre recommençait à gargouiller – les frites de la veille ne faisaient plus effet. J'ai ouvert lentement la porte et je suis sortie. La pluie avait cessé et le ciel était dégagé, mais il y avait encore des flaques par terre. Quand il a plu dans la nuit à Kiev, au matin les dômes fraîchement lavés des églises miroitent au soleil et les ornières des rues sont remplies d'eau. « Attention aux flaques, Irina », me disait toujours mamma quand je partais à l'école, mais je me faisais toujours éclabousser.

J'étais dans un jardin. Le vieux garage était à l'extrémité d'une longue allée en gravier. Au bout, derrière une rangée d'arbres, j'apercevais les cheminées d'une grande maison. Mes pas crissaient sur le gravier et j'ai entendu un chien qui se mettait à aboyer à proximité. Était-il enchaîné ? Était-il méchant ? Je me suis immobilisée en tendant l'oreille. Les aboiements ont cessé. Puis j'ai entendu un faible bruit au lointain – le ronflement d'un moteur qui se rapprochait.

Quelques minutes plus tard, j'ai vu le véhicule. C'était une camionnette blanche. Je me suis avancée en lui faisant signe. Le chauffeur a ralenti en me faisant signe à son tour. Espèce d'idiot – ne voyait-il pas que je ne faisais pas ça pour m'amuser ? J'ai bondi devant la camionnette, l'obligeant à freiner à mort. Le chauffeur a baissé la vitre en hurlant :

« Espèce folle ! Tu fais quoi ? »

Cet accent familier ! Cette figure ronde ! Cette chemise affreuse ! J'ai tout de suite deviné qu'il était ukrainien. Bêtement, j'ai senti les larmes qui me picotaient les yeux.

« Je vous en supplie, lui ai-je dit en ukrainien, aidez-moi. »

Il a ouvert la portière côté passager.

« Monte, petite. Où veux-tu aller ? »

J'ai essayé de parler, mais je me suis retrouvée à renifler lamentablement. Après tout, j'étais en vie et il ne m'était arrivé aucun malheur.

« Allez, petite. Ne pleure pas, a dit le chauffeur. Tu peux venir avec nous. »

Quand la camionnette a redémarré, j'ai entendu des voix à l'arrière. Je me suis retournée et j'ai vu qu'il y avait une douzaine de gens – hommes et femmes – accroupis ou assis par terre. Ils étaient tous jeunes. Certains discutaient à voix basse. D'autres somnolaient. Ils avaient tous l'air d'étudiants – ils étaient exactement comme moi, en fait.

« Bonjour », ai-je dit en ukrainien. Ils m'ont répondu en chœur, les uns en ukrainien, d'autres en polonais et dans une ou deux langues slaves que je n'ai pas reconnues.

« Des cueilleurs de fraises, a expliqué le chauffeur.

– Ah, quelle chance ! Moi aussi. »

J'ai commencé à lui expliquer l'histoire des caravanes et du champ de fraises, quand subitement, là, sur la droite, j'ai vu défiler en un éclair le petit taillis, la barrière, le joli champ en pente exposé au sud que je connaissais si bien. Mais qu'était devenue notre caravane ?

« Arrêtez, s'il vous plaît ! » je me suis écriée. Le chauffeur a freiné en secouant la tête.

« Un coup faut s'arrêter. Un coup faut y aller. C'est bien les femmes, ça.

– Attendez. S'il vous plaît. Juste une minute ! »

J'ai dévalé l'allée et j'ai ouvert la barrière. La caravane des femmes avait disparu – volatilisée. Il ne restait que l'écran de la douche, avec son plastique noir qui battait tristement. Celle des hommes était toujours là, posée de travers. Je me suis approchée sur la pointe des pieds et j'ai jeté un œil par la fenêtre. Elle était vide. Il n'y avait personne dans les parages. Le champ était plein de fraises mûres. En haut du champ, j'ai entendu la grive perchée dans le taillis qui chantait son refrain matinal.

Je suis remontée dans la camionnette.

« On s'arrête ou on y va ? a dit le chauffeur.

– On y va. »

~

Une fois que les Chinoises sont parties et que Vitaly a accompagné les Polonais qui ont rendez-vous avec le chauffeur du minibus (désigné sous le titre de « gestionnaire de transport »), Andriy, Emanuel et le Chien vont se consoler en s'offrant une glace pour échapper à la chaleur. Ils doivent rejoindre Vitaly dans un pub du centre.

Andriy espère que maintenant qu'il a fait fortune dans le mobilfon, Vitaly leur offrira une tournée, mais quand ce dernier revient, il s'avère qu'il n'a malheureusement pas d'argent sur lui, si bien que sur ce qui lui reste de ses deux semaines de salaire Andriy se retrouve obligé de payer deux petites bières pour Emanuel et lui, et un double whisky-Coca pour Vitaly.

Ils sortent avec leurs bières par une porte marquée Jardin et atterrissent dans une cour humide et froide pleine de tonneaux de bière vides où le soleil perce à peine au-dessus des hauts murs de brique couverts d'un sinistre lierre noir de suie. Il n'y a personne à part eux. Le Chien trouve un reste de sandwich emballé dans une serviette en papier sous une des tables et l'engloutit, répandant partout des miettes et des bouts de papier déchiqueté. Emanuel et Andriy sirotent lentement leurs bières pour les faire durer.

Aussitôt, Vitaly leur demande ce qu'est devenue Irina, et cette façon qu'il a de s'exprimer en passant avec aisance du russe à l'anglais est d'une arrogance exaspérante.

« Je croyais que vous aviez possibilisé tous les deux. Je pourrais lui trouver très bon travail à Londres. Danseuse. Elle sait danser ? Bien payé. Logement de luxe. »

Quand Andriy lui parle de l'enlèvement de nuit, il siffle entre ses dents.

« Ce Mr Vulk est un bon à rien du tout. Il donne mauvaise réputation à profession de consultant en recrutement.

– C'est un consultant en recrutement ?

– Oui, bien sûr. Mais pas pareil que moi. Pas consultant solution emploi avec capacité pour flexibilité réponse novatrice. Il est plus intéressé par établir contacts internationaux. Mon contact, c'est trouver du travail aux gens qui débarquent du ferry. Solution dynamique innervante à toute main-d'œuvre organisationnelle.

– Et il vit ici, à Douvres ?

– Dans un hôtel pas très loin, je crois.

– Tu peux me conduire jusqu'à lui ?

– Ah ah ! Je vois que tu penses encore à possibiliser avec cette Ukrainienne. »

Andriy hausse délibérément les épaules. « Évidemment ça m'intéresserait de savoir où elle est. Mais elle a déjà petit ami, je crois. Champion de boxe. »

Vitaly le regarde d'un drôle d'air. « De boxe ? C'est inhabituel pour une fille de ce milieu. Angliski ?

– Peut-être. Je crois. » Lui aussi a des doutes sur l'existence de ce petit ami.

Il éprouve une colère inexplicable envers Vitaly. Où a-t-il trouvé ces vêtements, ces lunettes, ce téléphone ? Et toutes ces femmes qui dansaient autour de lui à la gare maritime ! Ce n'est tout de même pas la marge qu'il se faisait sur les bières à la caravane ? Et pourquoi garde-t-il tout ça pour lui ? Les cueilleurs de fraises partageaient tout, alors que discrètement Vitaly se mettait en permanence quelque chose de côté. Et il était passé si soudainement du statut d'égal à celui de supérieur. Par le cul du diable ! C'était arrivé du jour au lendemain. Bien sûr, il avait déjà connu ça en Ukraine – la veille ils étaient tous camarades, et en l'espace d'une nuit les uns devenaient millionnaires et les autres se retrouvaient avec… des coupons. Comment était-ce arrivé ? Nul le savait. Ça laissait un goût amer.

Que faire avec des coupons ? On ne peut pas les manger. On ne peut pas les dépenser. Tout ce qu'on peut faire, c'est les vendre. Mais qui en voudra ? Soudain, les millionnaires étaient tous devenus milliardaires et les autres n'avaient plus qu'un lot de charbon pour passer l'hiver et c'est tout, salut, point final. À présent, le pays tout entier était entre les mains des rois du mobilfon.

Et ce Vitaly – s'il retrouve Irina, va-t-il t'appeler sur son mobilfon et te dire : hé, Andriy, mon ami, viens possibiliser ? C'est peu probable. Et que penserait-elle du nouveau Vitaly métamorphosé en consultant-recrutement suspendu à son mobilfon ? Elle se croit tellement supérieure – la nouvelle Ukrainienne très classe –, peut-être que le nouveau Vitaly sera tout à fait son genre. Allô, le roi du mobilfon – c'est Irina qui appelle –, est-ce qu'on peut possibiliser ? Et quand bien même elle possibilise avec Vitaly, qu'est-ce que ça peut te faire, Palenko ? La colère que lui inspire Vitaly se double cette fois d'une fureur irrationnelle à l'égard d'Irina.

« Et j'ai une Angliska, précise-t-il à Vitaly d'un ton entendu. Vagvaga Riskegipd. À Sheffield. Je dois aller la retrouver. »

Vitaly le regarde de nouveau d'un drôle d'air.

« Écoute, mon ami, si je vois Vulk, je lui demanderai ce qui est arrivé à l'Ukrainienne. »

Il espère presque que Vitaly lui proposera un travail – un bon salaire, un logement de luxe, etc. –, ne serait-ce que pour avoir le plaisir de refuser. Mais il n'en fait rien, et Andriy est trop fier pour demander. Ils décident de se retrouver le lendemain au même pub, à la même heure. Vitaly s'éloigne d'un pas nonchalant en sortant son portable de sa poche et se met à discuter en gesticulant de sa main libre pour ponctuer ses propos. Andriy essaie de comprendre dans quelle langue il parle.

Le soleil cogne, projetant sur les trottoirs lézardés de petites ombres dures. Il regagne la caravane sans se presser avec Emanuel et le Chien, encore furieux d'avoir dû payer un double whisky à Vitaly. Pire encore, il se sent pauvre, mal fagoté, peu séduisant. Serait-il jaloux de Vitaly ? C'est une honte, comment peut-on être jaloux d'un homme qui vous est inférieur à tous points de vue, si ce n'est qu'il a un mobilfon et un pantalon plus chic ? Voilà ce à quoi l'a réduit Vitaly. Voilà ce à quoi Vitaly et Irina l'ont réduit, à eux deux. Il croyait que Vitaly était son ami, alors que tout ce temps il n'arrêtait pas de traficoter en douce. Ses vrais amis, ce sont eux. Hé, le Chien ! Mais le Chien est sur la piste des réverbères. Hé, Emanuel ! Emanuel a trouvé dans le jardin du pub un paquet de chips au bacon à moitié plein qu'il partage avec Andriy, en secouant les dernières miettes dans sa main. Le sel au parfum artificiel fond sur sa langue, délicieux, toxique.

« Hé, Emanuel. Tu aimes la pêche ? Peut-être on a grande chance ?

– Sikomo. La pêche est très intéressante. Mais où atteindrons-nous de bons filets ? » Emanuel se met à chanter *Je vous ferai pêcheurs d'hommes.*

Ils descendent d'un pas nonchalant jusqu'à la jetée. Le Bulgare qui lui a vendu le poisson la veille lui a dit que c'était la meilleure façon de se faire rapidement un peu d'argent. Dans une ruelle, au milieu d'un labyrinthe de parkings de voitures et de camions, non loin de l'endroit où ils ont laissé la caravane, ils trouvent l'entrée de l'ancienne gare maritime Admiralty Pier. Autrefois, c'était sans doute une structure magnifique, mais la fonte ouvragée est désormais délabrée, sale, couverte de fientes, et des cadavres de pigeons se décomposent derrière les grilles. On est frappé par la puanteur dès qu'on pénètre dans la galerie.

Deux hommes traînent à côté de l'entrée avec un assortiment de cannes à pêche et de seaux, les uns bleus, les autres jaunes.

« C'est pour acheter ou pour louer ? leur demande le plus vieux des deux, qui porte un bonnet en laine noire tiré sur les oreilles en dépit de la chaleur et un gilet noir qui dévoile des bras et des épaules couverts d'une incroyable collection de tatouages. La location, c'est cinq tickets par jour. Ou vous pouvez l'acheter pour vingt-cinq tickets. Du super-matos. Un bon investissement. Ça s'amortit en cinq jours et après c'est tout bénef. Vous comptez rester quelques jours ? »

Il parle trop vite. L'anglais d'Andriy est mis à rude épreuve. Combien ça coûte ? se demande-t-il.

« Quoi c'est être ?

– Du matos de qualité. C'est ce qu'utilisent tous les champions des concours de pêche. Y a un gars qui a pris un cabillaud de vingt-cinq livres ici l'autre jour. Ça lui a rapporté cinquante tickets. Cash. » Il scrute Andriy et Emanuel des pieds à la tête, comme s'il évaluait leur aptitude à la pêche.

« Vous avez à manger tous les soirs, et le reste, vous pouvez nous le vendre. Un ticket le kilo. De l'argent facile. Pas de taxe. Pas de questions. Vous pouvez le dépenser comme vous voulez. Cinq tickets par jour, c'est tout. Essayez. »

Andriy prend une canne et l'examine. Il n'a pas pêché depuis qu'il était petit, mais ça ne doit pas être si difficile que ça – le Bulgare n'avait pas particulièrement l'air malin.

« Cinq tickets ? Cinq livres ?

– C'est ça, mon gars. Y a une flopée de maquereaux qui débarquent avec la marée. Vous amortirez ça en un rien de temps et vous pourrez rapporter le reste à vos dames. »

Andriy lui tend ses cinq livres. L'homme lui donne une canne et un seau bleu.

~

Quand le chauffeur ukrainien a franchi la barrière, j'ai vu le champ blanc miroitant que j'avais remarqué la veille du haut de la colline. Il avait l'air d'être recouvert de plastique, et en fait c'était exactement ça – d'interminables rangées de tunnels en polyéthylène tendu sur des arceaux en métal. Chaque tunnel était occupé par une rangée de balles de foin couvertes de sacs de compost plantés de fraises. On aurait dit tout un jardin sous abri. L'air humide et chaud était imprégné d'un arôme de fraises mûres mêlé d'une odeur chimique écœurante qui me collait au palais. J'étais si affamée que malgré l'odeur ç'a été plus fort que moi – je me suis mise à engouffrer les fraises par poignées entières. Les autres ont éclaté de rire.

« Tu ne peux pas être cueilleuse de fraises, Irina ! On n'a pas le droit de les manger. S'ils t'attrapent, tu seras virée », m'a dit Oksana qui m'avait visiblement prise sous son aile. Oksana était de Kharkov, un peu plus âgée que moi et très gentille, même si elle n'était pas très cultivée – mais tout ça n'avait plus grande importance à présent.

Boris, le contremaître, était également ukrainien. Il était un peu gros et pas très futé, avec un fort accent de Zaporizhzhia. Il n'arrêtait pas de me regarder en disant que si je faisais mes preuves aujourd'hui, il glisserait un mot pour moi et réglerait la paperasse quand on rentrerait au bureau. Il était sûr que je serais embauchée, car les fraises avaient mûri plus tôt en raison du beau temps et – c'était la troisième fois qu'il le répétait, qu'est-ce qui lui prenait ? – qu'il glisserait un mot pour moi.

Quand il m'a parlé du salaire, je n'en suis pas revenue. C'était le double de ce qu'on gagnait dans l'autre ferme et j'ai tout de suite pensé à tout ce que je pourrais m'offrir : du savon parfumé, du bon shampooing, un nouveau slip – le genre sexy que mamma détesterait –, une énorme plaque de chocolat, des sandales à lanières, et puis j'avais besoin d'une brosse à cheveux, d'un nouveau tee-shirt, peut-être même deux, un pull plus chaud, sans oublier un cadeau à rapporter à mamma. Et la cueillette était si facile ; pas besoin de se baisser, rien à soulever. Quelle chance, je me suis dit, c'est une occasion inespérée, j'ai intérêt à en tirer le meilleur parti, du coup j'ai cueilli comme une forcenée parce qu'il fallait que je fasse mes preuves.

À la fin de la journée, quand on est rentrés à la ferme, Boris est venu me dire qu'il était temps pour moi de faire mes preuves. Sur ce, il s'est plaqué contre moi d'une manière répugnante et s'est mis à me couvrir la bouche de baisers humides et visqueux. Je n'avais pas peur – Boris avait l'air bête et inoffensif – et je me suis alanguie en me laissant faire parce que je voulais vraiment ce travail.

Son souffle haletant contre moi me glaçait les os. Question sex-appeal, je lui donnais zéro. Bon, OK, je me suis dit, c'est une transaction, rien de plus. J'essayais d'imaginer Natacha et Pierre s'embrassant éperdument, abandonnés l'un à l'autre. Les hommes étaient-ils différents à cette époque ? Quand il a arrêté, je me suis essuyé la bouche sur mon tee-shirt et je l'ai suivi dans l'escalier qui menait au bureau.

~

Accompagné d'Emanuel, Andriy va jusqu'au bout de la jetée avec sa canne et son seau bleu. La jetée est une sinistre étendue de ciment longue de près d'un kilomètre qui s'avance dans la mer en formant un double crochet et dont chaque mètre semble occupé par un pêcheur qui contemple la crête des vagues, le seau à ses pieds, la canne ou la ligne lancée au-dessus de l'eau. Il y a bien quelques petits poissons au fond de certains seaux, mais rien de plus.

À mi-chemin du premier crochet, Andriy et Emanuel tombent sur le Bulgare qui a vendu du poisson à Andriy. Il leur présente ses deux amis, qui sont roumain et moldave.

« D'habitude, on est deux ou trois ici, dit le Bulgare. Juste après, les Baltes. Eux, poissons frits. Là-bas (il pointe le doigt à l'adresse d'Andriy) les Ukrainiens et les Biélorusses. Mangeurs de betteraves. Là-bas (il s'adresse à Emanuel cette fois) on a même l'Afrique. Dieu sait ce qu'ils mangent. Au bout là-bas c'est les Balkans – Serbes, Croates, Albanais. Vaut mieux éviter. Trop de bagarre.

– Et les pêcheurs angliski ? »

Le Bulgare montre l'extrémité de la jetée.

« C'est là que tous les Angliski ils vont. Tout au bout. Après Balkans. Faciles à repérer, Angliski. Ils ont tous bonnet en laine. Même les femmes. Tiré sur les oreilles. Même l'été. Très bons pêcheurs.

– Et la pêche bonne ?

– Très bonne. Plein poissons partout. Argent facile. »

Andriy jette un œil dans le seau du Bulgare. Il y a quelques petits poissons. De qui se moque-t-il ?

« Combien de temps tu fais la pêche comme ça ? »

Le gars prend l'air évasif. « Quelques jours.

– Où tu trouvé la canne et le seau ?

– Un gars sur la jetée. Pareil que toi. Argent facile.

– Facile pour lui. »

Le Bulgare détourne le regard et tripote sa canne à pêche. Andriy a envie de le cogner, mais à quoi bon.

« Il dit plein plein maquereaux arrivent ce matin », lance le Bulgare d'une voix plaintive dans le dos d'Andriy qui s'éloigne. Pauvre andouille, il ne se rend même pas compte que c'est déjà l'après-midi.

« Je vais chercher l'Afrique ! » Emanuel se dirige vers les deux silhouettes noires penchées sur leurs cannes non loin du crochet.

Andriy prend son seau et va trouver les Ukrainiens. Il y a deux jeunes au visage mince, l'un au crâne rasé tout bosselé, l'autre les cheveux en brosse à la Klitschko.

« Salut, les gars.

– Salut, mec.

– Ça mord ?

– Pas vraiment. »

En fait, à en juger d'après le contenu de leur seau, pas du tout.

« Vous êtes d'où ?

– Vinnitsa. Et toi ?

– Donetsk. »

Andriy se glisse entre eux deux et regarde sa canne – puisqu'il l'a achetée, autant essayer de l'amortir. Il se rend compte qu'il n'a pas d'appât. Il demande aux jeunes s'il peut leur en emprunter.

« Pas besoin d'appât. Tu mets juste une plume. Ça suffit pour les maquereaux. Ils croient que c'est du poisson, dit celui au crâne bosselé.

– Ils ne doivent pas être très malins.

– Sûrement. Ah ah ah, ricane le jeune.

– Et il y en a qui arrivent à ferrer quoi que ce soit ?

– Ouais, bien sûr. Il doit bien y en avoir.

– De quoi rembourser la canne et le seau ?

– Sûrement. Pourquoi t'as eu un seau bleu ? »

Il s'aperçoit que leur seau est jaune.

« Bleu ou jaune, qu'est-ce que ça change ?

– Le bleu, ça se loue. Tu le rends à la fin de la journée. Le jaune, tu le gardes. Tu t'en sers tous les jours.

– Tu veux dire que je rends le seau à la fin de la journée ? Même si je n'ai rien pris ?

– C'est peut-être toi le poisson et tu t'es fait prendre. » Le type au crâne bosselé sourit. « Même pas eu besoin de plume. Ah ah ah.

– Par le cul du diable ! »

Andriy parcourt la jetée du regard. Il y a essentiellement des seaux jaunes, quelques bleus et d'autres de couleurs variées, rouges, verts, noirs, gris. Franchement, tu ne peux t'en prendre qu'à toi-même, Andriy Palenko, d'avoir écouté cette espèce de crétin à face de lune. Il compte les seaux jaunes et bleus et essaie de calculer le profit que le Tatoué s'est fait en une seule journée. De l'argent facile.

Du côté de l'Afrique, Emanuel a visiblement été abandonné par les autres, qui lui ont confié leur matériel de pêche. Que se passe-t-il ? Il éprouve un élan protecteur envers Emanuel : encore une pauvre âme innocente perdue dans l'univers du mobilfon. Andriy lui fait signe, mais Emanuel ne le voit pas. Il a le regard rivé sur la mer.

Andriy observe lui aussi le sinistre remous des vagues qui se brisent en bouillonnant sur le ciment, les obscurs débris répugnants qui remontent de temps en temps à la surface. La réputation de la mer est très surfaite, se dit-il.

Quand il réussit enfin à attirer l'attention d'Emanuel, ce dernier lui fait signe de venir d'un air agité. Il semble bouleversé.

« Les Africains du Mozambique disent s'il te plaît surveille nos affaires de pêche on va aux toilettes. Une heure. Deux heures. Toujours pas revenus. »

Mais de quoi parle-t-il ?

« Pas problème, mon ami. » Andriy pose une main rassurante sur son bras. « Tout normal. »

C'est curieux, se dit-il. Pourquoi ce seau est-il rouge ?

Au bout de quelques heures, les Mozambicains ne sont toujours pas revenus et les Ukrainiens qui ont réussi à attraper quatre poissons à eux deux fêtent leur prise avec une cigarette roulée et une bouteille de bière suivie de quelques autres. Ils lui en offrent une, mais il refuse. Il aime la bière comme tout le monde, mais ces types-là boivent avec une sorte de désespoir. Il a suffisamment connu ça sur le Donets – un type boit une bière, puis quelques autres, et, pour rire, il saute dans la rivière pour se rafraîchir et salut : on ne retrouve jamais le corps, terminé, point final.

Un vent glacé s'est levé et ceux qui ont des vestes les ferment jusqu'en haut ; les autres comme Andriy et

Emanuel se mettent à grelotter. La mer se fracasse de plus en plus violemment sur la jetée et ils sont aspergés par les embruns. La marée est montée. Un frisson d'excitation parcourt la jetée. On a aperçu un banc de maquereaux qui approche. Mais il n'a pas l'air d'arriver.

Quand la nuit commence à tomber, la plupart des pêcheurs sont prêts à lever le camp. Du côté des Angliski, on a attrapé quelques gros poissons ; la chance a également souri aux Balkans et à présent ils se bagarrent pour savoir qui aura quoi. Andriy n'a toujours rien pris.

« Hé, mec, lui lance l'Ukrainien coiffé à la Klitschko, t'as intérêt à ne pas lâcher la canne et le seau. Pourquoi les rendre au Tatoué ? Au moins, t'en auras pour ton argent. Cinq livres, c'est du vol. Mieux vaut en prendre des jaunes comme nous la prochaine fois. Investir pour l'avenir. »

Hmm. Il y a pas mal de logique dans ce que dit l'Ukrainien.

« Mais le Tatoué nous attend au bout de la jetée ?

– C'est facile de passer sans qu'il te voie. Écoute, l'Ukrainien, on va t'aider un peu. On met ton seau bleu dans notre jaune. » Il prend le seau et renverse rapidement le sien pour transférer les quatre poissons. « Tu vois ? On prend chacun une canne. On te retrouve au pub – là-bas. » Il pointe le doigt. « Tu nous achètes une pinte de bière et tu peux garder le seau et la canne. » Il sourit de toutes ses dents. « OK ?

– OK. »

Andriy se demande s'il y a un piège, mais à qui se fier, sinon à un Ukrainien ?

Subitement, il entend un cri du côté du secteur africain.

« Ramène-le ! Tourne le moulinet ! » Un gros pêcheur coiffé d'un bonnet de laine donne des instructions à Emanuel, qui est aux prises avec une canne recourbée en arc. Il essaie de tourner le moulinet, mais celui-ci a l'air coincé et il se met à tirer en donnant des saccades.

« Doucement, doucement, dit le bonnet. Remonte-le doucement. »

Emanuel se remet à mouliner ; une masse argentée brise alors la surface de l'eau en se débattant dans une gerbe d'écume. La fièvre s'empare des autres pêcheurs et soudain ils sont tous rassemblés pour observer la scène. C'est une énorme créature déchaînée qui lutte désespérément. Emanuel la remonte prudemment et d'un incroyable coup de poignet la dépose sur la jetée où elle tressaute sur le ciment.

« Mets-le dans le seau ! » crie une voix. Mais il est trop gros pour le seau.

« Tu n'as pas un filet ? crie une autre voix.

– Ou un couteau ! Plante-lui un couteau !

– Non ! » hurle Emanuel.

Il met le poisson encore tremblant dans le seau des Mozambicains, la bouche vers le bas dans quelques centimètres d'eau, son énorme nageoire frémissante débordant en biais. Andriy se fraie un chemin au milieu de la foule pour lui tapoter le dos.

« Bravo, mon ami. On vend ce poisson, on gagne beaucoup l'argent. »

Plusieurs bonnets de laine sont arrivés sur les lieux et ils se mettent tous à discuter âprement du poids que doit faire le poisson, atteignant une estimation record de douze kilos.

Le Tatoué est posté à la sortie, arrêtant au passage tous les porteurs de seaux bleus. En compagnie de son acolyte muni d'une balance à ressort, il pèse les maigres prises qu'il échange contre de maigres sommes.

Son regard s'éclaire quand il aperçoit le poisson géant qui dépasse du seau d'Emanuel. « Sacré beau cabillaud que t'as là, mon gars. Taillé comme une bite de nègre, dit le Tatoué. Pas courant à cette époque de l'année. Tu veux le mettre sur la balance ?

– Le poisson n'est pas à vendre. Il est pour moi, réplique Emanuel avec emphase. Je prends. Je garde. »

Le Tatoué plisse les yeux. La sirène de son biceps a l'air de se renfrogner.

« D'accord, mon gars. Le pêcheur garde sa prise. C'est un pays libre. Mais maintenant tu dois rendre ta canne et ton seau.

– Non ! C'est les canne et seau des Africains du Mozambique. »

Un petit attroupement s'est formé. Andriy reste en retrait, essayant de passer inaperçu.

« Et le matériel qu'on t'a loué ? » Le Tatoué ne peut pas détacher le regard du poisson. « Il faut le rendre maintenant, mon pote. Tu rends le seau ou tu nous files le cabillaud. Comprendo ? » Il a haussé le ton.

« Non ! » Emanuel commence à s'agiter. « Ce seau est de mes amis du Mozambique qui est allé dans les toilettes. »

Le Tatoué fait la grimace. « Beurk ! C'est dégoûtant. On ne vous apprend pas à faire sur le pot chez les Noirs ? Il y a des toilettes au bout de la jetée. »

Il est ravi de son effet et cherche du regard l'approbation de la foule. Andriy garde la tête basse. Il guette le moment de se fondre dans la masse et quitter la jetée sans se faire remarquer, mais l'acolyte l'aperçoit et essaie de l'attraper.

« Le voilà. C'est lui qui nous a pris le matos.

– C'est pas moi. Ça doit être autre Ukrainien. » Andriy s'écarte précipitamment. « Celui avec chien. » Il voudrait s'enfuir en courant, mais il ne peut pas abandonner Emanuel.

Dans son champ de vision, il voit que les autres Ukrainiens se sont éloignés du quai et se dirigent vers le carrefour avec son seau bleu soigneusement dissimulé dans le jaune.

Un autre pêcheur à bonnet sort de la foule et s'en prend au Tatoué.

« Allez, laisse-lui son poisson, Bert. Le pêcheur a le droit de garder sa prise.

– Toi, t'en mêle pas, Derek, répond Bert le Tatoué. Ce connard essaie de filer avec mon matos. Et il s'est servi du seau pour pisser. »

Il se jette sur Emanuel d'un air menaçant et saisit la poignée du seau.

« Rends-moi mon matos ou file-moi le poisson. Tidge, occupe-toi de lui. »

Tidge s'avance, l'œil mauvais.

« Hé, Bert. C'est pas ton seau. C'est un rouge. Il doit être à Charlie. »

Le Bulgare qui attend que sa prise soit pesée commence à s'impatienter et il se fraie un passage pour essayer de glisser ses trois malheureux poissons. Mais le Tatoué n'en veut pas.

« De la petite roussette. J'en veux pas. Je te l'ai dit hier. T'es sourd ou quoi ? Mange-la toi-même. Ou donne-la au chien. »

Comme si on l'avait appelé, le Chien apparaît soudain de l'autre côté de la rue en agitant la queue.

Andriy voit le Chien. Il voit aussi que les deux Ukrainiens sont passés devant le pub sans s'arrêter et s'éloignent dans la rue. Ils se sont mis à courir. Par le cul du diable ! Espèces de sales voleurs ! Faces de rats !

Il sort de la foule, attrape le poisson d'Emanuel et se jette à leur poursuite.

« Hé, donne-moi ce poisson ! » hurle le Tatoué, laissant tomber le seau pour plonger en avant. Il le saisit par la queue. Le poisson s'échappe de la main d'Andriy, puis il saute de celle du Tatoué comme s'il était en vie et glisse sur le sol en battant la nageoire. Une douzaine de mains se tendent aussitôt pour l'attraper.

« Laisse-lui son poisson ! Il a une sacrée taille ! hurle Derek.

– Il devait être à Charlie, le seau rouge. Avant qu'il passe l'arme à gauche. Paix à son âme », crie un autre bonnet de laine.

Ils se bousculent tête la première comme dans une mêlée de rugby en essayant d'attraper le poisson qui continue à se débattre entre leurs pieds. À l'écart, le Chien les observe d'un œil intéressé. Le Tatoué finit par mettre la main dessus, mais il n'arrive pas à le tenir. Subitement, le Chien se jette dans l'action comme une charge de cavalerie, tacle entre les jambes, saisit le poisson entre ses mâchoires et s'enfuit.

~

JE SUIS UN CHIEN JE COURS JE COURS AVEC LE POISSON POUR MON HOMME UN GROS POISSON VIVANT FLAP FLAP JE LE TIENS BIEN DANS MA GUEULE JE FAIS ATTENTION À NE PAS LE MORDRE BON CHIEN MON HOMME AIME LE POISSON JE VAIS RAPPORTER CE POISSON À MON HOMME JE COURS DES HOMMES COURENT APRÈS MOI UN GROS HOMME AVEC DE LA PISSE SUR LE PANTALON COURT APRÈS MOI IL CRIE JE COURS PLUS VITE JE COURS SUR LA ROUTE JE COURS SUR DE PETITS CAILLOUX À CÔTÉ DE LA GRANDE EAU LES HOMMES QUI COURENT SONT LOIN DERRIÈRE ICI

IL N'Y A QUE LA GRANDE EAU JE RALENTIS JE TOURNE JE MARCHE JE VAIS RAPPORTER CE POISSON VIVANT À MON HOMME JE MARCHE À CÔTÉ DE LA GRANDE EAU L'EAU N'EST PAS BONNE ELLE ME SAUTE DESSUS AVEC UN BRUIT DE SERPENT SSS LES PATTES MOUILLÉES J'ABOIE WOUF WOUF J'ABOIE LA GUEULE OUVERTE LE POISSON SAUTE DE LA GUEULE DANS LA GRANDE EAU FLAP FLAP SSS WOUF FLAP SSS LA GRANDE EAU AVALE LE POISSON IL EST PARTI JE N'AI PAS DE POISSON POUR MON HOMME JE SUIS TRISTE JE SUIS UN CHIEN TRISTE JE RENTRE JE COURS JE COURS JE SUIS UN CHIEN

~

Au bord de la plage Andriy attend Emanuel et le Chien, assis sur le marchepied de la caravane. Il a le front couvert de sueur. Il boit de l'eau à la bouteille en repensant tristement aux événements de l'après-midi. Il a rattrapé les types ; il leur a couru après dans la montée et les a rattrapés. Il leur a demandé de lui rendre son équipement. Ils lui ont ri au nez. Sale racaille d'Ukrainiens à face de rat. Et quand il a essayé d'attraper le seau, le type à la coupe en brosse a brandi un couteau. Évidemment, il a reculé. Il n'allait tout de même pas risquer sa vie pour un seau bleu volé. Mais cet incident le déprimait. Qu'arrive-t-il à son pays ? Qu'arrive-t-il au monde ? Son père est mort et tous ses rêves et ses idéaux sont morts avec lui : solidarité, humanité, dignité. Tout ce à quoi il croit est réduit en poussière et le nouveau monde est dirigé par le mobilfon.

Quand Emanuel revient avec la canne et le seau des Mozambicains, il retrouve un peu de sa bonne humeur.

~

Chère Sœur

Je suis maintenant à Douvres. Tous les mzungus à l'inspection d'Andree sont partis et à la place de cueillir des fraises je suis maintenant pêcheur. Cela m'éveille des souvenirs des jours heureux de notre enfance au bord de la rivière Shire et je me demande ce qu'il est advenu de toi ma sœur et si nous nous reverrons un jour. Si mes lettres te reçoivent je te prie de venir à Douvres où tu me trouveras toujours sur la jetée parce que je suis devenu comme un des disciples de notre Seigneur en Galilée mais notre pêche ici ne se déroule pas avec le filet mais avec la canne.

Quand nous avons trouvé la jetée nous avons rencontré un mzungu qui avait un tatouage remarquable sur le bras c'était un dessin d'une femme à moitié poisson qui peignait sa chevelure et se regardait dans un miroir en forme de cœur. Les ondulations copieuses de sa chevelure voilaient sa nudité et la moitié du bas était recouverte de chastes écailles de poisson qui luisaient quand le mzungu bougeait le bras. Alors il m'est remonté à la mémoire une histoire de pêcheurs aventurés sur la rive mozambicaine de notre lac qui racontent qu'il y a une femme magnifique à moitié poisson par le bas qui est assise sur un rocher et attire les pêcheurs jusqu'à leur mort. Est-ce que cela serait la même !!!

Et sur cette jetée je me suis retrouvé en compagnie de pêcheurs mozambicains qui étaient amis du beau-frère de notre cousin Siméon à Cobué. Et après quelques palabres ils m'ont confié leur canne et leur seau et ils sont partis. Quand j'ai vu qu'ils ne revenaient pas j'étais déconcerté parce que je ne pouvais pas laisser leurs affaires ayant à ma mémoire le proverbe chichewa qui dit *la canne d'un homme est son plus cher trésor* et j'ai prié pour qu'ils reviennent. Après quelque passe-temps, un grand poisson est tombé sur ma canne ce qui m'a fait trembler parce que ce poisson ressemblait à la femme magnifique de l'histoire et c'était remarquablement ardu de le soulever de la mer avec tous les mzungus rassemblés autour qui criaient dans leur langue. Comme ses battements devenaient plus faibles je l'ai mis dans un seau d'eau parce qu'il avait du tourment à respirer et je me suis demandé de nouveau à propos des Mozambicains est-ce que c'était mon poisson ou le leur ??? Parce que c'était le poisson le plus resplendissant que j'aie jamais rencontré et il me rappelait la femme de l'histoire.

Et cette question a été subtilement résolue par le Chien qui a attrapé le poisson dans ses mâchoires et l'a remis dans l'eau. Et tous les jours depuis lors je suis allé sur la jetée avec le seau et la canne des Mozambicains mais ni eux ni le poisson ne sont jamais revenus.

~

Le bureau était situé de l'autre côté d'une porte située au fond de la cour. Tomasz a d'abord cru qu'il était vide, puis un grand type maigre aux joues couvertes d'acné a surgi derrière le comptoir. Il avait l'air ravi de voir Tomasz.

« Oui, mon gars, tu tombes bien. Je m'appelle Darren Kinsman et je suis le contremaître. On a encore une de ces foutues promotions la semaine prochaine – deux pour le prix d'un – et l'équipe de ramassage manque de personnel. D'habitude ça se fait de nuit, mais l'équipe a un autre boulot chez Ladywash et il faut qu'ils y aillent. C'est facile. Tout ce que t'as à faire, c'est ramasser les volailles et les mettre dans le camion. C'est tout. Mon fils Neil te montrera comment on s'y prend. Tu commences dans une demi-heure.

– Pas de problème. » Tomasz se demandait à quel moment lui poser la question de l'hébergement.

« Et puis tout ce que t'as à faire, c'est récurer le hangar pour la récolte suivante. C'est tout.

– Combien de poulets ?

– Beaucoup. Quarante mille.

– Ah. » Tomasz a essayé de s'imaginer quarante mille poulets, mais l'imagination lui a fait défaut.

« T'es d'où, mon pote ? Ukraine ? T'as des papiers ? Des certificats de travailleur saisonnier ? De stage ?

– Pologne.

– Ah, de Pologne ? T'as pas besoin de papiers alors. On n'en a plus beaucoup qui viennent de là-bas. Pas depuis qu'ils ont rejoint l'Europe. Écoute, mon pote – tu t'appelles comment ? » Il jette un œil sur le passeport que Tomasz a fait glisser sur le comptoir. « Tomasz ? Si jamais on te demande, tu travailles pour l'agence, pas pour nous,

OK ? T'es payé six livres l'heure, mais pour chaque heure payée tu en fais une autre bénévolement, OK ?

– Alors c'est six livres pour une heure ou pour deux heures ?

– Non, six livres l'heure. L'autre heure est bénévole, je t'ai dit. T'es pas obligé de la faire. Il y en a toujours pour la faire. Ukrainiens, Roumains, Bulgares, Albanais, Brésiliens, Mexicains, Kenyans, Zimbabwéens, on s'y perd. Ça baragouine dans toutes les langues ici. Jour et nuit. On se croirait aux Nations unies. Avant on avait beaucoup de Lituaniens et de Lettons, mais l'Europe a tout fichu en l'air. Du coup, ils ont tous des papiers. Une sacrée perte de temps. Ils se sont mis à demander des salaires minimum. Les mieux, c'est les Chinois. Pas de papiers. Pas d'anglais. Pas la moindre idée de ce qui se passe. Mais faut dire qu'y en a qui en profitent. Comme ces pauvres bougres qui se sont noyés à Morecambe. Ils baragouinaient au portable, la marée est montée, personne a rien pigé à ce qu'ils racontaient. Ça sert à quoi de prendre des étrangers si c'est pour les payer le même prix que les Anglais, hein ? C'est pour ça qu'on est passés par l'agence. C'est eux qui s'occupent de tout ça. »

Une fois les paperasses remplies, Darren a repoussé le passeport en direction de Tomasz d'un geste théâtral. Tomasz a conclu qu'il se retrouvait à présent indirectement employé par Vitaly. Ce travail ne lui disait rien qui vaille.

« Et le logement est fourni ?

– Par une autre agence. Enfin, bon, c'est la même en fait. C'est déduit de ton salaire, t'as pas à t'en soucier. Sécurité sociale. Impôts. Assurance. Transport. Ils s'occupent de tout pour toi.

– Et c'est cette maison… » Il a indiqué l'autre côté de l'allée.

« C'est ça, mon gars. À gauche. Milo t'a pas emmené ?

– Oui, j'ai vu. C'était très plein.

– Te fais pas de souci pour ça. Ils seront tous partis à sept heures. C'est l'équipe de nuit. On les expédie en bus à Shermouth. »

~

«Je vais glisser un mot pour toi, Irina.» Boris m'a fait monter dans le bureau de l'exploitation de fraises de Sherbury. Manifestement, il estimait que j'avais suffisamment fait mes preuves. À la prochaine tentative de sa part, je lui enfoncerais le genou dans le ventre.

La première chose que la dame m'a demandée, c'est : « Vous avez votre passeport ? J'ai besoin de votre passeport et d'un certificat de travailleur saisonnier en règle. »

Je lui ai expliqué que tous mes papiers avaient été volés. Elle a haussé les sourcils, enfin, si on peut appeler ça des sourcils, car ce n'était que deux petits arcs dessinés au crayon.

« L'agent qui m'a amenée ici. Il a essayé… Il voulait… Il m'a pris… »

Je n'avais pas assez de vocabulaire pour expliquer toute l'horreur de ce qui m'était arrivé. « Il a gardé mes papiers. »

La dame a hoché la tête. « Certains agents les gardent, même s'ils ne sont pas censés le faire. Il faudra qu'on règle ça si vous voulez travailler à Sherbury. On n'emploie pas les clandestins ici. Il y a des supermarchés qui n'aiment pas trop ça. Je m'en charge. Je vais devoir passer un ou deux coups de fil. Vous vous souvenez du nom de l'agent ?

– Vulk. Il s'appelle Vulk. » Le seul fait de prononcer ce nom m'a donné le frisson.

« J'ai l'impression d'avoir déjà entendu ce nom. Et le fermier ?

– Leapish. Pas très loin d'ici. »

Les petits sourcils chauves ont refait un bond. À mon avis, les gens feraient mieux de laisser leurs sourcils tranquilles.

« Celui qui s'est fait écraser par ses cueilleurs de fraises ? Vous avez quelque chose à voir avec ça ?

– Oh non. Je ne savais pas. Ça a dû arriver après mon départ. »

Bon, d'accord, c'était un mensonge, mais un petit seulement.

« Alors pourquoi êtes-vous partie ?

– Il n'y avait pas assez de fraises mûres. Je voulais gagner plus d'argent. »

Bon, d'accord, deux petits mensonges. La dame a hoché la tête. Elle avait l'air satisfaite de ma réponse.

« Vous serez bien payée ici. Une fois les frais déduits. » Encore ce mot ! « Cela étant, ça ne m'étonnerait pas qu'ils aient employé un agent véreux. Il y avait de drôles de manigances dans cette ferme. » La dame a baissé la voix. « On raconte que Lawrence Leapish s'envoyait en l'air avec une des cueilleuses et que Wendy Leapish avait un gigolo moldave. »

Qu'est-ce que ça pouvait bien être, un gigolo moldave ?

« On raconte que quand il est sorti de l'hôpital, elle collait son mari dans le fauteuil roulant pour qu'il puisse la regarder fricoter sous son nez. Vous imaginez un peu, ici, à Sherbury ?

– Ça aussi, ça a dû arriver après mon départ. »

La dame aux sourcils arqués a griffonné quelque chose. J'ai déjà vu un certain nombre de sourcils désastreux en Ukraine, y compris ceux de tante Vera, mais là c'était parmi les pires. Elle m'a donné un numéro provisoire en attendant que mes papiers soient en règle et m'a attribué un lit inoccupé dans la caravane 36, avec Oksana. Il y avait également deux autres Ukrainiennes, des anciennes ouvrières d'une usine de chaussures de Kharkov qui avait fermé après avoir fourni pendant des années des bottes à l'armée soviétique, et toutes avaient des certificats de la même école agricole fantôme que moi.

« Bienvenue chez les fous », m'a dit Lena, la plus jeune de nous quatre, qui avait des yeux tristes très sombres et une coupe de garçon. Elle a sorti une bouteille de vodka de son casier et l'a fait passer. J'allais refuser, mais j'ai dit : « Oh, et puis zut », et j'en ai avalé une grande gorgée.

Vous voyez, mamma, papa ? Je vais bien. Tout va bien. Dès que je trouverai un téléphone, je les appellerai. Je me demandais ce qu'était devenue la photo d'eux que j'avais mise dans la caravane. Ce qu'étaient devenus la caravane et les gens – les Chinoises dont je partageais le lit, Marta qui était si gentille, le mineur ukrainien de Donetsk. Les reverrais-je un jour ?

~

Tomasz avait du mal à s'imaginer à quoi pouvaient ressembler quarante mille poulets, et même après les avoir vus, il n'en croit toujours pas ses yeux.

Quand Neil ouvre la porte du hangar pour qu'il jette un œil à l'intérieur, il est assailli par une vague de chaleur et de puanteur, et dans la pénombre il ne distingue qu'un épais tapis de plumes blanches. Neil allume la lumière et le tapis se met alors à bouger, ou plutôt ramper, non, grouiller. Ils sont tellement serrés qu'on ne réussit pas à les différencier. Et cette odeur ! Un nuage fétide d'ammoniac pur qui lui monte au nez et lui brûle les yeux. Il tousse et s'éloigne de la porte en se couvrant la bouche. Il a vu des tableaux représentant les âmes damnées en enfer, mais ce n'est rien comparé à ça.

« Ça fait beaucoup de poulets, hein ? » dit Neil qui est chargé de s'occuper de lui. C'est le fils de Darren, un garçon de dix-sept ans aussi grand et maigre que son père et affligé des mêmes problèmes d'acné que lui. « C'est tout ce que t'as à faire – t'en prends quatre ou cinq à la fois en les attrapant par les pattes et tu les fourres dans ces cages. C'est tout. » Il claque la porte du hangar.

« Beaucoup. Trop beaucoup.

– Ouais, trop beaucoup. Hé hé hé, ricane l'adolescent. C'est bien. C'est parce qu'ils grossissent trop. Au début c'est des petits poussins jaunes, et en six semaines ils deviennent si gros qu'ils ne tiennent même plus sur leurs pattes. Remarque, y a aussi des gens comme ça. Des gros lards. T'as entendu parler de cette femme qui prenait deux sièges dans l'avion, et on lui a fait raquer le double ?

– Raquer le double ? » Si seulement ce garçon ne parlait pas aussi vite !

« Tu peux prendre une blouse au bureau.

– Mais c'est normal ? »

Tomasz a du mal à réaliser ce qu'il vient de voir. Dans le seul espace devant lui – à peine un mètre carré – il a dénombré un, deux, trois… vingt poulets qui se bousculaient désespérément pour s'écarter sur leur passage. Ils appelaient ça des poulets, mais en fait on aurait davantage dit des canards difformes – d'énormes corps boursouflés montés sur des petites pattes rachitiques qui leur donnaient l'air de tituber de façon grotesque sous leur propre poids, ceux d'entre eux qui pouvaient encore bouger du moins.

« Ouais, ils les gavent comme ça pour qu'ils grossissent plus vite. » Neil sort un paquet de cigarettes de sa poche, en porte une à ses lèvres, puis en offre une à Tomasz. Il fait non de la tête. Neil allume sa cigarette avec une allumette en soufflant une quantité de fumée et se met aussitôt à tousser et cracher. « C'est les supermarchés, tu vois ? Ils aiment les gros blancs bien dodus. Comme les nichons, hein ? » Keuf keuf. « Tu as vu la poupée de *Loft Story* ?

– C'est quoi, loft story ?

– Tu ne connais pas *Loft Story* ? Ils passent quoi à la télé là d'où tu viens ? C'est une émission où ils sont tous enfermés dans une baraque et on peut les regarder.

– Les poulets ?

– C'est ça, ouais, comme les poulets. Elle est bonne, celle-là. » Il se remet à glousser. En fait, Tomasz le trouve plutôt sympathique. Chaleureux et volubile. Il a plus ou moins le même âge qu'Emanuel, la même candeur gauche. « Et puis il y a cette voix-là, genre qui leur dit ce qu'il faut faire. Et ils sont pas censés s'envoyer en l'air, mais il y en a une qui l'a fait – celle genre gros nichons dont je t'ai parlé.

– Gros nichons ?

– Ouais, énormes.

– Mais comment marcher quand ils sont si gros ? Comment vous faites pour vous occuper d'une masse comme ça ? »

Le jeune garçon le regarde d'un drôle d'air.

« C'est genre… comme ça… dans ton pays ?

– En Pologne, tout le monde…

– En Pologne ? » Manifestement, il est impressionné. « Waouh. Je suis jamais allé là-bas. Tu veux dire, les femmes ont toutes des gros nichons ?

– Oui, beaucoup de gens ont. Ils les gardent dans la remise à côté la maison.

– Ah, tu parles des poulets. » Son visage juvénile s'éclaire soudain.

« Bien sûr. On doit s'occuper d'eux.

– Oh, tout est pris en charge ici. » L'adolescent a l'air curieusement déçu. « Tu vois ces tuyaux ? C'est par là que l'eau passe, tu vois ? Et la nourriture, par là-bas. Ils mangent tout ce qu'ils peuvent, parce qu'il faut les faire grossir le plus vite possible. C'est du fast-food, hein ? Tu piges ? On laisse un minimum de lumière en permanence pour qu'ils se mettent pas à roupiller – ils se nourrissent toute la nuit. C'est un peu comme quand on mange de la pizza devant la télé. Les lumières tamisées les calment. C'est pour ça qu'on les attrape généralement la nuit. C'est genre scientifique, tout ça.

– Mais tous ces poulets ensemble, c'est pas sain.

– Ouais, c'est contrôlé. Ils mélangent des antibios dans la nourriture pour éviter qu'ils soient malades. C'est mieux que la sécurité sociale, tout est prévu. Le mieux, c'est qu'en mangeant les poulets on avale tous les antibios, ça permet en plus de rester en bonne santé, quand on y pense. Mieux vaut prévenir que guérir, comme dit ma mamie. C'est comme la Guinness.

– Et pour nettoyer saletés ?

– Non, ça on fait pas. On atteint pas le sol. Y a trop de volailles. On peut pas entrer. On les laisse. Ils marchent dedans, ils ont pas le choix. La merde de poulet. Ça leur brûle le cul et les pattes. Je voudrais pas être à leur place. » Tout en parlant, il enfile une combinaison bleue en nylon. « Il vaut mieux pas t'en mettre sur les chaussures. Ça se colle dessus et ça te brûle les chaussettes. Quand ils sont partis, c'est là que tu récures tout pour la récolte suivante.

– Récolte ?

– Ouais, c'est comme ça qu'on dit. Bizarre, hein ? On dirait que c'est des légumes, ou je sais pas, moi. Pas un truc vivant. Mais les légumes, c'est vivant, non ? Non ? Je sais pas. » Il se gratte la tête et tire une bouffée de cigarette. « Les légumes – keuf keuf –, un des grands mystères de la vie. »

Sur ce, il écrase sa cigarette et remet soigneusement la moitié de mégot restant dans le paquet. « Je commence juste genre mollo. Une ou deux bouffées à la fois, explique-t-il. Je monte en puissance peu à peu. En tout cas, t'as besoin d'une combinaison. Tu t'appelles comment ?

– Tomasz. Mes amis m'appellent Tomek.

– Tom-Mick... ou je sais pas. Je peux t'appeler juste Mick ? T'as besoin d'une combinaison, Mick. On va voir s'il en reste. »

Ils vont dans le bureau. Dans la réserve, au fond, ils trouvent une combinaison bleue en nylon suspendue à une pince à linge au-dessus d'un banc jonché d'un monceau de vêtements d'homme.

« On a de la chance », dit Neil.

Tomasz remonte la fermeture éclair de la combinaison. Elle est trop courte et le serre à l'entrejambe. Neil l'observe des pieds à la tête d'un œil critique.

« Pas mal. T'es un peu trop grand. Tiens, il te faut ça aussi. » Il passe à Tomasz une paire de gants de cuir déchiquetés et en enfile une de son côté. « Et puis des bottes. »

Il ne reste qu'une botte, une verte, mais de la bonne taille, heureusement.

« Mieux vaut une que rien, dit Neil. Te contenter de ce que tu as. Ma mamie chante ça tout le temps. Quand elle chante pas des cantiques. Elle est très croyante, genre, ma mamie. Elle prie toujours pour les poulets. Mais elle aime bien la Guinness. Il faut que tu la rencontres.

– Ça me ferait très plaisir. »

Neil fouille dans tous les coins et finit par dénicher sous le bureau une botte en caoutchouc noire un peu plus petite. Décidément, ça commence à devenir une habitude, se dit Tomasz en rangeant ses baskets dépareillées sous le bureau pour enfiler les bottes tout aussi dépareillées. C'est peut-être un signe.

Il retourne au hangar, la démarche entravée par la botte gauche trop petite et l'entrejambe trop serré.

« Prêt ? lui demande Neil. Tu t'y feras vite. On va s'entraîner avant que l'équipe débarque. Allez, on y va. »

Il ouvre la porte du hangar et ils se mettent à patauger dans une mer houleuse de poulets. Les poulets gloussent, piaulent, tentent de s'écarter en battant des ailes, mais ils n'ont nulle part où aller. Ils essaient de voler, mais leurs ailes sont trop faibles pour leurs corps disproportionnés et ils se chevauchent désespérément en soulevant un immonde nuage de plumes et d'excréments. Tomasz sent quelque chose craquer sous son pied et il entend un cri de douleur. Il a dû marcher sur l'un d'entre eux, mais c'est impossible de faire autrement.

« Attrape-les par les pattes ! hurle Neil dans l'enfer de piaulements, de plumes et de matières fécales qui volent dans tous les sens. Comme ça ! »

Il lève sa main gauche qui tient cinq poulets, chacun par une patte. Les volatiles terrifiés se tordent et battent des ailes en se chiant dessus de peur, puis ils paraissent renoncer et pendent mollement.

« Tu vois, ça les calme de les tenir la tête en bas. »

Il y a un craquement et un des cinq tombe et s'affaisse la cuisse disloquée, les ailes encore battantes. Des cageots en plastique sont empilés d'un côté du hangar. Neil en tire un, balance les volatiles dedans et le referme. Puis il se jette dans la mêlée pour en attraper cinq autres.

Tomasz s'arme de courage et plonge la main dans la masse grouillante de poulets en retenant son souffle et en fermant les yeux. Il empoigne quelque chose – ça doit être une aile – et le volatile se débat en piaulant si désespérément qu'il le relâche. Il en attrape un autre, par la patte cette fois, et soulève en l'air la pauvre créature, puis la fourre directement dans un cageot, de peur de la perdre. Puis il en attrape un autre. Puis il réussit à en agripper deux à la fois, puis trois. Il ne peut pas en prendre plus, car il ne peut se résoudre à ne les tenir que par une patte. Au bout d'une demi-heure, il a rempli un cageot et Neil quatre.

« Il va falloir activer quand l'équipe de ramassage sera là », lui dit Neil.

Sur ces entrefaites, la porte du hangar s'ouvre et le reste de l'équipe débarque – quatre types trapus aux cheveux bruns qui s'expriment dans une langue que Tomasz ne comprend pas. Ils se déploient sur toute la longueur du hangar et aussitôt les piaulements et les battements d'ailes s'intensifient. Les hommes s'activent avec frénésie, attrapant les poulets cinq par cinq et les fourrant dans les cageots, transformant le vaste hangar en une tempête de plumes, de poussière, de puanteur et de tumulte.

« Des Portugais ! crie Neil à Tomasz par-dessus le vacarme. Ou des cinglés du Brésil ! Respect ! »

Sur ce, il lève une main gantée. Tomasz l'imite. Qu'est-ce qu'il raconte, ce gamin ? Stimulé par l'exemple des autres, il s'attaque aux poulets avec une énergie décuplée, réussissant même à en attraper quatre d'une main en les tenant chacun par une patte. Et il recommence. Encore et encore. C'est une tâche épuisante. Il sent la sueur qui ruisselle sous la coquille en nylon de sa combinaison. Il a les yeux qui brûlent. Les cheveux raides, tapissés d'excréments. Il a même l'impression d'en avoir plein la bouche et le nez.

Les cageots sont remplis ; les poulets prisonniers, épuisés par la terreur, tremblent et caquettent désespérément, souillés par les excréments des derniers volatiles capturés qui se débattent encore en agitant les ailes au-dessus d'eux. Au bout de quelques heures, ils ont mis suffisamment de poulets en cageot pour commencer à distinguer le sol. Ce n'est plus qu'un vaste dépotoir pestilentiel couvert de sciure, d'urine et de matières fécales où titubent quelques volatiles blessés et aveuglés par l'ammoniac.

À ses pieds, il voit un poulet avec une patte cassée qui se traîne dans la fange en piaulant lamentablement, accablé par son poids monstrueux, et il s'aperçoit avec une pointe de remords que c'est sans doute lui qui a cassé la patte de cette pauvre bête en lui marchant dessus.

Il se penche vers lui, l'attrape par les deux pattes pour le soulever en l'air, et au même moment ce dernier se retourne et il sent l'autre patte qui se brise, puis voit le poulet amorphe qui le regarde, terrorisé.

« Je suis désolé, petit poulet », murmure Tomasz en polonais. Doit-il le mettre dans un cageot ? Il attire l'attention de Neil.

« Ouais, ne t'inquiète pas, Mick. Ça arrive tout le temps. » Il s'avance vers Tomasz en brandissant quatre poulets. « Ils sont fragiles. Aucune force, tu vois ? Ils ne peuvent pas bouger pour se fortifier les pattes. Faudrait les faire jouer au foot, hein ? Foot de poulet. Y en a qui font ça, mais c'est le poulet qui fait le ballon. Je voudrais pas être à leur place, hein ! » Tomasz ramasse l'oiseau blessé et le met dans un cageot où il s'écroule sur un monceau d'autres poulets qui lui grimpent dessus. Tomasz commence à avoir la nausée.

« C'est l'heure de la pause, mon pote », dit Neil.

Une fois dehors au soleil, ils respirent à pleins poumons et s'aspergent d'eau au robinet qui se trouve à côté du hangar. Puis ils s'affaissent en rangée le long du mur. Neil sort son mégot et tire quelques bouffées en toussant d'un air déterminé.

« Ça vient, ça vient », dit-il.

Les Portugais, ou les Brésiliens, allument eux aussi des cigarettes. Ils ont défait leurs combinaisons et Tomasz remarque qu'ils ne portent rien en dessous à part un caleçon. Il y en a même un qui a l'air de ne rien porter du tout. Ce n'est pas bête, se dit-il. Puis il repense à la combinaison trop serrée à l'entrejambe qu'il a sur lui. Qui l'a mise avant lui ? Il se tourne vers le jeune homme qui est à côté. C'est un garçon un peu plus petit que Neil, à peu près du même âge, avec les cheveux bouclés et des dents magnifiques.

« Portugais ?

– Oui, dit le jeune homme.

– Brésilien ?

– Oui. »

Tomasz pointe le doigt vers lui-même.

« Polonais. Pologne.

– Ah ! » Le visage du jeune homme s'épanouit. « Gregor Lato.

– Pelé », dit Tomasz. Ils se serrent la main.

« Tu aimes football ?

– Bien sûr », répond Tomasz par amabilité, même si ce n'est pas vraiment exact, car tous les sports l'ennuient, et qu'au pire il préfère encore regarder l'équipe de rugby de la Juvenia de Cracovie. C'est là un des points de divergence qu'il s'est inventé, comme de boire du vin à la place de la bière ou d'écouter de la musique étrangère.

« Après on joue. » Le jeune homme lui lance un sourire éclatant.

« Après on joue de la cornemuse. » Son autre voisin a une lueur de folie dans les yeux.

« Écossais ? » demande Tomasz.

Il fait un clin d'œil à Tomasz. « Écossais. »

Au moment où ils terminent leurs cigarettes, un énorme camion arrive poussivement et les quatre hommes se lèvent d'un bond pour aller parler au chauffeur qui semble également portugais. Ou brésilien.

« Ils sont du Portugal ou du Brésil ? demande Tomasz à Neil.

– Bah, l'un ou l'autre. Y a des Portugais qui se font passer pour des Brésiliens. Et des Brésiliens qui se font passer pour des Portugais.

– Ils se font passer pour des Portugais ?

– Ouais, c'est dingue, hein ? Parce que tu vois, les Brésiliens sont clandestins, alors ils arrivent à entrer en disant qu'ils sont portugais. Mais les Portugais ont des papiers maintenant, avec cette histoire de marketing européen, et y en a qui ont causé des ennuis, alors plus personne n'en veut. C'est ce que mon père a dit.

– Causé des ennuis ?

– Ouais, les syndicats. Salaire minimum. Conditions de travail. Les Brésiliens, y causent pas d'ennuis, genre, tu vois, parce qu'ils ont pas de papiers. Dingue, hein ? C'est un monde fou, fou, fou, fou. T'as vu ce film ? Je suis allé le voir avec ma mamie à Folkestone. Le meilleur film que j'aie jamais vu.

– Très. » Tomasz secoue la tête.

« T'as déjà été à Folkestone ? Ma mamie m'emmenait souvent quand j'étais petit. Ils appellent ça Pleasure Beach. Tu parles d'un plaisir, mon cul, oui. Je l'ai écrit sur le panneau. Si tu vas à Folkestone, tu le verras. Pleasure Beach mon cul. Ouais, j'ai écrit ça.

– Intéressant.

– Ouais, j'ai laissé mon empreinte.

– C'est quoi salaire minimum en Angleterre ?

– Je sais pas. Pas beaucoup. Y a ça chez toi ? En Pologne ?

– On a syndicat très célèbre. L'appeler Solidarnoszc. Tu connais ?

– Ça fait solide arnaque. Hé, hé. Tu piges ? Ouais, je crois que je vais au Brésil. » Il annonce cette nouvelle avec une telle désinvolture qu'elle manque d'échapper à Tomasz, qui pense encore aux syndicats.

« Alors tu fais voyage de découverte ? »

À son âge il était comme Neil, toujours en quête d'évasion. Évidemment, quand il avait dix-sept ans, c'était l'époque du communisme et seuls les voyages intérieurs étaient possibles. Il se revoit avec ses amis dans le garage de son père, enfermés à quatre dans la voiture avec une cassette piratée de Bob Dylan, écoutant *Chimes of Freedom* derrière les vitres embuées par leur souffle envoûté comme s'ils entendaient réellement sonner les cloches de la liberté. Il y a toujours un moment, dans la vie, où l'on peut s'affranchir des situations établies et changer de voie. Cette soirée-là avait marqué un tournant décisif dans sa vie. Il avait appris l'anglais tout seul pour comprendre les paroles et quelques mois plus tard il avait acheté une guitare d'occasion à un gitan tchèque qui passait par Zdroj. Et il s'était fait une promesse : un jour, il partirait à l'Ouest.

« Un voyage de découverte ? Hé hé. Ça me plaît bien, ça, dit Neil. Un jour, quand j'aurai mis assez d'argent de côté, j'irai au Brésil. C'est mon rêve. Il faut avoir un rêve. C'est pour ça que j'apprends à fumer. » Il se tourne vers les quatre Portugo-Brésiliens, qui ont remonté la fermeture de leurs combinaisons et regagnent le hangar. « Peut-être que leur rêve, c'était de venir en Angleterre. Venir en Angleterre patauger jusqu'aux chevilles dans la merde de poulet. Drôle de rêve, hein ? »

Les quatre Portugo-Brésiliens ont commencé à charger les cageots de poulets à l'arrière du camion. Ils font signe à Tomasz et Neil qui les rejoignent à contrecœur. Ils font la chaîne jusqu'au camion en se passant les cageots, dans un concert de piaulements paniqués au moment où les poulets tassés les uns contre les autres s'envolent avant d'atterrir avec un bruit sourd à l'arrière du camion. C'est incroyable le nombre de cageots qu'ils ont remplis, et pourtant le nombre de poulets dans le hangar semble à peine avoir diminué.

Une fois le camion parti, il faut retourner dans le hangar pour recommencer à attraper et mettre en cageot. La journée n'en finit pas, monotone, sale, exténuante. Tomasz a si mal aux bras qu'il a l'impression qu'ils vont tomber. Il a les jambes et les avant-bras couverts de meurtrissures provenant des coups d'aile et de bec des volatiles qui se débattent. Mais, pire encore, c'est son âme qui est meurtrie. Déjà il oublie que les poulets sont des êtres vivants sensibles, et de ce fait il s'oublie lui-même. À un moment, il se surprend à jeter cinq volatiles dans un cageot avec une telle force que l'un d'entre eux se brise une aile. Qu'est-ce qui t'arrive, Tomasz ? Qu'es-tu en train de devenir ?

À la fin de l'après-midi, le sol est jonché de volatiles morts ou agonisants, les uns piétinés dans la sciure et les excréments, les autres se débattant encore en tentant de survivre. Tomasz a le sentiment que son âme est pareille à un oiseau agonisant, s'agitant dans la fange de… de… Il pourrait peut-être en faire une chanson, mais quels accords seraient assez puissants pour exprimer une telle désolation ?

« On en a tué autant que ça ? murmure-t-il à Neil.

– Mais non, t'inquiète pas, mon pote, dit Neil. La plupart étaient déjà morts. S'ils se cassent une patte ou sont un peu faiblards, ils peuvent plus aller à la mangeoire, alors ils meurent de faim. C'est dingue, hein, qu'il y ait toute cette nourriture mais qu'ils puissent pas l'atteindre. De toute façon, ils ont que cinq semaines entre l'éclosion et le ramassage. Cinq semaines ! Pas le temps d'affirmer sa personnalité, hein !

– Personnalité ?

– Ouais, c'est ce que je veux, moi, affirmer ma personnalité. »

Un second camion arrive et repart lourdement dans les allées bordées d'arbres avec un nouveau lot de souffrance déchirante. C'est l'heure d'une autre pause. Neil fume consciencieusement une nouvelle moitié de cigarette. Les Portugo-Brésiliens courent au robinet et s'éclaboussent en riant et s'amusent à se mettre les uns les autres la tête sous l'eau. Tomasz avale de longues gorgées d'eau au robinet, puis il se lave les cheveux et la figure sous le filet d'eau froide. Dans de telles circonstances, c'est clairement un inconvénient de porter la barbe et les cheveux mi-longs. Si seulement il avait le savon parfumé de Yola !

« Houlà. » Neil regarde du côté des Portugo-Brésiliens qui font de plus en plus de tapage. « La cornemuse. Vaut mieux que tu voies pas ça, Mick. »

Mais Tomasz est pétrifié.

L'un d'entre eux, celui qui a des yeux de fou, s'est emparé d'un poulet tout ébouriffé à la patte cassée qu'il a fourré sous son bras, la tête coincée en arrière sous son coude, et s'approche sur la pointe des pieds dans le dos de son ami, qui se baisse pour fermer un cageot. Au moment où celui-ci se relève, il presse brutalement le poulet de son coude, à la manière d'une cornemuse, et un torrent d'excréments jaillit de la queue du poulet et atteint son collègue en pleine figure. Le poulet glousse et tente de se dégager, le derrière dégoulinant de merde. La victime se met à hurler de rage en s'essuyant la figure avec les mains, ne réussissant qu'à l'étaler davantage. Puis il attrape un autre poulet, le coince à l'envers sous son bras et le braque sur son ami en se mettant à pomper violemment. Le poulet laisse échapper un long piaulement de souffrance. Les excréments volent de tous les côtés. Le père débarque en courant et leur crie de s'arrêter, glisse sur le sol visqueux et s'étale de tout son long au beau milieu des immondices. Le quatrième se contente de regarder en se tenant les côtes, riant aux larmes. Neil se contente lui aussi de regarder en poussant des gloussements hystériques, le visage ruisselant de larmes. Horrifié, Tomasz se surprend lui aussi à rire.

Le contremaître se relève et lance un flot d'injures en portugais. Ils reprennent le travail d'un air maussade. On sent une excitation à peine réprimée à mesure que le nombre de volatiles diminue et qu'il devient plus difficile d'attraper ceux qui restent. Au milieu des déjections qui fument au sol comme un tas de lisier, il fait une chaleur incroyable, mais on ne peut pas laisser ouvertes les portes du hangar. Les quelques poulets qui subsistent sont les derniers survivants, les plus coriaces. Ils sont obligés de courir dans tous les coins, dérapant dans le cloaque au milieu des cris et des jurons en essayant d'acculer les volatiles pour les attraper.

À la fin, il ne reste plus qu'un poulet, un gros volatile rusé qui s'esquive et s'écarte avec une adresse inouïe à chaque fois qu'ils tentent de l'approcher. Puis un des Portugo-Brésiliens – le fan de foot aux dents éclatantes – intercepte le poulet en pleine fuite du bout de sa botte et l'envoie valser en l'air. Ses ailes sont trop faibles pour supporter son poids et au moment où il retombe, le deuxième Portugo-Brésilien accourt et lui flanque un coup de pied magistral, l'expédiant de nouveau au plafond. Il tournoie en poussant des cris stridents. Les plumes volent dans tous les sens. Le père leur crie d'arrêter, mais ils sont trop excités par ce jeu. Le premier l'expédie tout droit dans la mangeoire et lève les bras en l'air en hurlant : «But! But!» Le volatile hébété, tout ébouriffé, se relève et se remet à courir en traînant la patte. Il court vers Tomasz. Soudain, il s'arrête net et le regarde en clignant ses curieux yeux tout ronds. Tomasz le fixe à son tour. L'homme et la bête se font face.

Tomasz se baisse vivement, s'empare du volatile et, le tenant à deux mains, fonce à travers le hangar, ouvre la porte et sort en courant. Le poulet serré contre le torse, il traverse la cour au galop jusqu'à une petite grille qui donne sur une pente en bas de laquelle se trouve une haie. Il pose le poulet de l'autre côté de la grille. Le volatile reste planté là, abasourdi, aveuglé par la lumière. Tomasz se penche par-dessus la grille et le pousse en lui chuchotant en polonais : « Allez, sauve-toi, le poulet, cours ! » Le volatile hésite un instant, puis soudain il fonce vers la haie aussi vite que ses petites pattes rachitiques le lui permettent et disparaît dans les broussailles.

Les autres l'ont suivi dehors, la mine perplexe.

« Qu'est-ce que tu fais, Mick ? » demande Neil.

Tomasz se tourne vers eux avec un sourire halluciné.

« Rugby. J'ai marqué. »

Quand ils ont fini, il est si exténué qu'il rêve de pouvoir s'allonger sur le matelas crasseux au milieu des cinq autres corps épuisés couverts de sueur. Les quatre Portugo-Brésiliens sont partis avec le chauffeur du camion. Tomasz est trop fatigué pour les accompagner et décide d'aller se dégourdir les jambes en descendant au village voir s'il peut s'acheter quelque chose à manger. Les deux maisons se trouvent aux abords de Titchington qui n'est en fait qu'un petit groupe de pittoresques cottages au toit pentu entourés de jardins peuplés de roses, rassemblés autour d'une jolie église médiévale. Il se demande si les villageois sont au courant des horreurs qui se déroulent à deux pas de chez eux. Il paraît que les villageois qui vivaient près de Treblinka n'avaient qu'une vague idée de ce qui se passait derrière les fils barbelés qui se trouvaient à quelques kilomètres. Tout comme les villageois de Titchington, ils devaient être gênés par l'odeur quand le vent soufflait dans leur direction.

Il s'aperçoit avec consternation qu'il n'a rien à manger et qu'il n'y a nulle part où acheter quoi que ce soit. À son retour, la maison est vide. Les dormeurs ont tous disparu – seuls l'odeur persistante et les sacs et les cabas râpés débordant d'affaires alignés contre le mur lui rappellent qu'ils étaient encore là quelques instants plus tôt. En fouillant dans les placards, il trouve des tranches de pain rassis et des tomates en conserve. Dans un tiroir de la cuisine, il y a un ouvre-boîtes. Il mange les tomates à même la boîte en trempant le pain rassis dans le jus. Après avoir fini, il a encore faim. Si seulement il y avait des sardines. Ou des biscuits au chocolat. Et un bon verre de vin. Du chianti. Du rioja. Il se demande où sont Yola et Marta et ce qu'elles mangent. Du lapin, peut-être. Ou du poisson. Il imagine l'odeur du plat parfumé aux herbes et Yola avec sa bonne odeur de savon qui lui passe une assiette en souriant. *Tiens, mange, Tomek.*

Puis on frappe à la porte et Neil entre sans attendre qu'il vienne ouvrir. Il a enlevé sa combinaison pour enfiler un jean et un blouson noir en cuir, et il a un casque de moto sous le bras. Dans l'autre main il tient un sac en papier.

« Tiens, Mick. Je t'ai apporté de la bouffe. »

Le sac est chaud. Tomasz l'ouvre. À l'intérieur, dans un papier alu, il y a un petit chicken pie aux champignons.

« Merci. » Il le déballe. Il a une odeur délicieuse, pénétrante. Sans doute est-ce la fatigue, ou toute l'horreur contenue du hangar des poulets, ou simplement la solitude, mais les larmes lui montent aux yeux. « Merci. Tu me sauves, je me croyais dans *Desolation Row.*

– *Desolation Row.* » Neil hoche la tête. « Ça sonne bien. C'est un film ?

– C'est chanson.

– Ça me plaît bien.

– Et bonne chance pour ton voyage.

– Ouais. » Le jeune garçon sort à reculons en traînant les pieds. « Ouais, j'y arriverai. »

Ce soir-là, la pleine lune brille par les rideaux ouverts de la chambre de l'étage, éclairant les cinq silhouettes endormies recroquevillées sur leurs matelas posés à même le sol – cinq étrangers qui sont arrivés à minuit et demi en faisant tellement de bruit qu'ils ont réveillé Tomasz, couché trois heures plus tôt. Malgré sa fatigue, il ne peut plus se rendormir. Il écoute leur respiration profonde et régulière en contemplant la lune. Il repense au poulet – celui qui s'est enfui. Passe-t-il la nuit dans la haie, au clair de lune ? Profite-t-il de sa liberté ? C'est quoi, la liberté ?

« Tu vas nettoyer la merde de poulet pendant quelques jours. Et puis on t'envoie à l'abattoir », lui avait dit Darren.

Tomasz avait frémi.

« Il n'y a pas autre travail que je peux faire ?

– Non, mon pote. Faut aller là où on t'envoie.

– *Where black is the colour, and none is the number.* »

Darren le regarde d'un drôle d'œil.

Est-il plus libre à l'Ouest aujourd'hui qu'en Pologne sous le communisme, quand il ne rêvait que de liberté sans même savoir ce que c'était ? Est-il réellement plus libre que ces poulets dans leur hangar, lui qui s'entasse avec cinq inconnus dans une petite chambre puante en se soumettant humblement à une horreur quotidienne qui est déjà devenue une routine ? Persécuteurs et persécutés, les uns et les autres sont voués à l'enfer. Il doit y avoir moyen d'en faire une chanson.

~

Yola était d'une humeur massacrante. Elle avait découvert ce matin-là, ne lui demandez pas comment, que les Slovaques qui partageaient leur chambre d'hôtel n'avaient pas de poils au pubis. Comment était-ce permis ? Elles n'étaient certainement pas nées ainsi – enfin, sans doute que si, mais elles les avaient acquis naturellement et s'en étaient débarrassées au moyen de procédés artificiels. On peut faire bien des reproches au communisme, mais une chose est sûre, à l'époque communiste les femmes ne maltraitaient pas leurs poils pubiens de cette manière – une pratique anormale, disgracieuse, indigne et, sans vouloir rentrer dans les détails, dangereuse.

Quand Yola était arrivée à l'élevage de poulets fermiers de Buttercup Meadow, près de Shermouth, en méditant sur le tort que les femmes se causent à elles-mêmes et aux autres, elle était déjà d'humeur belliqueuse. Et son humeur s'était encore assombrie quand elle avait découvert qu'elle, une femme d'action qui avait deux ans d'expérience de chef d'équipe et une connaissance approfondie des mœurs angliski et de la vie en général (connaissance dont elle vous reparlera une autre fois), n'avait pas été d'emblée nommée à un poste de supervision dans l'élevage. Au lieu de quoi, le contremaître de sa section était une Roumaine passablement déplaisante et vulgaire du nom de Geta, qui parlait un anglais épouvantable, avait des difficultés à communiquer avec son personnel, en majorité slave, et ignorait combien l'harmonie sexuelle est essentielle au maintien d'une atmosphère agréable sur le lieu de travail. Elle avait la détestable habitude de cracher sur ses doigts avant d'attraper les morceaux de poulet qui arrivaient sur la chaîne et Yola était persuadée qu'elle ne devait cette position enviable qu'à ses cheveux blonds (il fallait être idiot pour ne pas remarquer qu'ils étaient teints), son indécente poitrine soutenue à grands renforts de mousse en latex et de baleines (une abomination sur laquelle elle a son opinion, mais ça, on en reparlera une autre fois) et son diplôme d'hygiène alimentaire de l'institut de technologie de Bucarest (il fallait être idiot pour ne pas voir que c'était un faux).

Toujours est-il que la fausse blonde baleinée faussement diplômée se mêle de lui expliquer à n'en plus finir comment poser deux morceaux de poulet sur une barquette en polystyrène comme s'il fallait un certificat universitaire pour ça, alors que ça consiste simplement à attraper deux bouts de blanc sur une chaîne où il y a toutes sortes de découpes de poulets, sans avoir à se cracher sur les mains comme cette tricheuse de Roumaine, et quand Yola le lui fait remarquer, elle prend la mouche et lui lance : vous les Polonaises, maintenant que vous avez les papiers, vous croyez tout savoir mais vous savez rien, tu poser tes deux blancs comme ça sur barquette, et puis tu glisser tous les bouts de gras et de peau dessous pour qu'ils aient l'air bien beau bien dodu, ce qui est précisément l'effet de la mousse latex sur la poitrine baleinée de la fausse blonde, quand on y pense, la fausse blonde révèle même qu'on injecte également dans ces poulets de l'eau, du sel, de la viande de porc et d'autres substances pour leur donner l'air encore plus dodu, ce qui est pire que le latex quand on y pense, parce qu'on est obligé de les manger, alors que le latex, au moins, on ne le mange pas – quoique, on ne sait jamais, avec les hommes d'aujourd'hui plus rien ne l'étonne –, et puis on les recouvre avec un bout de film étirable qu'on prend au gros rouleau et on les renvoie sur la chaîne aux femmes qui les pèsent et collent les étiquettes dessus, jaunes pour un supermarché, bleues pour un autre et ainsi de suite. Pas besoin de certificat pour ça, hein ?

~

Le travail de Marta est encore plus facile.

Quand elle est arrivée à Buttercup Meadow, elle a bien précisé que ce qu'elle voulait, c'était nourrir les poulets. Mais son contremaître, un Lituanien sympathique qui n'avait plus de dents et malgré ça – ou grâce à ça – parlait bien polonais, lui a expliqué que ce travail avait été supprimé car l'alimentation des poulets avait été totalement automatisée en raison du mélange d'hormones et d'antibiotiques qu'on leur donnait, et que de toute façon le poulailler sentait mauvais et que ce n'était pas un endroit convenable pour une jeune femme aussi sensible qu'elle.

À la place, elle a été affectée au calibrage des poulets. Ils arrivent de l'abattoir sur une chaîne, et la tâche de Marta consiste simplement à les examiner et sélectionner ceux qui sont en bon état et bien dodus avant de les remettre sur une autre chaîne – ceux-là seront conditionnés et vendus entiers. Les volailles qui présentent de légères contusions ou, disons, une patte cassée ou des brûlures d'ammoniac sur les cuisses restent sur la chaîne et passent directement dans un autre secteur de l'usine où elles sont coupées en morceaux, puis envoyées au conditionnement où travaille Ciocia Yola. Les poulets qui sont très abîmés et mutilés atterrissent dans une énorme cuve en plastique avant d'être transformés pour l'industrie de la restauration – chicken pies, nuggets, restaurants et cantines scolaires.

Au début, Marta est trop occupée à repérer et sélectionner les volailles entières qui ne sont pas abîmées pour réfléchir au processus et ne se demande pas pourquoi il y a tant de poulets qui émergent de ces battants en caoutchouc dans un état aussi lamentable. Certes, les poulets qu'elle sélectionne sont malheureusement morts, mais ils ont un aspect plaisant, l'air paisible et qui plus est de beaux filets bien dodus, et elle passe son temps à imaginer de délicieuses recettes pour les expédier dignement dans l'autre monde. Par exemple, on peut les farcir avec de l'avoine, de l'estragon, du citron et de l'ail, ou des airelles, du sucre roux et de la poitrine de porc – la recette préférée de sa mère –, ou de la chapelure, du beurre et des fruits secs, ou des marrons et… en fait les marrons se suffisent à eux-mêmes. On peut également les badigeonner d'une savoureuse marinade au paprika et au yaourt, ou au miel et au raifort, mais pas trop de raifort, ça risque d'être trop piquant, juste du poivre peut-être, du poivre en grains écrasé qui craque sous la dent, et une pincée de marjolaine, qui se marie si bien avec les viandes blanches.

Elle a envie de demander au contremaître, qui est vraiment sympathique pour un Lituanien, si un jour elle pourrait rapporter un poulet pour essayer la recette au raifort – elle le paierait, bien sûr –, mais elle se rappelle qu'elles ne sont plus dans la caravane et qu'on ne peut pas faire la cuisine dans leur chambre d'hôtel exiguë. Encore autre chose qui devra attendre qu'elle soit rentrée.

Lorsqu'elle ne songe pas à des recettes ou à la vie des saints, ce qui devient parfois répétitif à la longue, elle s'aperçoit qu'elle pense de plus en plus à Zdroj, à son grand frère qui vit encore chez eux, à sa mère qui est professeur, à son père qui travaille à la mairie et se trouve être un collègue de Tomasz – où peut-il bien être, d'ailleurs ? – ou au petit Mirek qui partage leur vie à chaque fois que Yola se met en quête d'un nouveau mari. Et si Yola mène parfois une existence pécheresse, ce n'est pas à nous de la juger, car aucun d'entre nous n'est exempt de péchés, qui sait ce que nous ferions dans une pareille situation, c'est une honte que le père du petit l'ait quittée, la laissant seule pour élever un enfant trisomique.

~

« Quand est-ce qu'on rentre, Ciocia ? demande Marta à Yola tandis qu'elles comptent leur première semaine de paie au soleil devant l'usine.

– Quand on sera millionnaires. » Yola sourit à sa nièce avec amertume. Il doit y avoir une erreur. Elles n'ont touché que le quart environ de ce que Vitaly leur avait promis. L'enveloppe contient un bout de papier avec une série de lettres et de chiffres incompréhensibles. Avec son Gros Chou il n'y avait pas toutes ces sornettes. Juste une poignée de billets et c'est tout.

« Déductions – qu'est-ce que ça veut dire ? » lance Yola à Geta qui est elle aussi occupée à recompter sa paie – nettement plus conséquente que la sienne, de toute évidence, alors que tout ce qu'elle fait, c'est se pavaner à longueur de journée en fourrant son nez partout. Au moins, quand Yola était chef d'équipe, elle montrait l'exemple en travaillant dur.

« Déductions être tout ce que toi payer, couine Geta dans son anglais épouvantable. Transports, logement, impôts, retraite, SS.

– SS ?

– Angleterre, tout le monde payer. Être loi.

– Et ça là ? CF. C'est quoi ?

– C'est être contribution formation. Toi pas compétence tu devoir formation.

– Formation ? C'est quoi ?

– Formation être apprendre. Tu devoir apprendre comment faire cette travail.

– N'importe quel imbécile peut faire ce travail. Comment j'apprendre ?

– Je former, tu apprendre. Je apprendre comment mettre poulet sur le barquette.

– Et je paye pour ça ?

– Au bout deux semaines c'est être taux normal.

– Et tu es payée plus ?

– Bien sûr. Je taux contremaître. »

Yola se sent bouillir comme si elle s'apprêtait à exploser, au point que Marta est forcée de la retenir, et qui sait ce qui se serait passé sans l'intervention d'un jeune homme d'une beauté stupéfiante, avec de longs cheveux blonds et des mollets musclés dignes d'une courge de concours, tels que la plupart des femmes n'en voient que dans leurs rêves, et, qui plus est, en short, chose que la plupart des hommes ne peuvent se permettre, mais là c'est acceptable, c'est même parfait car il a les jambes bronzées et couvertes d'un duvet blond et des muscles dignes… bon, ça, on le sait déjà. Toujours est-il que cet apollon s'avance en disant :

« Avez-vous besoin d'aide pour votre fiche de paie ? »

Franchement, dans ces circonstances, quelle femme refuserait ?

Et mollet de courge lui explique tout, comment la retraite correspond à la pension qu'elle touchera plus tard, mais puisqu'elle prendra sa retraite en Pologne et non pas en Angleterre, elle n'en verra pas un penny, d'autant qu'au lieu de verser l'argent dans un fonds de pension ces sangsues se le mettront dans la poche pour se payer des Rolls-Royce et des yachts de luxe, et puis, comme elle l'a dit, offrir des sous-vêtements inconfortables à leurs salopes de femmes, et il en va de même pour la sécurité sociale et peut-être les impôts aussi – si le percepteur en voit la couleur, il aura bien de la chance –, et quant aux déductions pour le transport et le logement, elles ne sont pas illégales en soi, mais elles sont excessives, et si elle veut, il peut regarder ça de plus près. Sur ce, il lui demande si elle veut rejoindre le syndicat des travailleurs de la filière volaillère. Franchement, dans ces circonstances, quelle femme refuserait ?

~

Tomasz, lui aussi, a été recruté par le syndicat des travailleurs de la filière volaillère par un jeune homme en short qui l'a accosté sur le chemin du travail, bien que dans son cas ce ne soient pas les jambes du jeune homme qui aient influé sur sa décision, mais plutôt une colère aussi profonde qu'inexplicable à l'égard de Vitaly et de tout ce qu'il représente. Il est trop impatient, ce Vitaly – il est si pressé de devenir riche qu'il en a oublié les principes de base de tout être humain. Et puis Tomasz s'en veut, à lui aussi : il n'aurait jamais dû se laisser entraîner dans les combines de Vitaly. Il était venu en Angleterre pour chercher des vieux disques de Bob Dylan et voir un peu de pays avant d'avoir passé l'âge, et, certes, peut-être aussi pour trouver l'amour au détour du chemin. Et voilà qu'il s'était abaissé jusqu'à infliger de la souffrance à un être vivant sans l'ombre d'une émotion. Il n'était plus qu'un pion sur l'échiquier.

Il était à peine sept heures du matin et déjà deux terribles événements étaient arrivés. Quand il était descendu à l'aube dans la salle à manger sordide de la maison pour engouffrer quelques tranches de pain tartinées de margarine et de confiture – il avait investi dans de la confiture d'abricot – avant que la camionnette blanche ne vienne le chercher à six heures, il avait voulu s'attaquer à la chanson qu'il avait composée pendant la nuit. Et c'est alors qu'il avait découvert que sa guitare avait disparu. D'abord, il n'y avait pas cru. Il avait cherché partout, sous la table au milieu des emballages froissés et des reliefs de repas de la veille, dans les placards moisis de la cuisine, dans l'air vicié des chambres saturées par le souffle des dormeurs épuisés, sous l'escalier, au fond du placard à balais plein de saletés. Voilà. Il avait fait le tour de tous les endroits possibles. On la lui avait volée. Un de ces inconnus désespérés venus d'une région pauvre ou dévastée par la guerre avait volé sa guitare et, à l'heure qu'il était, l'avait sans doute échangée… contre quoi ? Une bouteille de vodka ? Un chicken pie ?

Cette fois, il n'avait même pas pleuré. À quoi bon ?

Milo l'avait laissé s'asseoir à l'avant de la camionnette car c'était le premier qu'il passait prendre. En montant, il s'était rappelé avec une pointe de regret qu'il n'avait pas dit au revoir à Neil, son seul ami. Il allait s'installer au bord de la mer, dans un meublé des environs de Shermouth qui se trouvait plus près de l'usine de transformation où il devait commencer à six heures et demie du matin. S'il avait été à l'arrière, il ne l'aurait probablement pas vu, mais là, à l'avant, il ne pouvait pas le rater : devant ses yeux, en plein dans le virage, un poulet blanc qui avait été écrasé sur la route. C'est donc là que s'était achevée sa liberté. Milo avait accéléré et lui était passé dessus. Il devait y avoir moyen d'en faire une chanson, s'était dit Tomasz, avant de se rappeler qu'il n'avait plus de guitare.

Mais s'il y a bien quelque chose qui lui avait fait prendre conscience de tout ce qu'il avait en commun avec les poulets, c'est ce qui s'était passé ce matin-là à l'usine : l'histoire du pouce de l'abatteur chinois.

Quand les poulets arrivaient à l'abattoir, Tomasz avait pour tâche de les suspendre par les pattes aux crochets d'un convoyeur aérien, où ils poussaient des piaulements désespérés, surtout ceux qui avaient les pattes cassées (piaulements auxquels il avait fini par s'habituer cependant).

L'engin les entraînait ensuite tête la première dans un bain électrifié censé les étourdir avant de passer sous la lame automatique qui devait leur trancher la gorge. Mais au cas où le bain ne suffisait pas, ou s'ils échappaient à la lame, deux abatteurs se tenaient prêts pour les saigner avant de les envoyer dans l'étuve où ils étaient plongés dans la machine d'échaudage pour détacher les plumes. Puis, après le plumage et la découpe des pattes automatisés, ils étaient éviscérés par une autre équipe d'abatteurs.

Les abatteurs étaient deux Chinois habiles à manier le couteau, mais comme ils étaient un peu petits pour le convoyeur aérien, ils avaient parfois du mal à voir ce qu'ils faisaient. L'un d'eux qui avait voulu saisir un poulet coincé dans la coupeuse de pattes s'était accidentellement sectionné l'extrémité du pouce, juste au-dessus de la phalange. Au début, les poulets faisaient un tel vacarme qu'on ne l'avait même pas entendu crier. Tomasz avait arrêté la chaîne et couru prévenir le contremaître, qui avait tout de suite pris son portable pour demander qu'on lui envoie un abatteur de rechange, tandis que les autres cherchaient le bout de pouce dans la mare de sang, d'excréments et de plumes qui couvraient le sol. Mais il avait disparu et le Chinois continuait à pousser des gémissements et des hurlements en fermant le poing pour essayer de stopper l'hémorragie. Ils avaient fini par renoncer à trouver le bout de pouce et on l'avait conduit à l'hôpital pour le faire recoudre tant bien que mal.

Sur ce, le contremaître s'était mis à insulter Tomasz en lui reprochant d'avoir arrêté la chaîne : « On perd du fric, pauvre con, remets-moi la chaîne en route, bordel, faut me sortir des poulets. Tu te crois dans un club de vacances ou quoi ? »

Il devait avoir quelques années de plus que Neil, sans l'acné mais sans le charme non plus.

« Tiens. » Il avait tendu à Tomasz le couteau du Chinois tout couvert de sang, quoique, il était impossible de dire s'il provenait des poulets ou de l'abatteur. « Vaut mieux que tu prennes la relève jusqu'à ce que le remplaçant arrive. »

Si jamais je perdais un doigt, s'était alors dit Tomasz, je ne pourrais plus jouer de la guitare.

« Gants. J'ai besoin les gants cuir. »

Le contremaître avait regardé Tomasz en plissant les yeux.

« T'es un fauteur de troubles ?

– Mêmes gants qu'on avait pour attraper les poulets. Sans gants, c'est un travail dangereux. » Curieusement, il n'en voulait pas tant aux chefs d'équipe ou aux propriétaires de l'usine qu'à Vitaly.

« Écoute, mon gars, ça fait bientôt deux ans qu'on travaille sans gants ici.

– Et ?

– On a perdu que trois doigts. Enfin, quatre avec ce pouce.

– Sans gants, je refuse.

– T'es d'où ? avait demandé le contremaître.

– Pologne. » Tomasz avait souri, sachant que ce n'était pas la réponse qu'il attendait.

« Ah, j'aurais dû m'en douter. Rien qu'une bande de fauteurs de troubles. La prochaine fois, c'est un putain de congé-maternité que tu vas demander. Bouge pas. Continue à accrocher pendant que je vais te chercher ces foutus gants.

– Non. Même pour accrocher, il faut les gants. »

Le contremaître était devenu violacé.

« Écoute, la chochotte, la prochaine fois que t'ouvres le bec, tu dégages. C'est juste qu'on a perdu le Chinetoque, autrement tu serais déjà viré. »

Mais il était tout de même allé lui chercher des gants.

Tomasz les avait enfilés doigt par doigt, rêveur. Brusquement, il songeait à Yola. Où était-elle ? Que faisait-elle ? Pensait-elle à lui ?

~

Dans le reste de l'usine, le silence soudain de la chaîne de convoyage a entraîné une interruption bienvenue. Yola a poussé un soupir et regardé autour d'elle. Elle ne s'était pas rendu compte jusque-là que la chaîne faisait un tel vacarme. Les fenêtres étroites de la salle de conditionnement étaient trop hautes pour qu'on puisse voir dehors, mais elles laissaient filtrer des rayons de soleil qui lui rappelaient l'été. Comment s'était-elle fait piéger dans cet endroit ? Elle ressentait une pression de plus en plus forte au niveau de la vessie, mais la seule idée de demander à

Geta la permission d'aller aux toilettes était trop humiliante. Elle tenait bon. Autour d'elle, les autres en profitaient pour se détendre et bavarder avec leurs collègues. Deux des Slovaques ont même eu le culot d'essayer de sortir discrètement pour aller fumer une cigarette et Geta leur a couru après en hurlant : « Pas fumer ! Pas bordel ! »

Yola s'est dit que c'était le moment ou jamais de s'éclipser en douce, mais Geta l'a repérée et a insisté pour l'accompagner, en prétendant qu'elle était responsable du bon usage des installations sanitaires, en particulier par les Polonaises et les Ukrainiennes, allez savoir ce qu'elles trafiquent là-dedans, des fois il y a même de la fumée qui sort sous la porte. Comment voulez-vous profiter pleinement d'une pause pipi avec cette espèce de vieille harpie baleinée qui vous bouscule en tambourinant à la porte et en vous répétant de vous dépêcher ? Yola est restée enfermée plus que nécessaire en émettant divers bruits de toilette, juste pour l'embêter.

« Et pas oublie laver mains après, lui a lancé sèchement Geta.

– Pourquoi tu me dire ça à moi ? a sifflé Yola derrière la porte des toilettes. Je suis professeur, pas cochon.

– Je qualifier bordel tu pas, a braillé Geta.

– Je pisse sur ton certificat.

– Pas certificat, diplôme.

– Je défèque sur ton diplôme. »

Elle a pété bruyamment.

~

Pendant ce temps, Marta était allée de l'autre côté de la chaîne bavarder avec ses collègues d'en face, qui s'avéraient être de jeunes Ukrainiennes de l'Ouest, dont l'une était déjà allée en Pologne, mais pas à Zdroj. Comme beaucoup d'ouvriers de l'usine, elle se trouvait donc loin de son poste quand soudain la chaîne s'est remise en marche avec une secousse et elle a fait le tour du convoyeur en courant pour récupérer les premiers poulets qui arrivaient. Elle les a décrochés de la chaîne ; ils étaient horriblement fermes, raides – en fait on aurait dit qu'ils venaient d'être cuits, bouillis entiers avec leurs pattes et leurs entrailles. Elle en était à se demander ce qu'elle devait faire de ces poulets bouillis sur pattes quand subitement elle en a vu arriver un qui n'avait pas été bouilli vivant, en fait il avait l'air quasiment indemne, même s'il avait perdu la plupart de ses plumes, comme s'il avait échappé à la coupe des pattes et à l'éviscération. Au moment où elle l'a attrapée, la pauvre loque déplumée a commencé à se débattre entre ses mains. Elle était encore en vie. Puis une autre volaille a surgi, et à sa grande horreur elle était également en vie. Puis une autre. La chaîne avait repris sa cadence normale. Que devait-elle faire ?

Elle a décroché les poulets à demi morts et s'est mise à hurler.

Le contremaître lituanien a été le premier à arriver. Il a passé un bras apaisant autour de ses épaules et lui a offert un mouchoir. Puis Geta est arrivée, abandonnant son poste de faction ingrat aux toilettes. Les volatiles en vie s'étaient remis du choc et couraient dans tous les sens sur le sol de l'usine. Les poulets échaudés avaient progressé le long de la chaîne et d'autres poulets à moitié vivants se succédaient, à une cadence de plus en plus rapide. Geta s'est mise à hurler, s'en prenant à Marta, aux poulets déplumés qui couraient entre les jambes de tout le monde, au contremaître lituanien, qui lui a crié que Marta était une femme sensible et qu'il ne fallait pas la bouleverser.

« Polonaise pas sensible, sale feignasse ! » a braillé Geta. Cette fois c'en était trop pour Marta, qui a éclaté en larmes. Sur ce, un des poulets s'est rué vers la porte que Geta avait laissée ouverte et les autres ont suivi, tout droit dans la salle d'emballage. Au bout de la salle d'emballage une autre porte s'est ouverte, et Yola, qui s'était aperçue qu'elle n'avait plus de public pour ses bruits de toilette, rejoignait son poste d'un pas nonchalant. Voyant les poulets foncer vers elle, elle leur a naturellement tenu la porte. Et ils ont disparu.

« Virée ! Virée ! Tu virée ! a hurlé Geta, le visage marbré par la fureur, avant de donner une légère bourrade à Yola.

– Virée toi-même ! » a rétorqué Yola en lui rendant sa bourrade.

Comme Yola avait pas mal d'amis du côté des blancs, et des amis d'amis du côté des cuisses et pilons, et que Marta n'allait pas regarder sa tante se faire insulter sans réagir, Geta n'a pas tardé à se retrouver encerclée par une foule en colère exigeant qu'elle s'excuse et réintègre Yola immédiatement.

~

Pendant ce temps, l'histoire du pouce de l'abatteur chinois s'était répandue comme une traînée de poudre. Dans la salle d'éviscération, c'est son pouce entier qui avait été coupé ; une fois parvenu aux cuisses et pilons, le pauvre homme avait perdu toute la main ; et au pesage et étiquetage, on avait dû lui amputer le bras jusqu'au coude. Les Chinois arpentaient l'usine en tapant du pied et en psalmodiant des paroles incompréhensibles, les poches pleines de pattes de poulet, tandis que d'autres décrochaient les poulets qui dégringolaient sur le tapis et par terre, morts ou à demi morts.

Soudain, plusieurs portes de l'usine se sont ouvertes en grand, déversant les flots d'ouvriers dans la cour inondée de soleil. Les trois poulets nus étaient toujours là à caqueter en se demandant ce qui les attendait.

Tomasz a remarqué que le blond aux mollets impressionnants rôdait encore du côté du portail. On aurait dit qu'il s'apprêtait à remonter sur son vélo pour rentrer chez lui quand il s'était retourné en entendant l'émeute gronder dans l'enceinte de l'usine. Et puis il a aperçu Yola. Elle sortait en trombe d'une des portes de l'usine et se précipitait d'un air théâtral vers le syndicaliste pour se jeter à son cou. Pour Tomasz la joie de la retrouver était donc tempérée par la désolation de la voir dans les bras (enfin presque) d'un autre homme.

« Elle dit virée ! Elle dit tu virée ! se lamentait-elle.

– Attendez, attendez. » Le syndicaliste parlait calmement, mais on le sentait légèrement nerveux. « Procédons avec ordre. Y a-t-il quelqu'un de la direction ici ? »

Aussitôt, Geta s'est avancée. « Polonaise être pas bon travail. Trop toilettes. Poulets enfuir. »

Les trois poulets délivrés se sont mis à caqueter à qui mieux mieux, comme pour lui donner raison.

« Attendez, a répété le syndicaliste d'un ton nettement plus nerveux. Voyons les faits. De quels poulets s'agit-il ? »

Cette fois, le contremaître de l'abattoir, celui qui s'était disputé avec Tomasz au sujet des gants, s'est frayé un chemin à travers la foule.

« Écoute, mon gars. Je sais pas qui t'es ni ce que tu fais ici, mais tu dégages. OK ? » Il s'est tourné vers Geta. « Ferme-la. Lui cause pas. C'est un merdeux. On veut pas de lui ici.

– Attendez. Je suis le représentant de…

– Dégage ou j'appelle la police. »

Soudain, les Chinois de la salle d'éviscération ont débarqué sur les lieux, leurs couteaux effrayants à la main. Ils se sont mis à crier en brandissant leurs couteaux et on voyait bien qu'ils étaient fous furieux, même si on ne comprenait pas un traître mot de ce qu'ils disaient. Le contremaître a sorti son portable, mais l'un d'entre eux l'a fait tomber par terre et l'a piétiné jusqu'à ce qu'il soit réduit en miettes.

« Attendez. » Le syndicaliste a levé la main. « Pas de violence, camarades. Je suis sûr que nous pouvons résoudre ce problème en négociant calmement.

– Écoute, mon gars, la seule négociation qui m'intéresse, c'est de remettre cette bande de clampins au boulot.

– Attendez. Attendez. D'abord, il faut écouter leurs doléances. »

Une clameur de voix et de piaulements s'est fait entendre.

Un concert de récriminations et de piaulements s'est élevé. Tout le monde semblait avoir des doléances, même les poulets.

« À chaque fois que la chaîne est arrêtée, on perd du blé. Attendez ci, attendez ça, c'est bien beau, tout ça, mais ce foutu supermarché, vous croyez qu'il attend, lui ? Deux pour le prix d'un. C'est ce qu'on doit leur fournir. Pour vendredi. Autrement, on perd le contrat et on peut dire adieu à Buttercup Meadow, et tous ces branleurs qui nous emmerdent avec leur droit du travail peuvent dire adieu à leur foutu boulot.

– Raison de plus pour résoudre cette affaire au plus vite. Alors…

– OK, dites-leur que s'ils se remettent au boulot tout de suite, on répondra à toutes leurs demandes. »

Tomasz voyait bien que le syndicaliste était dans l'impasse et que le contremaître lui tendait un piège. Il a bondi sur une caisse et mis les mains en cornet.

« Ce n'est pas négociable ! C'est une violation de la dignité humaine ! Et des poulets ! »

Yola a fait volte-face. « Tomek ! »

~

L'embêtant avec les hommes, a remarqué Yola, c'est qu'on passe des années à chercher le bon, et que subitement il y en a deux qui débarquent en même temps. Ce blond avec ses mollets musclés dignes d'une courge de concours, c'est le rêve de toute femme, et ces poils blonds sur ses jambes, quelle femme ne rêverait pas de… Mais soyons réalistes, il est en Angleterre et ce serait impossible de le persuader de venir en Pologne, et quand bien même, qu'est-ce qu'il y ferait ? Causer des ennuis, c'est tout. Quant à ce Tomasz, il a peut-être des défauts, mais il s'améliore, et elle est sûre que si elle pouvait le décrasser avec un bon savon parfumé et le débarrasser de ces chaussettes probablement en nylon pour les remplacer par des bonnes chaussettes en laine ou en coton, qui sont plus confortables et ne font pas transpirer des pieds inutilement – on devrait castrer l'inventeur des chaussettes en nylon –, et puis le débarrasser aussi de ces chaussures de sport qui ne valent rien aux hommes pour lui mettre à la place des bonnes chaussures en cuir – on trouve d'excellentes chaussures en Pologne et qui chaussent large –, le problème serait quasiment réglé et peut-être l'harmonie sexuelle pourrait-elle alors s'épanouir.

Et puis elle voit bien qu'il a bon cœur et il s'est déjà dit prêt à devenir un père pour le petit Mirek. Et même si elle ne lui a pas encore parlé du problème de Mirek, et elle aimerait bien que sa bigote de nièce se taise et évite de vendre trop tôt la mèche, elle est sûre que quand il le verra en chair et en os, qu'il verra ce petit ange, cet adorable petit ange, il ne pourra pas partir comme ça – pas comme l'autre.

Et puis ce Tomasz est devenu un vrai héros. Vous avez vu un peu comme il se lève d'un bond en criant d'une grosse voix virile : « Combien d'années doivent exister ces gens avant d'apprendre être libres ?

– Attendez, attendez, dit jambes de courge avec un soupçon de panique dans la voix. Il faut concrétiser les demandes. »

Franchement, les hommes racontent vraiment n'importe quoi, même les plus gentils.

Sur ce arrive une grosse voiture argentée, exactement comme la Rolls-Royce qu'a décrite jambes de courge, et un monsieur d'âge mûr avec des cheveux argent, le type très respectable, il pourrait même être médecin, certainement pas le type à avoir une femme avec des sous-vêtements de salope, une maîtresse à la limite, vient voir ce qui se passe, et jambes de courge explique qu'un homme a dû se faire amputer le bras et qu'une femme a été renvoi injustifié pour passer trop de temps aux toilettes. Rolls-Roycie fait « Hmm, hmm » en se frottant le menton, et jambes de courge dit qu'elle doit immédiatement réintégrer et que l'ouvrier doit être dédommagement, puis cette sale garce de Roumaine vient s'en mêler inutilement et dit que c'est tous des profiteurs, surtout ces vauriens de Polonais qui croient tout permis depuis qu'ils sont dans Europe, et Rolls-Roycie refait « Hmm, hmm ».

Alors le contremaître-chef, un type fruste qui a un langage grossier et un comportement dégénéré, pince les fesses des filles et dit qu'elles doivent faire le sexe avec lui si elles veulent du travail (« Personne il veut faire le sexe avec toi, espèce de chien avec le zizi tout rikiki », a dit Yola), le chef contremaître, donc, débarque et dit que le Polonais aux cheveux longs est un fauteur de troubles – est-ce qu'il parle de Tomek ? Tout le monde cherche Tomasz mais il a disparu, et où est Marta ? Elle a disparu aussi, même si on ne peut pas dire que Marta est un fauteur de troubles. Et puis ils ont d'autres soucis, parce que soudain toute la cour est remplie de poulets qui courent partout en battant les ailes, sauf qu'il y en a avec les ailes cassées qui peuvent juste se traîner, vraiment ils sont dans un état épouvantable, et il y en a même qui fait popo sur la chaussure de Rolls-Roycie, et il dit : « D'où est-ce qu'elles sortent, ces saloperies de poulailles ? » C'est vraiment très étonnant d'entendre un gentleman raffiné comme ça parler aussi grossièrement. Mais d'où sortent ces poulets ? C'est un mystère.

~

Andriy et Emanuel sont allés au pub retrouver Vitaly et ont passé une heure et demie à boire leurs demi-pintes de bière, mais Vitaly n'est pas venu. Que faire ? Emanuel veut aller à Richmond, à proximité de Londres – il a trouvé l'adresse de son ami –, mais Andriy n'a toujours pas envie de partir. La fille est peut-être là et Vulk, qui, lui, sait où elle est, y est sûrement. D'autant qu'Andriy a appris ce qui pouvait arriver aux Ukrainiennes en Angleterre. Alors, même s'il n'y a clairement rien entre eux et qu'il a clairement décidé de partir à la recherche de Vagvaga Riskegipd, n'en va-t-il pas de sa responsabilité de retrouver cette fille et de la rendre à ses parents ? Parce que s'il ne le fait pas, qui d'autre le fera ? Certainement pas un de ces bons à rien d'Ukrainiens qui ne pensent qu'à eux-mêmes et à boire de la bière ; non, il n'est pas comme ça, lui.

Ils décident de passer quelques jours de plus à Douvres en garant la caravane à côté du champ de carottes et en faisant les allers-retours en Land Rover. Maintenant qu'il a établi ses droits sur le seau rouge et que les Mozambicains ont disparu sans laisser de trace – la rumeur court sur la jetée qu'ils ont été expulsés –, Emanuel dit qu'il veut perfectionner ses talents de pêcheur, et s'il ne réitère pas l'exploit de la première fois, il se débrouille pour leur rapporter à manger tous les soirs et même pour vendre quelques poissons au Tatoué, qui semble avoir complètement oublié leur dispute d'avant.

Andriy passe ses journées à ratisser les rues et les hôtels de Douvres. Un jour, il tombe sur le magasin de l'épicière indienne. Cette fois son sari est bleu, et elle paraît plus petite et plus ronde que lors de sa dernière visite. Bien qu'il ne lui reste quasiment rien des deux semaines de paie qu'il a gagnées sur le champ de fraises et qu'il doive absolument prendre de l'essence pour la Land Rover, il rachète du pain et de la margarine. Il envisage d'acheter des sardines, mais il ne veut pas offenser Emanuel qui prend son rôle de pêcheur très au sérieux.

« Vous ne mangez pas équilibré, le gronde-t-elle gentiment.

– Oui, oui. Aussi on mange poisson.

– Il faut la vitamine. Autrement vous allez attraper maladies de la malnutrition. Citron, c'est bien. Là, à droite. Pas cher. Après cuire le poisson, vous mettez quelques gouttes. »

Il prend un citron.

« Et il faut aussi des fibres pour le bon transit intestinal. Il faut manger des légumes.

– Nous manger plein de la carotte. Tous les jours la carotte.

– La carotte est une très bonne source de fibre et de vitamine. Vous lavez bien, surtout.

– Merci pour vos conseils. » Il s'efforce de ne pas regarder trop fixement le séduisant bourrelet de chair brune qui dépasse de son sari. Qu'est-ce que les femmes rondes peuvent être sexy, tout de même !

« Dans cette ville, il a beaucoup de gens pauvres qui ne mangent pas équilibré. Matelots ivres. Mineurs au chômage. Elle – elle montre la dame au chapeau bleu qui trône au-dessus du comptoir – est exemple parfait de la vieillesse épanouie grâce au régime équilibré. »

L'épicière indienne lui apprend que non loin d'ici il y avait aussi des mines, qui ont fermé après la grande grève de 1984. Il comprend mieux pourquoi la ville lui rappelle le Donbass. Il n'avait alors que cinq ans, mais il se souvient encore de la solennité avec laquelle ses parents avaient fait don de leurs alliances en or pour acheter de quoi manger aux mineurs britanniques. Qu'était devenu tout cet argent ? Les mineurs ukrainiens en auraient bien besoin actuellement.

« Je cherche un homme qui s'appelle Vulk. Type gangster. Tout habillé en noir. »

L'épicière fait non de la tête. « Dans cette ville, il a trop du gangster. Mais j'ai plaisir de dire que aucun est jamais venu dans le magasin, et s'il vient, je le chasser.

– Et une Ukrainienne. Longs cheveux bruns. Très… » Très quoi ? Est-elle jolie ? Est-elle belle ? « Très… ukrainienne.

– Ah, Ukrainiennes aussi on a beaucoup. Tous les soirs on en voit dans la rue et sur la plage faire le sexe pour l'argent.

– Pas cette fille. »

L'épicière sourit avec diplomatie et il sort du magasin d'une humeur massacrante.

Quand il retourne sur la jetée, il a la surprise de voir Emanuel entouré d'un attroupement et, au milieu de celui-ci, Vitaly. Vitaly saisit Andriy par les deux mains et l'embrasse comme un frère en écartant Emanuel du coude.

« Mon ami. C'est bien que tu es là. On a excellentes opportunités. Bon travail. Bon salaire. Tu vas être riche. Tu vas rentrer millionnaire en Ukraine. »

Andriy se dégage de l'étreinte de Vitaly.

« C'est quoi, cette opportunité ?

– Dans usine. Vingt kilomètres seulement. Bon travail. Bien payé. Tous ces gens (d'un geste large il désigne la douzaine de pêcheurs malchanceux qu'il a recrutés) peuvent avoir bon emploi. Toi et Emanuel aussi. Vingt livres l'heure pour toi. Taux contremaître. Tu as transport. Tu cherches caravane, mets tout dedans, emmènes à l'usine. »

Sans doute remarque-t-il l'air dubitatif d'Andriy.

« Je te donne argent pour essence. »

Andriy hésite toujours.

« Et transport. Combien tu veux ? » Il sort une liasse de billets de sa poche. Ce sont uniquement des billets de vingt.

« Mais j'ai seulement permis ukrainien. Pour transporter autant de personnes, peut-être j'ai besoin permis spécial.

– Pas de problème. Seulement si véhicule a sièges pour plus huit personnes tu as besoin permis passager. Maintenant tout le transport moderne est sans siège. »

Voilà qui semble curieux.

« La caravane est pas ici.

– Pas de problème. Tu la cherches. On attend ici. »

Lorsque Andriy et Emanuel reviennent avec la caravane, la foule a grossi. Vitaly monte à l'avant de la Land Rover à côté d'Andriy et le Chien se met à leurs pieds. Emanuel et trois autres passagers s'installent à l'arrière et quatorze volontaires à l'avenir prometteur s'entassent dans la caravane. Ceux qui ne trouvent pas de place sur un lit s'assoient par terre en se tenant les genoux. Andriy remarque parmi eux le Bulgare et ses amis. Il ne met le contact qu'une fois empoché les cinq billets que Vitaly a extirpés de son portefeuille.

C'est de l'argent bien mérité, car la caravane est si chargée qu'elle tangue et zigzague dans tous les sens et qu'il a un mal fou à l'empêcher de quitter la route. Il est obligé de faire quasiment tout le trajet en première, concentré à cent pour cent, pour éviter de verser dans le fossé. Cela fait près d'une heure qu'ils roulent sur des routes de plus en plus étroites et peu praticables quand Vitaly lui indique enfin une pancarte marquée *Poulets fermiers Buttercup Meadow* qui représente une fillette blonde avec un bouquet de renoncules à la main serrant contre elle une poule rousse aux plumes bouffantes, accompagnée du slogan : *Partenaires volaillers.* Ça a l'air très bien.

Mais aux abords de l'entrée ils découvrent une scène d'agitation indescriptible. Que se passe-t-il ici ? Les grilles sont ouvertes et des policiers en tenue anti-émeute tentent de contenir une foule déchaînée qui fonce sur eux en criant, tandis qu'une troupe de poulets affolés courent en rond dans la cour en piaulant et en battant frénétiquement des ailes.

« C'est quoi, Vitaly ? Où tu nous as amenés ? »

Il se met en première et avance prudemment vers la grille. Soudain, il entend un hurlement terrifiant et un Chinois enragé tout éclaboussé de sang et brandissant un couteau force le cordon de policiers et se jette sur le capot de la Land Rover, les poches débordant de pattes de poulet.

Qui est-il ? Que veut-il ?

L'espace d'une seconde, ses yeux noirs hallucinés croisent le regard d'Andriy tandis que ses lèvres s'agitent désespérément, puis deux policiers lui sautent dessus et le tirent de force en arrière. À côté de la grille, deux autres policiers sont aux prises avec un grand blond en short dont ils bloquent les bras dans le dos avant de l'embarquer dans un fourgon. La situation est délicate.

« Pourquoi ce Chinois veut nous tuer ? Pourquoi toute cette police, Vitaly ?

– Est OK. Police notre côté.

– Mais pourquoi police est là ? Qu'est-ce qu'il se passe ?

– Tout est cause fauteurs de troubles. Chinois feignants refusent travailler. Police défend ton droit travailler. On va montrer eux bon travail type ukrainien. Bon travail, bien payé, hein, mon ami ? »

Andriy commence à se sentir mal à l'aise.

Conduire cette caravane surchargée au milieu de la cohue sous les yeux de tous ces policiers, alors qu'il est peut-être un hors-la-loi en fuite, n'a absolument aucun permis passager et a toujours ce revolver à cinq balles caché dans son sac à dos – est-ce vraiment une bonne idée ? Mais il n'y a pas que ça qui le retient, il y a aussi une chose qui l'avait marqué et que lui avait dite son père, reprenant les paroles prononcées dans son discours par l'aveugle visionnaire de Sheffield il y avait de ça tant d'années. Il essaie de se rappeler. Il était question de solidarité, de l'importance de la fraternité humaine – son père le lui avait martelé –, de dignité personnelle. Sois un homme – était-ce ce qu'il avait voulu dire ? Qu'il y avait des choses qu'un homme ne devait jamais faire, à quelque prix que ce soit.

Il passe la marche arrière et commence à reculer doucement.

« Non, non. Continue ! Avance ! » Vitaly saute sur son siège en agitant les mains, écrasant par inadvertance la queue du Chien. Le Chien pousse un jappement, bondit hors de la Land Rover et, guidé par une forte odeur de poulet, se jette dans la mêlée.

« Le Chien ! Reviens ! » Andriy donne un coup de freins. « Reviens ! Il n'est pas à manger, ce poulet ! »

Face à l'urgence de la situation, le Chien décide de relever le défi en leur montrant de quoi il est capable. Il se met à slalomer au milieu de la foule en poussant quelques aboiements polis et ne tarde pas à rassembler dans un coin de la cour les poulets qui restent plantés là en caquetant docilement, l'air légèrement étonné.

Soudain jaillit un cri à vous glacer le sang, et une pulpeuse petite silhouette déchaînée surgit de la foule et se précipite vers eux en agitant les bras.

« Yola ! s'écrie Andriy. Qu'est-ce que tu fais ici ?

– Je veux rentrer Pologne ! Ici être enfer ! Rien que mensonge et escroquerie ! »

Elle aperçoit alors Vitaly à l'avant de la Land Rover et se jette sur lui les poings en avant, en le tirant par la portière. « C'est lui ! C'être consul flexi-dynamo ! »

Un policier tente de l'arracher de force, mais elle se débat comme une folle en mordant et griffant, et finit par lui donner un tel coup de pied dans les parties qu'il est obligé de lâcher. Emanuel l'agrippe par le bras et la tire à l'arrière de la Land Rover. Puis Marta se précipite vers eux, suivie de Tomasz, et tous deux sont également hissés à bord, tandis que le 4 × 4 et la caravane reculent doucement malgré les protestations de Vitaly qui crie « Non, stop ! Stop ! », jusqu'à ce qu'ils aient la place de faire demi-tour, puis, à la dernière minute, le Chien arrive en gambadant et saute à l'arrière, Andriy accélère alors et les voilà partis.

Le temps qu'ils arrivent à Douvres, Marta, Yola et Tomasz ont raconté à Andriy et Emanuel tout ce qui leur était arrivé. Vitaly a essayé en vain de récupérer l'argent qu'il a donné à Andriy et les trois quarts des occupants de la caravane ont vomi.

~

Marta regrette de ne pas avoir réussi à rapporter un poulet pour le dîner, mais depuis quelques jours sa conception de la nourriture a changé. Après avoir déposé leurs passagers à Douvres, ils regagnent leur emplacement attitré à côté du champ de carottes, où elle réussit à improviser un délicieux dîner à base de pain de mie, de margarine et de poisson froid, accompagné de carottes et garni de tranches de citron et d'herbes cueillies au bord de la route.

Yola l'aide à éplucher les carottes avec Tomasz, tout en lui racontant ses démêlés avec Geta. Tomasz la regarde dans les yeux d'un air émerveillé en lui demandant de répéter les bruits qu'elle faisait aux toilettes, et lorsqu'elle s'exécute avec sa vulgarité habituelle, tous les deux se tordent de rire comme des gamins. Ça recommence, se dit Marta.

Elle se souvient de la dernière fois où c'est arrivé : Marta avait rencontré un brave épicier bedonnant, avec lequel elle passait son temps main dans la main, entre fous rires et baisers volés. Puis Yola l'avait ramené chez elle à Zdroj, et il avait à peine jeté un œil sur Mirek qu'il avait filé comme un chat de gouttière. Il n'avait même pas ôté son chapeau. Il n'avait même pas lâché la boîte de chocolats à la liqueur qu'il avait à la main.

« Je pisse sur tes choux ! » s'était écriée Yola en le voyant battre en retraite, mais l'insulte avait glissé sur lui comme le beurre sur une boulette toute chaude.

Yola avait mis du temps à s'en remettre. Et il faut reconnaître que jamais elle n'en avait voulu à Mirek. Jamais.

« Pourquoi ne pas montrer tes photos à Tomasz ? dit Marta en allumant le feu.

– Je suis sûre que Tomasz n'a pas du tout envie de voir mes photos inintéressantes. » Yola donne un coup de pied dans les tibias de Marta. Ses tibias commencent à être couverts de bleus.

« J'aimerais beaucoup voir tes photos », répond Tomasz.

Yola est donc obligée de sortir les trois photos qu'elle a toujours sur elle. La jolie maison de Zdroj avec son jardin qui descend en pente douce vers la rivière, et les pruniers et les cerisiers de son verger. Les quatre chèvres de Masurie légèrement floues car elles ne voulaient pas rester immobiles. Et Mirek assis sur une balançoire dans le jardin avec son adorable sourire sur sa grosse figure toute ronde, sa langue sortie et ses jolis yeux étirés plissés par le rire.

« C'est ton fils ?

– Mirek, mon fils chéri.

– J'aimerais beaucoup le rencontrer. »

~

Le lendemain matin, Andriy se réveille de bonne heure, totalement désorienté. Quelque chose a changé dans la caravane. Il entend des rires et des chuchotements. Où est passé Emanuel ? À sa place, dans le petit lit d'à côté, Tomasz dort à poings fermés. À l'autre bout de la caravane, le grand lit déplié est occupé par Yola et Marta. Andriy ferme les yeux et fait semblant de dormir. Quelque temps plus tard, les chuchotements s'interrompent et Marta se lève et met l'eau à chauffer. Emanuel, qui a eu l'obligeance d'aller dormir dans la Land Rover, vient les rejoindre pour le petit déjeuner.

Ce n'est qu'en milieu de matinée qu'ils arrivent à la gare maritime de Douvres, en se dépêchant tous. Contrairement à ce que Vitaly leur avait annoncé, Yola, Tomasz et Marta n'ont aucun mal à changer leurs billets. Ils se disent au revoir devant le port en échangeant leurs adresses au milieu des larmes et des embrassades.

« On reviendra, dit Tomasz.

– C'est sûr, promet Yola. Mais pas pour poulet ou fraises. Maintenant on est dans marketing Europe, on peut gagner beaucoup argent ici. Je serai professeur. Tomek sera bureaucrate de gouvernement. Marta… qu'est-ce que tu seras, Marta ?

– Je serai végétarienne, dit Marta.

– Un jour Ukraina sera aussi dans marketing Europe. » Elle embrasse Andriy sur les deux joues. « Et Afrique aussi. » Elle fait deux petites bises à Emanuel qui se tamponne les yeux sur la manche de son anorak vert.

Il est si difficile d'abattre d'anciennes frontières et si facile d'en créer de nouvelles. Le cœur lourd, Andriy regarde le ferry s'éloigner du quai. À la tristesse de la séparation se mêle celle qu'il éprouve à l'idée de se trouver de l'autre côté de cette nouvelle frontière qui divise l'Europe. Il faudra du temps avant qu'il puisse travailler librement en Angleterre. Même en Russie, les Ukrainiens sont dans l'illégalité à présent. L'Ukraine sera-t-elle bientôt la nouvelle Afrique ? Il passe le bras autour des épaules d'Emanuel. « On y va. »

Ils traversent le port, où une foule se rassemble pour accueillir un ferry qui arrive à quai. Andriy s'arrête pour regarder en repensant au jour où lui aussi est arrivé, il y a de ça presque un mois. Qu'est devenu l'innocent jeune homme insouciant qui avait débarqué avec son affreux pantalon, le cœur plein d'espoir ? Enfin, le pantalon est toujours le même.

Un frémissement parcourt la foule. Deux silhouettes qui se tenaient côte à côte partent dans des directions opposées. Il aperçoit la lueur d'un crâne rasé qui se dirige tout droit vers la gare – Vitaly – et se souvient des soixante-cinq livres qui lui restent après le plein d'essence. Il vaut mieux qu'ils y aillent avant qu'il ne les repère. De l'autre côté, une barre sombre s'ouvre sur le passage d'une silhouette trapue vêtue de noir qui fend la foule à pas pressés en baissant la tête. Andriy reconnaît aussitôt Vulk. Les battements de son cœur s'accélèrent. Faut-il qu'il le prenne directement à partie ? Ou vaut-il mieux qu'il se montre aimable pour essayer de lui soutirer des informations ? Au bout du compte, il ne fait ni l'un ni l'autre – il va à sa rencontre et lui demande de but en blanc en anglais : « S'il vous plaît, dites-moi où est Irina. »

Vulk a l'air stupéfait. Il ne reconnaît pas Andriy.

« Irina ? C'est qui ? »

Andriy se sent bouillir de colère. Ce monstre qui a essayé de l'enlever ne lui a pas même demandé comment elle s'appelait. Pour lui, ce n'est qu'un morceau de chair anonyme.

« Ukrainienne de cueillette de fraises. Tu te rappelles ? Tu emporté dans ta voiture. »

Vulk regarde autour de lui d'un air fuyant. « L'Ukrainienne n'être pas avec moi.

– Alors elle est où ?

– Tu es qui ? » demande Vulk.

Réfléchissant vite, Andriy met les mains dans ses poches et plisse les yeux en s'efforçant d'imiter l'expression de Vulk. « Je suis de Sheffield. Je connais quelqu'un qui paiera bon prix pour cette fille. »

Vulk le regarde d'un œil rusé. Voilà un langage qu'il comprend. « C'est être fille de luxe très chère. Moi aussi je mettre bon prix pour elle.

– Je suis expert à retrouver les gens disparus. Mon ami (il montre Emanuel) est très talenté dans la trace et les empreintes du pas.

– *Mooli bwanji ?* lance Emanuel avec un sourire rayonnant.

– Et on a chien. »

Le Chien aboie.

« Si tu trouves elle, tu me dis ?

– Combien tu paies ?

– Combien payer l'autre ?

– Six mille. Six mille livres, pas dollars. »

Vulk pousse un sifflement. « C'est bon prix. Écoute, on va faire affaire. Je vais donner trois mille, plus pourcentage de gain.

– Quel gain ?

– Quand elle gagne argent, toi, tu as pourcentage. Beaucoup argent, mon ami. Cette fille gagnera tous les soirs cinq cents, six cents, plus peut-être. Peut-être même on emmène ça Sheffield. Massage luxe. J'ai avoir contact. Clientèle luxe VIP seulement. Anglais aime Ukrainienne. Bonne fille propre sans petit ami comme ça, première fois homme prend ça payer cinq cents. » Puis il s'interrompt, secoue sa queue-de-cheval grisonnante. Sa figure s'adoucit. « Non, première fois, Vulk prend ça. Je perds argent, mais j'ai beaucoup. Hrr. Bon amourrr. »

Il sourit, un sourire humide taché par le tabac. Andriy sent le sang qui lui bat dans les tempes. Il serre les poings le long de son corps – ce n'est pas le moment d'exploser. Il se force à sourire.

« Mais cette fille – cette fille de luxe. Elle restera pas avec nous. Elle enfuira.

– Ah ah, ça restera, pas problème. J'ai ami, fait-il avec un clin d'œil. Ami rendre petite visite à maison de mamma à Kiev, dit à mamma Irina pas bon travail, ton famille avoir gros ennuis. Peut-être quelqu'un mourir. Pas problème. Toutes les filles restent quand je dis ça. Dans deux trois ans on sera millionnaires. Et autre avantage – c'est que quand ça reposer, quand l'autre pas là, on peut profiter. »

Andriy sent une pression de marteau-pilon monter dans sa poitrine. Du sang-froid, Palenko. Contrôle-toi. La gorge si serrée qu'il peut à peine parler, il demande : « Quel pourcentage j'ai ?

– Cinquante-cinquante, dit Vulk. Plus argent avec fille que cueilleur de fraises. Fraises bientôt terminées. Fille continue. Un an, deux ans, trois ans. Toujours bons revenus. Peu les coûts. Pas le salaire à payer, juste nourriture. Et vêtements. Hrr. Vêtements sexy.

– OK. Cinquante-cinquante, c'est une bonne affaire. »

Vulk lui donne son numéro de portable et lui décrit une aire de pique-nique avec de l'herbe sur la route de Sherbury, entre Canterbury et Ashford. Andriy sait exactement où elle se trouve.

« Elle est là ?

– Avant. J'ai allé regarder. Maintenant je crois elle partie. Ou morte. Peut-être le chien va trouver.

– Où elle peut aller ? »

Vulk hausse les épaules.

« Peut-être Londres. Peut-être Douvres. Je chercher encore. J'ai passeport.

– Tu as passeport d'Irina ?

– Sans passeport, ça peut pas aller loin. Peut-être dans autre champ de fraises. Quelqu'un me téléphoner hier de Sherbury, à côté l'aire du pique-nique. Ukrainienne sans papir. Peut-être le même. Je vais voir. Si le même, je le prends. Ou peut-être autre gentille Ukrainienne vient vers Vulk. Faire amour. Faire affaire. Je le donnerai passeport. J'ai les plein. »

Cinq salles de bains

Les Fraises du pays Sherbury étaient une entreprise d'une tout autre envergure que la vieille ferme délabrée de Leapish. Tout était mieux, le travail, la paie, les caravanes. Il y avait des équipements – une grange séparée avec une table de ping-pong, une salle commune, une télévision, une cabine téléphonique. Même les fraises étaient mieux, ou c'est du moins l'impression qu'elles donnaient, y compris du point de vue de la taille et de la couleur. Et pourtant, chaque matin depuis mon arrivée, je me réveillais avec le sentiment d'un vide, d'un abîme en moi, comme s'il me manquait quelque chose d'essentiel.

Non, ce n'était certainement pas ce mineur ukrainien qui me manquait. Des jeunes Ukrainiens, il y en avait beaucoup ici et ils n'avaient pas le moindre intérêt. Peut-être était-ce la dimension des lieux – une cinquantaine de caravanes alignées côte à côte en rangs si serrés que ça ressemblait davantage à une ville qu'à une ferme. On ne voyait pas la forêt, ni l'horizon, et le matin on n'était pas réveillé par les oiseaux mais par les camions et le fracas des palettes dans la cour. On ne s'entendait pas penser car les gens passaient leur temps à discuter ou écouter la radio. Tant de questions s'agitaient dans ma tête que j'avais besoin d'un peu de silence et de tranquillité.

OK, je sais bien que ça paraît snob, mais ces Ukrainiens n'étaient pas mon genre. Tout ce qu'ils voulaient, c'était écouter de la pop et savoir qui couchait avec qui. Oksana, Lena et Tasya n'arrêtaient pas de dire : Hé, Irina, je crois que tu as tapé dans l'œil de Boris. Cette espèce de porc. Je faisais tout mon possible pour l'éviter. Le sexe pour le sexe ne m'intéresse pas – je préfère attendre le bon. Ma mère a dû penser que pappa était le bon. Le plus triste, c'est qu'elle le pense encore. Hier soir, je l'ai appelée en PCV de la cabine téléphonique. Comme je ne voulais pas l'inquiéter, je lui ai dit que j'avais quitté la ferme pour aller travailler dans une autre. Mamma s'est mise à pleurer en me disant de rentrer à la maison, elle se sentait si seule. Je lui ai répondu sèchement de se taire et de me fiche la paix. Ce n'était pas étonnant que pappa ait quitté la maison si elle passait son temps à le harceler comme ça. Je savais que je n'aurais pas dû dire ça, mais c'est sorti tout seul. Quand j'ai raccroché, je me suis mise à pleurer aussi.

Aujourd'hui, après le travail, j'ai essayé de lire un livre en anglais sur mon lit, mais j'étais incapable de me concentrer. J'avais passé quasiment toute la journée à pleurer sans raison. Qu'est-ce qui m'arrivait ? *Irina, tu devrais rappeler mamma. Tu devrais t'excuser.* Oui, je sais, mais… J'ai enfilé mon jean et mon pull parce qu'il commençait à faire froid et je suis sortie pour aller à la cabine téléphonique. J'ai demandé de la monnaie à quelqu'un. Il y avait pas mal de gens qui tournaient en rond. C'est alors que je l'ai vu.

Impossible de ne pas le reconnaître, même de dos : la veste en simili cuir, la queue de rat. Il était en haut des marches et frappait à la porte du bureau avant d'entrer. Ça m'a soulevé l'estomac. Était-ce mon imagination qui me jouait des tours ? J'ai fermé les yeux, puis je les ai rouverts. Il était toujours là. Peut-être étais-je condamnée à le voir où que j'aille ? *Non, évite de penser ça. Si tu penses ça, il t'aura. Vas-y, cours. Cours.*

~

Chère Sœur

Je suis toujours à Douvres où j'ai été piégé dans les passages du Temps mais j'ai des nouvelles de tout premier ordre pour toi.

Hier pendant que j'attendais Andree à la jetée Vitaly le mzungu rusé de la caravane de fraises est apparu soudain et nous a pressés de nous rendre dans une autre ville pour le massacre des poulets. Alors une grande Multitude a afflué et s'est mise à crier et parler en langues certains désiraient ardemment participer aussi au massacre et certains maudissaient Vitaly et méprisaient son nom. Un homme a crié que Vitaly est un *gigolo moldave* et j'ai gravé dans ma mémoire cette locution parce que je me demande ce que cela veut dire.

Mais quand nous nous sommes rendus au lieu des poulets Andree a fait un discours remarquable sur la Dignité disant qu'il y a des choses qu'on ne doit pas faire même pour de l'argent c'était comme Notre Seigneur chassant les marchands du temple. Alors les poulets ont été sauvés et nous avons ramené avec nous Tomach et Martyre et Yola qui avaient été cachés là et nous les avons retournés en Pologne. Et j'étais très triste de leur dire adieu surtout Tomach et sa guitare.

À Douvres nous avons rencontré la Progéniture de Satan et Andree lui a demandé l'emplacement de la belle cueilleuse fraises Irina parce qu'il est bien-aimé de cette dame et il dit qu'il doit la trouver avant que la Progéniture s'empare d'elle et exerce son Joug immonde sur elle. Alors pour activer son Salut nous avons retraversé ce pays qui est aussi vert que le plateau de Zomba avec beaucoup de bosquets d'arbres et de buissons en fleur couronnant le sommet des collines. Puis Andree m'a demandé comment était mon pays et je lui ai dit que nos collines et nos plaines sont remarquables de beauté et que notre peuple est renommé pour avoir le cœur le plus chaleureux d'Afrique et que tout est cassé. Ton pays a l'air de ressembler beaucoup à l'Ukraine il m'a dit d'un ton fraternel. Je lui ai dit qu'à la saison sèche tout est couvert de poussière rouge. En Ukraine la poussière est noire il m'a dit.

Andree est un homme bon avec le cœur rempli d'amour fraternel. Même s'il a un nom de femme et que son anglais est faible à part Toby Makenzi c'est le meilleur mzungu que j'ai rencontré de ma vie. Peut-être qu'il a un cœur africain et aussi son chien. Et puis c'est un conducteur remarquable parce qu'il nous a délivrés de bien des périls avec le secours de saint Christophe dont je porte toujours autour du cou la médaille qui m'a été donnée par le père Augustine avec la prière de me ramener sain et sauf à Zomba.

Quelquefois je rêve des beautés de Zomba et des bonnes sœurs de l'Immaculée Conception à Limbe à côté qui m'ont pris après que nos parents sont morts et que nos sœurs sont allées travailler à Lilongwe et que toi ma très bienheureuse et très chère sœur tu as gagné ta bourse d'infirmière à Blantyre et que j'ai été esseulé.

Et puis le bon père Augustine est devenu comme un père pour moi et avant que je vienne en Angleterre il m'a parlé de la prêtrise avec douceur et bienveillance en me disant que je ferais un prêtre de tout premier ordre et que je pourrais aller au séminaire de Zomba pour apprendre les Mystères ce qui est très désireux pour moi parce que j'ai faim et soif de Connaissance. Et il a dit que tu diras Adieu à la mort parce que la mort est seulement pour le corps pas l'âme et tu chanteras dans le chœur des anges.

Mais Adieu à la Mort, cela veut aussi dire Adieu à la connaissance chenal qui est un plaisir terrestre et c'est pourquoi je suis troublé dans mon cœur chère sœur. Parce que j'ai une Décision à prendre.

Alors sur la route j'ai demandé à mon ami mzungu Andree est-ce que tu comprends le cœur de Dieu ? Il m'a dit que personne ne comprend cela et que si on ne peut résoudre un problème pourquoi perdre du temps à se tracasser ? Puis il nous a amenés dans le même endroit feuillu où nous nous sommes arrêtés une fois et nous avons mangé comme les Disciples du pain et du poisson. Mais comme j'étais toujours insatisfait j'ai demandé frère Andree as-tu déjà expérimenté la connaissance chenal ?

Après un passe-temps il a dit Emanuel pourquoi tu me poses cette question ? Et je lui ai présenté mon tourment parce que j'ai dit si je choisis la connaissance chenal je traverserais les ravins de la mort. Andree a secoué la tête et il m'a dit mon ami pourquoi tu me poses toute cette grande question ? Pourquoi tu parles tout le temps de chenal ? Pourquoi tu penses toujours à la mort ? Tu es trop jeune pour penser à ça. Aujourd'hui la seule question pour nous c'est où est Irina ???

~

JE SUIS UN CHIEN JE COURS JE FLAIRE MON HOMME DIT VA CHERCHER L'ODEUR DE RUBAN SUR LE COU DE LA FEMME JE FLAIRE JE TROUVE DES ARBRES AVEC CETTE ODEUR DE FEMME MAIS ELLE N'EST PAS LÀ JE TROUVE UN PAPIER DE NOURRITURE QUI PUE AVEC ODEUR DE FEMME JE DIS À MON HOMME IL NE COMPREND PAS COURS VA CHERCHER FLAIRE IL DIT JE FLAIRE JE COURS JE SUIS UN CHIEN

~

Mais que fait cet imbécile de Chien à courir en rond en flairant des vieux bouts de papier et des mégots de cigares au lieu de suivre sa trace ? Est-ce que ça veut dire qu'elle n'est plus là ? se demande Andriy. Un souffle lui glace le cœur. Comment s'appelait l'autre exploitation de fraises qu'a mentionnée Vulk ? Sherbury ? Il devrait peut-être aller y jeter un coup d'œil.

L'embranchement de Sherbury se trouve à quelques kilomètres de là. Quand la route commence à grimper, il ralentit et passe prudemment la première pour attaquer la montée. Il longe l'aire de stationnement avec sa rangée de peupliers et là, en contrebas, il aperçoit leur champ de fraises, le préfabriqué avec sa porte verrouillée, la maison mobile et même l'écran qu'il a fabriqué pour la douche des femmes. Tout lui paraît si familier et pourtant si lointain, comme lorsqu'on retourne sur les lieux de son enfance. Au bas du champ se trouve la barrière d'où un autre Palenko, plus insouciant, observait les voitures en rêvant d'une blonde en Ferrari.

Si elle est encore en vie et qu'elle se cache, se dit-il, peut-être viendra-t-elle là. Il fait demi-tour et franchit la barrière, puis se gare à côté du préfabriqué. Le champ semble avoir été laissé à l'abandon. Il est clair que personne n'est venu cueillir ces fraises depuis longtemps. Beaucoup d'entre elles sont trop mûres et pourrissent au sol. Les rangées de plants sont envahies par les mauvaises herbes.

Emanuel descend d'un bond, va chercher tous les bols de leur caravane et remonte le champ en les remplissant de fraises. Il met une fraise sur deux dans sa bouche. Doit-il lui dire d'arrêter ? Peu importe. S'il a un peu de relâchement dans les intestins tout à l'heure, ce ne sera pas la fin du monde.

La maison mobile a été replacée sur ses briques, mais elle a l'air morne, abandonnée – des mouches mortes sous les fenêtres, des toiles d'araignée, une odeur de moisi et de renfermé qu'il n'avait jamais remarquée quand il y habitait. Il regarde son ancien lit, le matelas sale couvert de taches de sueur. Ça non plus, il ne l'avait jamais remarqué. C'est un tout autre Andriy Palenko qui dormait là – il est déjà trop petit pour lui, comme une paire de chaussures trop serrées. C'est arrivé si vite.

Hmm. Il y a des traces d'activité récente : deux verres dans l'évier qui sentent légèrement l'alcool et un préservatif usagé par terre, au pied du grand lit. Des amants clandestins se sont retrouvés ici. Il sourit. Il ramasse le préservatif et l'enveloppe dans un bout de papier qu'il met à la poubelle avant qu'Emanuel ne le remarque. Mais Emanuel s'est jeté dans son vieux hamac et se balance doucement d'un air bienheureux. Andriy s'étend juste un moment sur le grand lit et contemple par la fenêtre le haut du champ où se trouvait avant la caravane des femmes. Il sombre dans une sorte de brume. Il ferme les yeux.

Par la sainte relique ! Soudain, il est six heures et quart ! Il secoue Emanuel.

« Viens, mon ami. On y va ! »

Pour aller plus vite, ils détachent la caravane de la Land Rover et la laissent sur place afin de la récupérer plus tard. Sans le dire à Emanuel, Andriy sort discrètement le revolver à cinq balles de son sac à dos et le glisse dans la poche de son pantalon.

La ferme de Sherbury n'est qu'à deux kilomètres de là. C'est davantage une usine qu'une ferme, un site industriel sans âme avec d'immenses salles d'emballage et des camions en attente de chargement. Il n'y a pas de champs de fraises à l'horizon, mais de l'autre côté d'un petit grillage un champ couvert de caravanes, des dizaines et des dizaines de boîtes oblongues anonymes aussi serrées que des voitures dans un parking. Il rentre la Land Rover dans la cour et regarde autour de lui.

En haut des marches du bâtiment en brique au fond de la cour, une porte est marquée « bureau ». Elle est fermée, mais il y a des gens qui traînent devant le bâtiment. Il les aborde au hasard : « Je cherche une Ukrainienne. Elle s'appelle Irina. » Ils l'envoient d'une caravane à l'autre en lui détaillant par le menu qui habite où, le retardant. Allez, allez. Le temps passe et on n'avance à rien.

Puis il le voit – il est certain qu'il n'était pas là quelques minutes auparavant : le gros 4 × 4 ventru avec ses vitres fumées, ses barres de chrome et ses sièges en cuir, qui luit au coin de la grange, à demi dissimulé, tapi comme une bête de proie prête à bondir. Un martèlement se met à résonner à l'intérieur de son crâne.

« Emanuel – tu commences par ce côté du champ. Je commence par là. Frappe toutes les portes. »

Il y a des Ukrainiens, des Polonais, des Roumains, des Bulgares, à croire qu'ils se sont tous donné rendez-vous. Il y en a qui connaissent Irina, certains ont même travaillé avec elle aujourd'hui. Pas de doute, c'est bien elle. Jolie. Les cheveux longs, bruns. Ils ne savent pas trop dans quelle caravane elle est. Allez, dépêchez-vous, bande d'idiots. À présent, tout se met à cogner en lui. Il court comme un fou d'une caravane à l'autre. Finalement, il frappe à la porte de la numéro 36.

« Oui, Irina habite là, dit la fille. Irina Blazkho. Mais elle est sortie. Et Lena aussi. Il y a vingt minutes peut-être.

– Lena est allée chercher des cigarettes, dit une autre. Je ne sais pas où est allée Irina. »

Elles accompagnent Andriy et Emanuel dans la salle commune de la grange où sont installés le distributeur de cigarettes et le téléphone, mais ni Lena ni Irina n'y sont. La foule de cueilleurs de fraises rassemblés là se met à chercher les filles disparues dans le champ de caravanes, la salle d'emballage, la grange, la cour. Il règne une atmosphère de confusion et d'agitation fébrile. Tout le monde veut savoir ce qui s'est passé. Puis il remarque un détail qui lui fige le cœur – le 4 × 4 noir a disparu de la cour.

Arrive-t-il trop tard ? Où sont-ils partis ? Peut-être sont-ils déjà sur le chemin de Douvres ? À moins que, oui – l'endroit où ils se sont arrêtés pour déjeuner. *Bon endroit pour possibiliser.* C'est là que Vulk les aura emmenées. Il s'efforce de ne pas penser à ce qui risque d'arriver aux filles. De rester concentré sur son objectif. Se trouver sur place le plus vite possible. Heureusement qu'il a laissé la caravane.

« Allez, viens, Emanuel, vite ! Le Chien ! Le Chien ! »

Cet imbécile d'animal a disparu. Il reviendra le chercher plus tard.

À présent qu'ils ne sont plus ralentis par la caravane, ils mettent moins de vingt minutes pour rejoindre l'aire de pique-nique. Il s'arrête à quelques mètres de l'embranchement, puis roule au pas aussi silencieusement que possible. Il avait vu juste, le 4 × 4 noir est bien là, garé un peu plus loin sur le chemin, derrière la table de pique-nique délabrée, à moitié dissimulé sous les branches d'un arbre. Il gare la Land Rover à proximité pour lui bloquer la sortie. Attends – tu es fou, Andriy Palenko ? Ce type est un tueur. Mais le poids rassurant du revolver contre sa cuisse lui donne du courage. Il saute de la voiture sans faire de bruit. Emanuel saute également. Ils s'avancent tous deux à pas de loup en rasant les buissons.

En approchant du 4 × 4, il s'aperçoit qu'il remue : on dirait qu'il rebondit en cadence sur ses suspensions. Il entend des gémissements et des grognements étouffés à l'intérieur. Le monstre ! Le torche-cul du diable !

Ils s'avancent sur la pointe des pieds. La nuit commence à tomber. Les vitres fumées du 4 × 4 sont embuées, et il est impossible de voir ce qui se passe à l'intérieur. Puis il remarque que la vitre du conducteur est entrouverte d'un centimètre. Il se colle à la vitre en mettant les mains en coupe autour de ses yeux. Les sièges ont été rabattus pour former un lit et il voit une femme allongée, nue, les seins pâles négligemment offerts, la tête renversée en arrière, les genoux blancs écartés. Et entre ces genoux blancs d'adolescente la croupe massive de Vulk qui besogne inlassablement.

« Stop ! »

Une explosion de roquettes retentit dans son crâne. Tous ses plans, toutes ses stratégies sont balayés. Impuissant, il se met à cogner des poings contre la vitre en hurlant : « Stop ! Stop ! Stop ! Stop ! »

Dans le 4 × 4, le couple se fige. Andriy entrevoit un éclat pourpre à l'instant où Vulk en pleine érection se retire de la fille. Il se redresse sur ses avant-bras et beugle

« Rrhhhaaa ». Puis il se laisse retomber sur la fille en poussant un grognement.

La fille lève la tête et se tourne vers la vitre, les yeux vides comme des puits asséchés, la bouche mollement entrouverte. Mais qu'a-t-elle fait à ses cheveux ? À cet instant, il se rend compte que ce n'est pas Irina.

Quand la fille aperçoit les yeux qui l'observent derrière la vitre, sa bouche s'ouvre en grand. Elle crie. Elle ne peut pas bouger ; elle est clouée sous l'énorme ventre de Vulk. Elle essaie désespérément de se redresser. Soudain, Andriy sent qu'Emanuel frissonne à son côté en se démanchant le cou pour voir par la fente avec un enthousiasme manifeste.

« Emanuel ! Retourne dans Land Rover ! Tu ne dois pas voir ça ! »

Emanuel le regarde avec un sourire mystérieux.

« Connaissance chenal ! »

Qu'est-ce qui lui prend ?

Le couple essaie tant bien que mal de se rhabiller ; la fille couvre de ses bras son mince corps juvénile en tremblant, tandis que Vulk tente d'attraper son pantalon qui est coincé aux chevilles dans ses boots. Mais c'est impossible, il n'y a pas assez de place à l'arrière du 4 × 4, alors il ouvre la portière, balance ses grosses jambes dehors et se contorsionne pour enfiler son pantalon en grimaçant de douleur. Andriy attend.

« Quel diable tu es ? » crie-t-il. Sa fureur lui donne du courage – ainsi que le poids du revolver dans sa poche. « Pourquoi tu prendre cette jeune fille ?

– Espèce imbécile ! Je te tuer ! » La mâchoire de Vulk se contracte nerveusement, il serre et desserre les poings en essayant de remonter la fermeture éclair pour couvrir sa monstruosité.

« Où est Irina ?

– Pas ici. C'être pas ici. Crétin. Tu vois bien. C'être une autre.

– Où est Irina ? Je sais que tu la cherches.

– Irina court. Elle court loin de Vulk. Toujours courir. »

Il s'attend à moitié à ce que Vulk braque un revolver sur lui, mais soit il ne l'a pas remplacé, soit il a décidé qu'il avait davantage besoin de nicotine que d'une confrontation armée, car il renonce à lutter avec sa fermeture éclair, allume un cigare d'une main tremblante et se met à tirer dessus comme si sa vie en dépendait, en aspirant la fumée entre ses dents.

« Écoute, marmonne-t-il, si tu trouver cette Irina, je payer toi pour ça. Bon prix. »

Andriy éprouve un soulagement mêlé de dégoût.

« Pourquoi tu veux elle ? Tu as cette fille maintenant. »

Vulk tire une bouffée en mâchonnant le cigare de ses dents tachées, noyant Andriy dans un nuage de fumée.

Il se passe rapidement la langue sur ses lèvres roses et humides. On dirait un serpent.

« Irina est mieux. Plus de classe. Pas copain. Hrrr. J'aimer ça.

– Espèce de vieillard dégénéré. Pourquoi tu pas trouver gentille babouchka pour baiser ?

– Fille jeune bien pour vieux. » Vulk darde sa langue de serpent. « Ça le rendre bien dur. Bonne affaire. »

Il recommence à se débattre avec sa braguette dans un nuage de fumée, et quand il réussit enfin à la remonter, il pousse un grognement de soulagement. Andriy l'observe, fasciné malgré lui par le physique impressionnant de l'homme, ces yeux cupides, ce sourire possessif, cette masse répugnante tendue comme un tambour au-dessus de la ceinture de son pantalon, les pellicules qui parsèment son col comme autant de fientes de mortalité. Voilà donc l'incarnation du diable.

« C'est pour amour que tu veux ? Ou pour affaires ?

– Amourrr ? Affaires ? » Il sourit. « C'être pareil, non ? »

Cette espèce de vieux démon corrompu – il ne fait même pas la différence.

« Peut-être petit jeunot tu préférer plus vieille ? ironise Vulk à voix basse d'un ton graveleux. Si tu veux, je peux trouver pour toi. Bonne femme. Mature. Beaucoup nichons. Mieux que elle. Elle te rendre bien dur. »

Puis il passe la main à l'arrière du 4 × 4 où la fille enfile un jean trop serré et lui donne une tape sur les fesses.

« C'est mon nouvelle petite copine. Hein, Lena ? Il te plaire, Vulk ? »

Elle pousse un petit cri coquin.

Andriy se penche à la portière. « Où est Irina ? lui demande-t-il à voix basse en ukrainien. Tu l'as vue ? »

La fille a l'air d'avoir à peine quinze ans. Elle a le regard totalement vide, insondable. Elle hausse les épaules. « Elle ne parle à personne, celle-là. Elle se croit supérieure aux autres Ukrainiens. » Elle a une voix jeune et légèrement voilée, avec un fort accent de Kharkov. Elle baisse les yeux, les détourne, évitant de croiser son regard.

« Tu viens avec moi, petite sœur. » Il lui tend la main. « Tu n'as rien à faire ici. Je te ramène à la ferme. »

Elle lève ses yeux bruns et lui jette un bref regard à mi-chemin entre la crainte et le mépris.

« Tu te prends pour qui, le petit malin, à fourrer ton nez partout ? » Il remarque alors une légère odeur de vodka. « Qui t'a demandé de venir ?

– Petite sœur, tu es trop jeune pour ces jeux-là. Tu devrais être à l'école.

– J'ai dix-sept ans. Je suis plus vieille que tu crois. » Elle est descendue du 4 × 4 et boutonne son gilet. Elle mesure à peine plus d'un mètre cinquante. Sa voix enrouée se fait provocante. « Et ce jeu-là, je le connais depuis que j'ai douze ans. » À la lueur du crépuscule, les flaques inertes de ses yeux jettent un éclat sombre. « D'abord avec l'oncle. Puis avec d'autres. Tu te crois si malin. Tu crois tout savoir. Qu'est-ce que t'en sais, toi, de la vie d'une femme à Yasnygor ?

Il pense à sa mère, le visage défait à quarante-cinq ans, grattant la terre pour ramasser des bouts de charbon au bord de la voie ferrée qui passe non loin de chez eux, à sa sœur trimant toute la journée pour entretenir son ivrogne de mari avant de rentrer lui préparer son dîner.

« Petite sœur, personne d'autre ne connaît ta vie. Mais tu peux essayer d'avoir une vie meilleure.

– C'est bien ce que je fais. C'est mon petit copain. » Elle caresse la queue-de-cheval de Vulk, l'ombre d'un sourire aux lèvres. « Il me donne de l'argent. Il me donne un nouveau boulot. Mieux que la cueillette des fraises. Hein, Vulchik ? »

Il aimerait l'empoigner à deux mains et la secouer – chasser ce pitoyable sourire de sa figure, chasser la torpeur de son regard. Qu'arrive-t-il à son pays ? Il se change peu à peu en désert humain.

« Ce nouveau boulot, c'est seulement coucher pour de l'argent. »

Le sourire vacille.

« Coucher pour de l'argent. Coucher gratis. Puisque t'es si malin, le fouineur, qu'est-ce qui vaut mieux à ton avis ? »

~

JE SUIS UN CHIEN JE COURS JE CHERCHE LA JEUNE FEMELLE AVEC L'ODEUR DE RUBAN DANS LE COU POUR MON HOMME À PISSE D'AIL ET D'AMOUR JE LA SENS SNIFF ELLE EST LÀ ELLE COURT LE GROS HOMME QUI PUE LA FUMÉE COURT APRÈS ELLE J'ABOIE AAARRRR AAARRRR JE COURS J'ATTRAPE JE LUI MORDS LA JAMBE JE LUI MORDS LE BRAS JE SENS SON MAUVAIS SANG AAARRR AAAARRR IL CRIE IL S'ARRÊTE ELLE S'ENFUIT JE LA SUIS WOUF ELLE S'ARRÊTE JE M'ARRÊTE ELLE SE RETOURNE ET COURT ELLE COURT JE COURS APRÈS WOUF WOUF ELLE COURT DANS LA MAUVAISE DIRECTION ELLE COURT TROP VITE JE COURS DEVANT ELLE JE M'ASSIEDS LE MUSEAU AU SOL ELLE S'ARRÊTE JE M'APPROCHE WOUF WOUF ELLE NE SAIT PAS VERS OÙ COURIR CETTE JEUNE FEMELLE EST PLUS STUPIDE QU'UN MOUTON WOUF WOUF ELLE TOURNE ET SE MET À COURIR DANS UNE AUTRE DIRECTION JE COURS DEVANT ELLE JE M'ASSIEDS LE MUSEAU AU SOL WOUF ELLE S'ARRÊTE ELLE PREND UNE AUTRE DIRECTION CETTE FOIS C'EST LA BONNE DIRECTION ELLE COURT DANS LA BONNE DIRECTION JE COURS DERRIÈRE PAS TROP VITE QUAND ELLE S'ARRÊTE JE M'APPROCHE ARFF ARFF ELLE SE REMET À COURIR ELLE COURT VERS MA MAISON À ROUES ELLE COURT JE COURS JE SUIS UN CHIEN

~

Chère Sœur

Aujourd'hui j'ai eu le bonheur d'une occasion réjouissante d'être témoin de la connaissance chenal grâce au bon mzungu Andree qui m'a réconforté avec de l'amour fraternel, de peur que je n'aie jamais vu ce spectacle avant alors que j'ai été témoin de la connaissance chenal plus d'une fois parce que c'est courant à Limbe cependant pas avec les sœurs.

Quand la Progéniture de Satan a crié en maudissant sa virilité dressée cela m'a rappelé la fois où Joel le conducteur borgne a été vu dans le jardin de Mrs Phiri par sept garçons de l'orphelinat qui avaient encerclé les adultères dans la fièvre brûlante de leur péché et leur avaient jeté des mangues qui étaient mûres et pleines de jus jaune. Cela aussi était un événement réjouissant.

Alors s'est produit l'événement le plus remarquable parce qu'en retournant à la caravane Andree avait encore le cœur lourd et nous avons trouvé le Chien qui aboyait comme s'il était possédé et à l'intérieur de la caravane il y avait la magnifique Irina bien-aimée d'Andree. Et la face d'Andree est devenue radieuse et il s'est ensuivi beaucoup de réjouissantes embrassades. Les yeux d'Andree brillaient d'une façon indigne d'un homme et ceux d'Irina aussi quoique assurément ce n'était pas indigne d'un homme puisque c'est une femme. Enfin si. C'est très déroutant. Et mes yeux aussi étaient comme ceux de la femme.

~

JE SUIS UN CHIEN JE SUIS UN BON CHIEN J'AI CHASSÉ L'HOMME QUI PUE LA FUMÉE J'AI RAMENÉ LA FEMELLE PLUS BÊTE QU'UN MOUTON À L'ODEUR DE RUBAN SUR LE COU À L'HOMME À LA PISSE D'AIL ET D'AMOUR IL EST CONTENT ELLE EST CONTENTE ILS DISENT BON CHIEN JE SUIS UN BON CHIEN JE VOIS UN GROS PIGEON QUI SE POSE POUR MANGER DES BAIES MANGE DES BAIES TROP OCCUPÉ À MANGER IL NE REGARDE PAS JE BONDIS JE TUE D'UN COUP DE MÂCHOIRES JE RAPPORTE À MON HOMME BON CHIEN DIT L'HOMME À PISSE D'AIL ET D'AMOUR BON CHIEN DIT L'HOMME À PISSE DE VIANDE ET D'HERBE JE SUIS UN BON

CHIEN JE SUIS FATIGUÉ APRÈS TOUT CE TRAVAIL DE BON CHIEN JE ME REPOSE LA TÊTE SUR LES PATTES À CÔTÉ DU FEU AVEC MON HOMME J'ÉCOUTE LE CHANT DE L'OISEAU IL CHANTE DANS LE LANGAGE DES OISEAUX C'EST MON CHAMP FICHE LE CAMP C'EST MA FORÊT FICHE LE CAMP LA FEMELLE DIT COMME LE CHANT DE L'OISEAU EST BEAU ELLE EST PLUS BÊTE QU'UN MOUTON CET OISEAU N'EST PAS UN BON OISEAU S'IL DESCEND DE SON ARBRE JE L'ATTRAPERAI JE LE TUERAI D'UN COUP DE MÂCHOIRES JE LE MANGERAI JE SUIS UN BON CHIEN JE SUIS UN CHIEN

~

Chère Sœur

Ce soir nous avons festoyé avec du pain de la mandarine et des carottes que nous avions en abondance et un gros pigeon qui a été captivé par le chien et des fraises qui étaient encore plus délicates qu'avant. Nous avons fait un grand feu et nous nous sommes assis en haut de la colline d'où nous avons pu admirer le magnifique coucher de soleil (mais pas aussi magnifique que le coucher de soleil de Zomba) et l'oiseau perché sur la branche chantait son chant joyeux et le chien qui court était au repos. Puis nous nous sommes remémoré nos précédents festins en ce lieu et les chansons que nous avions chantées et Andree a dit Emanuel chante-nous quelque chose. Alors j'ai fermé les yeux et ouvert mon cœur et chanté la prière pour la paix Dona Nobis Pacem. Et nous avons encore versé des larmes indignes d'un homme.

Alors que les premières étoiles piquaient le ferment Irina a dit qu'elle était épuisée et elle est rentrée dans la petite caravane qui était avant la résidence des femmes. Comme je me suis dit qu'il y aurait peut-être de la connaissance chenal entre ces deux-là je suis allé dans la caravane vide qui était avant la résidence des hommes et c'était un délice pour moi de dormir dans le hamac que j'avais fabriqué là.

Avant de dormir j'ai prié comme tous les soirs pour le pardon de mes péchés et pour que le Seigneur me protège du mal et que je sois réuni à toi ma chère sœur. Puis je me suis mis à penser à sœur Theodosia qui était l'organiste du couvent à Limbe qui est grosse et bien-aimée du chant et qui m'a appris la prière pour la paix que j'ai chantée ce soir et beaucoup d'autres chants magnifiques.

J'étais transporté dans le souvenir de sœur Theodosia et de sa musique tout le temps là à battre les deux pédales avec ses deux petits pieds que je me remémorais avec grand plaisir quand la porte de la caravane s'est ouverte et Andree est entré très silencieusement pour ne pas me réveiller bien que je ne dorme pas et Andree s'est déshabillé et s'est couché sur son lit. Et je me suis dit que si la connaissance chenal s'était produite entre ces deux-là c'était très dépêché ou que si elle ne s'était pas produite Andree était peut-être grièvement contrarié. Mais Andree n'a rien dit. Alors après quelque passe-temps j'ai été pris d'une Curiosité coupable et j'ai demandé en chuchotement Andree est-ce que tu as commis la connaissance chenal ? Il a passé le temps en silence puis il a dit d'une voix lourde dors Emanuel.

Bientôt j'ai déduit des respirations profondes qu'Andree était endormi et moi aussi j'étais sur le seuil du sommeil. Et quand l'obscurité m'a emporté je suis retourné dans mon rêve au temps d'avant l'orphelinat et le couvent et la mission le temps où on vivait dans notre petit village à côté de la rivière Shire avec nos parents et nos sœurs et nous parlions le chichewa qui est toujours la langue de mes rêves.

Soudain j'ai été rappelé du monde du rêve par un extraordinaire remue-ménage provoqué par l'aboiement du Chien suivi d'un embrasement de lumière infernal et de grondements de moteur. Andree a bondi du lit et s'est cogné la tête en lançant des blasphèmes dans sa langue ukrainienne parce qu'il faisait noir dans la caravane et sans les éclairages. J'ai sauté de mon hamac et ouvert les rideaux et nous avons vu que l'embrasement venait des phares d'une voiture. Puis Andree a mis son pantalon et j'ai cru que sa virilité était dressée mais il avait un gros article lourd dans la poche et j'ai aussi mis mon pantalon parce que j'avais peur que la Progéniture de Satan soit venue chercher Irina.

Dehors dans le champ c'était un charivari d'aboiements et de cris et d'embrasements et de grondements mais quand j'ai émergé de la caravane j'ai vu que ce n'était pas la Progéniture qui était arrivée mais Vitaly dont je t'ai déjà parlé avant et son accompagnement qui était une femme mature d'une beauté diminuée avec des cheveux blonds arrangés comme si elle avait un coquelet assis sur la tête. Et elle appuyait la joue sur l'épaule de Vitaly de façon roulante si bien que je me suis demandé si j'allais être témoin d'une autre connaissance chenal.

Vitaly !!! Qu'est-ce que tu fais ici ? Andree a crié.

Et toi alors ! Vitaly a crié.

Puis la femme à cheveux de coquelet s'est roulée de rire et elle a dit à Andree on se retrouve je croyais que je t'avais dit de décamper.

Et Vitaly a dit c'est ça décampe tu ne peux plus rester ici.

Et Andree a dit c'est toi qui décampes espèce de torche-cul du diable.

Et la femme a dit en n'arrêtant pas de considérer de façon impudique Andree qui avait un pantalon mais pas de chemise les garçons les garçons je vous en prie inutile de vous battre.

Et Vitaly a dit Wendy cet Ukrainien est un bon à rien.

Et la femme a dit d'une voix spacieuse ça va mon chou rentrons à la maison Lawrence s'en fiche il peut regarder.

Et Andree dit Lawrence le fermier ?

Et la femme a dit oui mon chou il vient juste de sortir de l'hôpital et il aime bien rester dans son fauteuil roulant à regarder faut dire que c'est le seul plaisir qui lui reste c'est bien fait pour lui ce vieux coureur de jupons.

Puis la femme à cheveux de coquelet est entrée dans la voiture qui était petite et rouge avec l'apparence d'un petit bijou et Vitaly est aussi entré dans la voiture. Et voici que Vitaly était assis à la place du conducteur. Vitaly a sorti les clés pour la voiture de sa poche et démarré avec un grondement terrible et avec des grondements encore plus terribles il a fait demi-tour. Et j'ai vu qu'Andree regardait Vitaly conduire la voiture et un nuage de désolation a assombri sa face.

Puis nous sommes retournés à la caravane et j'ai vu Andree sortir l'article de sa poche et le mettre au fond de son sac et retourner au lit et il s'est vite rendormi. Mais je ne pouvais pas dormir à cause du remue-ménage et au bout d'un moment j'ai été pris d'une Curiosité coupable et j'ai regardé dans le sac d'Andree et j'ai vu que l'article caché là était un revolver. Et mon cœur s'est mis à faire hip-hop comme un crapaud-buffle parce que le revolver est l'outil de Satan pour amener la tristesse et la mort dans le monde. Alors j'ai pris le revolver et je suis allé sur la pointe des pieds dans la forêt et je l'ai enterré sous les buissons d'épines car Andree est un homme bon et je veux le sauver du péché mortel.

~

Alors comme ça, Vitaly, le roi du mobilfon, a une petite copine angliska blonde et un coupé sport rouge. Et toi, Andriy Palenki, qu'est-ce que tu as ? Une vieille Land Rover qui a besoin d'un nouvel embrayage, un ami obsédé par les chenaux et un chien – en fait, le Chien est fantastique, il n'y a rien à dire sur le Chien. Et une Ukrainienne, qui est certes jolie mais ne manifeste pas la moindre attirance pour toi, ce qui, il faut l'admettre, est décevant après tout ce que tu as fait pour elle. Tu aurais bien aimé une petite récompense, ne serait-ce qu'un petit baiser.

Lorsque tu as tendu la main pour lui caresser la joue, cette irrésistible joue ronde mûre comme une pomme, avec courtoisie, cela dit, en gentleman, elle a reculé d'un bond comme si tu voulais la violer en criant : « Laisse-moi ! »

Puis elle s'est mise à pleurer et tu lui aurais bien passé le bras autour des épaules, mais tu ne voulais pas soulever de nouveaux cris de protestation. Pourquoi se conduit-elle comme ça ? Peut-être se croit-elle trop cultivée pour toi. Peut-être ne te trouve-t-elle pas si séduisant que ça, Andriy Palenko. Peut-être pense-t-elle encore à son boxeur, à moins qu'elle ne rêve d'un roi du business au mobilfon. Sur ce, elle veut se coucher et tu lui dis que tu retournes dans l'autre caravane, en pensant qu'elle dira non, Andriy, reste avec moi. Mais non. Tout ce qu'elle dit, c'est laisse-moi le Chien. Elle préfère le Chien ! Bon, tant pis. Alors tu retournes dans la caravane de mauvaise humeur. Et juste au moment où tu t'apprêtes à t'endormir, voilà qu'Emanuel se met à parler de chenal.

~

Cette façon qu'il a eue de me caresser la joue – ça m'a fait penser à Vulk. *Tu aimer ça, fleurrr...* mon corps tout entier s'est figé. J'ai essayé de lui expliquer, de lui dire ce que j'avais vécu la nuit dans la forêt, ce que ça faisait d'être pourchassée. Mais je n'ai pas pu dire un mot. Je me suis seulement mise à pleurer. J'avais envie qu'il me prenne dans ses bras, qu'il me réconforte, qu'il me rassure. Mais il a juste eu l'air contrarié. Puis il est allé dormir dans l'autre caravane avec Emanuel. Pourquoi n'est-il pas resté avec moi ? Je me sentais si seule, j'avais si peur que je lui ai demandé si le Chien pouvait rester avec moi, même si ça ne me plaisait qu'à moitié car il n'arrêtait pas de fourrer son nez entre mes jambes en me fixant de son regard de chien.

Au milieu de la nuit, le Chien s'est mis à aboyer. Quand j'ai ouvert les yeux et que j'ai vu les phares éblouissants d'une voiture dans le champ, j'ai été envahie par le désespoir. J'ai cru que c'était la fin. J'étais sûre que c'était Vulk qui venait me chercher.

La raison me dictait de m'enfuir, mais je ne pouvais pas. Soudain, j'étais fatiguée de courir, comme si non seulement mes jambes mais mon cœur étaient en plomb. J'avais eu le cœur si léger en voyant mon ruban orange au cou du Chien. Puis j'avais aperçu notre petite caravane si accueillante garée dans le champ. Elle n'est pas à sa place, m'étais-je dit. Je devais rêver – l'air qui embaumait le chèvrefeuille, la lumière irréelle du soir qui baignait la colline de reflets mauves. La porte n'était pas fermée. L'intérieur de la caravane chauffée au soleil embaumait les fraises, et c'est là que sur la table j'ai vu les six bols alignés remplis à ras bord. À qui étaient-ils destinés ? On se serait cru dans un conte de fées. C'était plus fort que moi – je me suis mise à manger. Mais qui avait bien pu les cueillir ? J'ai regardé autour de moi. Par terre, il y avait un anorak vert qui me disait quelque chose. Et là, dans le casier suspendu au-dessus du lit, il y avait mon sac en toile rayée ! Je l'ai ouvert. Ma chemise de nuit, ma brosse à cheveux, mon tee-shirt de rechange, des slips sales et même mon argent. J'avais l'impression qu'il avait été fouillé, mais tout y était. Même les photos qu'on avait fixées au mur : David Beckham, la Vierge noire de Cracovie, un bébé phoque, un bébé tigre et un petit panda. Mamma et pappa. Il n'en manquait aucune. Puis, quand j'ai vu Andriy et Emanuel entrer, j'ai su que je ne rêvais pas et je me suis dit : ça y est, je suis enfin en sûreté.

Non, je ne m'enfuirais plus. Au lieu de cela, je me suis glissée sous le lit pliant comme une bête traquée s'enfouit sous terre en m'enfonçant dans un recoin, bien à l'abri, je me suis pelotonnée et j'ai tiré tous les sacs de couchage autour de moi. Au bout d'un moment le calme est revenu et j'ai dû finir par m'endormir à force de pleurer. Je ne me rappelle pas de quoi j'ai rêvé cette nuit-là. Je me souviens juste que c'était un rêve de vide et de désespoir, comme si j'avais vidé jusqu'à la dernière goutte la coupe de la vie.

Au matin, j'ai été étonnée de me trouver encore en vie, couchée sous le lit. Le soleil brillait par la fenêtre. J'ai entendu Andriy et Emanuel qui couraient dans le champ en criant mon nom. Quand il a prononcé mon nom : « Iir-riiinaaa ! », j'ai senti un frisson qui me parcourait l'échine. Puis le Chien leur a montré où je me cachais et on s'est tous mis à rire. On a pris le petit déjeuner – des fraises et de nouveau du pain et de la margarine. Puis il a dit : « Aujourd'hui, on va à Londres pour retrouver l'ami d'Emanuel, Toby McKenzie. Tu veux que je te ramène à l'exploitation de fraises, Irina ? *Ii-rriii-naaa.* Ou tu veux venir avec nous ?

– Je viens avec vous. »

~

Chère Sœur

Aujourd'hui nous avons pris la route de Londres et comme j'étais à l'avant à côté d'Andree je me réjouissais de cette occasion de le questionner encore mais Andree a dit qu'il ne pouvait pas conduire et parler en anglais en même temps.

Alors je me suis trouvé à penser à la langue anglaise qui est quelquefois comme un terrible serpent glissant qui se faufile partout en déroulant ses anneaux écailleux dessus la langue. Ensuite le souvenir de mes premières leçons d'anglais à l'orphelinat de Limbe m'est remonté à la mémoire avec la sœur Benedicta qui n'était pas anglaise et n'avait même jamais été en Angleterre mais qui était de Goa en Inde et impartialement portugaise. Qui elle-même avait appris l'anglais d'une bonne sœur irlandaise qui avait débarqué on ne sait pas comment sur leur lointain rivage et que par son exemple la sœur Benedicta était devenue elle-même bonne sœur et qu'elle avait voyagé jusqu'en Afrique parce qu'il y avait beaucoup d'âmes en peine là-bas et parmi elles les nôtres disait-elle. Sœur Benedicta nous éduquait de force par le chant choral des Saintes Écritures prières sermons et autres objets édifiants de dévotion afin de les apprendre par cœur. Contrairement à sœur Theodosia qui était grosse sœur Benedicta était mince et austère avec une peau sombre brillante et des yeux perçants et elle avait des petites lunettes à monture dorée suspendues à son cou par une chaîne et elle était prompte à nous châtier avec sa canne.

Alors étant âgé de douze ans à l'époque et toi ma chère sœur déjà partie à Blantyre je me suis mis à m'interroger sur la connaissance chenal. Quand j'ai demandé à sœur Benedicta elle m'a agité la canne sous le nez mais sœur Theodosia m'a dit de demander au père Augustine à son retour de Zomba mais le père Augustine a dit que la connaissance chenal était un Péché et que le Salaire du Péché était la mort. Et à chaque fois que je pense à la connaissance chenal ces paroles résonnent avec fracas dans ma mémoire.

~

Andriy est encore contrarié par ce qui s'est passé hier soir et il n'est pas d'humeur à bavarder avec Emanuel qui est assis à côté de lui à l'avant de la Land Rover et lui sourit gaiement en l'interrogeant sur les chenaux. D'où lui vient cette obsession des chenaux ? Et pourquoi était-il si excité par les saletés qu'il voyait à l'arrière du 4 × 4 ? Il est bien trop innocent pour s'intéresser à ça. À moins qu'il ne le soit pas tant que ça.

Et puis il y a autre chose qui le tracasse : pourquoi Irina est-elle à l'arrière, alors qu'il va de soi que les femmes doivent s'installer à l'avant ? C'est sûrement parce qu'elle ne veut pas s'asseoir à côté de lui, c'est la seule explication possible. Est-il trop fruste pour elle ? Enfin, ça n'a aucune importance, bientôt il les déposera tous les deux à Londres, Emanuel chez Toby McKenzie et Irina à l'ambassade d'Ukraine où elle se fera faire un nouveau passeport, et il repartira vers Sheffield pour voir ce que le destin lui réserve là-bas.

Il ne réussit pas à se mettre en seconde et il est obligé de manœuvrer rapidement pour passer directement de la première à la troisième.

L'adresse qu'ils cherchent – Richmond Park – n'est apparemment qu'un grand champ planté d'arbres. Où sont toutes les maisons ? Finalement, on leur indique une petite rangée de maisons du côté sud. La maison qu'ils cherchent, le numéro 5, est tout au bout.

Avant même de franchir le portail, il voit bien que c'est la maison d'un riche homme d'affaires. Nombreuses fenêtres, portique central, double garage, etc. Vitaly finira sûrement par habiter un jour une maison haut de gamme dans ce style. Et la voiture ? Hmm. La seule voiture garée devant est une Volkswagen Golf GLS 2.0 – plutôt pas mal comme voiture, équipée d'un toit ouvrant, de sièges en cuir, d'un système hi-fi perfectionné, etc., avec apparemment une boîte de vitesses automatique, ce qui n'est pas idéal sur une voiture très puissante car on obtient de meilleures performances avec une boîte manuelle, mais c'est tout de même une bonne voiture. Il l'essaierait bien, mais franchement il aurait imaginé plus intéressant avec une maison comme celle-là.

Mais comment se fait-il qu'Emanuel connaisse un homme aussi riche ? Son ami remonte l'allée à grandes enjambées avec un grand sourire, son bout de papier à la main, et sonne à plusieurs reprises. Une femme apparaît sur le seuil. Elle doit avoir à peu près l'âge de Wendy, mais elle est plus belle, bien qu'elle ne soit pas blonde mais brune, avec quelques fils grisonnants ici et là et les cheveux élégamment tirés en arrière. En fait, elle ressemble à la Mrs Brown de *Let's Talk English*, avec la taille fine et une jolie poitrine, mais elle est pieds nus, avec les ongles violets. C'est si inattendu qu'il est obligé de se forcer à détourner le regard. Ces ongles de pied violets ont quelque chose d'incroyablement sexy.

Elle les regarde d'un air surpris, eux trois et le Chien, et prend le bout de papier que lui tend Emanuel.

« Oui, Toby habite bien ici. Mais il n'est pas là pour le moment. Puis-je vous demander qui vous êtes ?

– Je suis Emanuel Mwere et Toby est mon frère. Il y a deux ans de cela, il s'est lancé dans le bénévolat à Zomba près de Limbe et notre extrême amitié a commencé à cette époque.

– Zomba au Malawi ?

– Oui, madame. Toby était bénévole dans l'école qui est attachante au centre de la mission où j'apprenais à accomplir des sculptures sur bois et alors Toby est venu atterrir une sculpture sur bois. » Emanuel parle avec application comme s'il avait des cailloux dans la bouche. Il a un vocabulaire étonnamment sophistiqué, se dit Andriy.

« Ah oui, je me souviens de la sculpture sur bois. Toby l'a rapportée à la maison. Ravissante. C'est vous qui l'avez faite ?

– Hélas, non, madame. La sculpture que Toby a atterrie était l'œuvre d'un sculpteur bien plus talentueux. Notre amitié jaillit d'une source différente. Je l'ai sauvé un jour d'un mal et nous avons juré fraternité ensemble. Je m'appelle Emanuel Mwere. Il n'a pas parlé de moi ?

– Vous l'avez sauvé du mal ?

– Oui, madame. De l'incarnation en prison. Relativement à des substances.

– Ah. » Une expression énigmatique passe sur son visage. « Vous feriez mieux de rentrer. Et ces ?…

– Ce sont mes amis des fraises. Irina, Andriy. Ils sont ukrainiens. Et notre chien resplendissant. »

Le Chien fait wouf et agite la queue. Elle se penche pour lui caresser la tête. Andriy voit bien qu'elle est déjà sous le charme.

« Je suis la mère de Toby, Maria McKenzie. Entrez. Vous devez avoir faim. »

Elle leur fait traverser un grand hall lambrissé de bois et les conduit dans une cuisine plus vaste que leur appartement de Donetsk, avec un réfrigérateur de la taille de l'armoire de sa grand-mère, des baies vitrées qui donnent sur le jardin et, au centre, une longue table en bois ornée d'un vase de fleurs et d'une coupe pleine de fraises. Seules les fraises sont curieusement déprimantes. Puis elle dispose devant eux un véritable festin – une multitude de plats aussi étranges que délicieux à base de feuilles, d'herbes, de céréales et de noix, des pains, des salades de légumes, tomates, poivrons, radis, olives, avocats comme il n'en a jamais goûté en vrai, le tout accompagné de sauces et de yaourts exquis, et d'autres mets si agréables au palais après la monotonie de leur régime spartiate qu'il se surprend à manger de plus en plus, avant de se restreindre, car il ne veut pas que Mrs McKenzie le croie affamé et qu'Irina pense qu'il n'a pas de savoir-vivre, quoique, après tout, il se fiche bien de ce qu'elle pense. Il la regarde subrepticement et s'aperçoit qu'elle se goinfre elle aussi comme si elle n'avait pas mangé depuis des jours et se lèche même les doigts, ce qu'il ne se serait pas permis.

Il y a cependant quelque chose qui le déçoit. Où est la viande ? Dans une maison comme celle-là, on s'attendrait à voir un gros steak bien épais ou des côtelettes de porc juteuses revenues à l'ail, ou ne serait-ce qu'une bonne saucisse ou un ragoût accompagné de boulettes de pâte. Comme si elle lisait dans ses pensées, Mrs McKenzie ouvre un placard et sort une grosse boîte de conserve marquée « Viande en sauce ». Sur la boîte, la photo montre de gros morceaux luisants de viande rissolée. Son ventre en ronronne de plaisir à l'avance. Elle ouvre la boîte et vide son contenu dans un bol. Puis elle pose le bol par terre et avant qu'il n'ait eu le temps d'ouvrir la bouche, le Chien engloutit tout.

« Vous en revoulez ? leur demande-t-elle.

– Oui, s'il vous plaît » répondent-ils en chœur, avec Irina. Ils se regardent de part et d'autre de la table et se mettent à rire. Deux petites fossettes sexy se creusent dans les joues d'Irina, qui n'a plus l'air aussi bêcheuse. Maria McKenzie sort du réfrigérateur des carottes crues qu'elle coupe en bâtonnets, puis des bouts de céleri et de concombre et un bol d'une sauce crémeuse à base de noix. Il mange avec plaisir, mais quand il croise le regard d'Irina, ils échangent de nouveau un sourire, car il y a un sac entier de carottes dans leur caravane et le Chien se lèche les babines dans un coin, l'air repu.

Tandis qu'ils mangent, Maria McKenzie prend son portable et fait un numéro, et bien qu'elle parle à mi-voix en leur tournant le dos, il entend ce qu'elle dit.

« Oui, du Malawi. Oui. Oui, il a parlé de prison. Non, il a parlé de substances. Ne me mens pas, Toby. Non, il ne sait pas. Il n'est pas encore rentré. OK. OK. À tout à l'heure, mon chéri. »

Elle se tourne vers ses invités avec un sourire radieux.

« Toby dit qu'il va bientôt rentrer. »

~

Mrs McKenzie était très gentille, malgré ses ongles de pied violets de sorcière. À mon avis, si on tient à se mettre du vernis sur les ongles de pied, il doit être discret. Elle m'a offert des fraises et je me suis forcée à en manger par politesse. Comment pouvait-elle savoir la vérité sur ses fraises ? Puis elle m'a préparé une tisane censée, d'après elle, rééquilibrer mes énergies positives et négatives – c'est une idée parfaitement stupide, mais la tisane n'était pas désagréable. Il faisait bon dans la cuisine, elle était calme et sentait la pâtisserie. Nous étions installés dans un canapé à côté de l'énorme poêle émaillé. On entendait le tic-tac d'une grande horloge et le ronflement du Chien – rrrr… sss… rrr… sss – qui était roulé en boule dans le panier du chat, au pied du poêle.

Nous avons un peu bavardé. Elle est déjà allée à Kiev. Elle m'a posé des questions sur mes parents, alors je lui ai dit que pappa est professeur et a écrit beaucoup de livres et que j'espère devenir écrivain un jour, et que ma mère est seulement institutrice et femme au foyer. Et puis soudain j'ai repensé à mamma qui a une vie si ennuyeuse et je me suis souvenue que je ne l'avais jamais rappelée pour m'excuser.

« Pourrais-je téléphoner à ma mère ? ai-je demandé.

– Bien sûr. »

Elle m'a passé le téléphone.

« Mamma ?

– Irina, c'est toi ? »

Elle a commencé aussitôt à se plaindre qu'elle était seule et qu'elle voulait que je rentre à la maison.

Je lui ai dit : « J'ai l'intention de rester un peu plus longtemps ici, mamma. Et je suis désolée de ce que je t'ai dit l'autre jour. Je t'aime. »

Je redoutais de lui dire ça car j'avais peur de me mettre à pleurer comme un bébé, mais en fait, dès que je le lui ai dit, je me suis sentie mieux.

« Ma petite fille, tu me manques tellement.

– Mamma, je ne suis pas une petite fille. J'ai dix-neuf ans. Et toi aussi, tu me manques. »

Il y a eu un silence. Puis ma mère m'a dit : « Tu sais que ta tante Vera attend encore un bébé ? À son âge ! » Elle avait l'air scandalisé. On aime bien raconter des ragots sur tante Vera dans notre famille. « Et il y a un gentil couple qui a emménagé dans l'appartement vide d'en dessous. Ils ont un fils un peu plus âgé que toi. Un beau garçon.

– Mamma, ne commence pas à te faire des idées. »

Nous avons toutes les deux éclaté de rire et soudain tout est redevenu comme avant entre nous.

Juste au moment où je raccrochais, la porte s'est ouverte et un garçon qui devait avoir à peu près mon âge est entré, avec un jean effiloché qui lui arrivait au genou et un tee-shirt noir orné d'un crâne. Il avait les cheveux longs et tortillés en queue de rat hérissés sur toute la tête – un *koshmar* – et quelques touffes de barbe clairsemées au menton. Pas du tout mon genre.

« Salut, m'ma ! » a-t-il dit.

Puis il a regardé Emanuel et tous deux ont souri jusqu'aux oreilles, ils sont tombés dans les bras l'un de l'autre, ils se sont serré la main en se tordant bizarrement les pouces et se sont de nouveau pris dans les bras. Mrs McKenzie a commencé à renifler. Andriy et moi, on s'est regardés en souriant et il m'a serré le genou sous la table. Puis le chat est arrivé et s'est mis à cracher en voyant le Chien, le Chien a pourchassé le chat autour de la cuisine, Andriy a grondé le Chien et renversé le vase de fleurs, et comme il y avait de l'eau partout, il s'est mis à l'éponger avec un torchon et Mrs McKenzie s'est écriée « C'est le destin ! » en continuant à se tamponner les yeux. Sur ce, la porte s'est rouverte et un homme est entré. « Bon Dieu, que se passe-t-il ici ? » a-t-il dit.

Et le plus extraordinaire, c'est qu'il ressemblait à s'y méprendre au Mr Brown de mon manuel d'anglais. Mais où était le chapeau melon ?

~

« Chéri... » Bien qu'elle ne s'adresse pas à lui mais à l'homme qui vient d'entrer et se trouve à présent vautré dans le canapé, Maria McKenzie a la voix si basse et si charmeuse qu'Andriy sent un tressaillement dans ses parties viriles. « Je te prépare un verre, chéri ? Whisky ? Double ? Avec des glaçons ? Ce sont des amis de Toby, chéri. Emanuel est de Limbe, au Malawi. Tu te rappelles l'année que Toby a passée dans une organisation humanitaire au Malawi ? Eh bien, Emanuel est un des amis qu'il a rencontrés là-bas. Et il a fait tout ce chemin pour venir nous voir. C'est formidable, non ? Et voici Irina, et Andriy. Ils viennent d'Ukraine, mais ils ont séjourné quelque temps dans le Kent. Et Emanuel les a amenés car ils voulaient connaître une famille anglaise typique.

– Eh bien, ils se sont trompés d'adresse, hein ? » Il prend une gorgée de whisky. « Et le chien. Il s'appelle comment, le chien ?

– Le chien s'appelle le Chien, monsieur. » Andriy regrette de ne pas s'être davantage creusé la tête, mais l'homme se met à rire.

« Excellent. C'est un excellent nom pour un chien. Il est croisé, n'est-ce pas ? » Il a une voix sonore et caverneuse comme une corne de brume.

« Nous ne savons rien de origine de ce chien. Il arriver mystérieusement la nuit.

– Hmm, voilà qui est intéressant. Viens ici, le Chien, que je te regarde. »

Le Chien s'approche docilement et s'assied aux pieds de l'homme en lui retournant son regard avec bienveillance et courtoisie. L'espace d'un instant, le cœur d'Andriy se gonfle de fierté.

« Labrador croisé colley, je dirais, avec un peu de berger allemand. Excellent croisement. Les meilleurs chiens qui soient.

– Oui c'est être chien très excellent. » Il a beau avoir entendu parler de l'amour que les Anglais vouent à leurs animaux, il trouve cependant étrange que cet homme s'intéresse manifestement davantage au chien qu'aux gens présents dans la pièce. « Il chasse aussi et rapporte toutes sortes créatures pour nous. Beaucoup lapin et pigeon. »

Ravi de l'attention qu'on lui porte, le Chien bat la queue, tourne la tête et lève la patte. Mr McKenzie prend la patte dans sa main soignée d'homme d'affaires et la serre.

« Comment vas-tu ? » On dirait Mr Brown ! « Hmm, il n'est plus tout jeune. Vous dites qu'il est arrivé en pleine nuit ?

– Oui, quand on campe dans forêt. On pense qu'il couru longtemps parce que pattes en sang et les écorchures sur le corps.

– Fascinant. Et il ne vous a plus quittés depuis ?

– Non. Il est toujours avec nous.

– Hmm. Les chiens sont des êtres remarquables. D'une loyauté à toute épreuve. Il a peut-être été kidnappé. Le Kent, dites-vous ? Oui, il y a encore pas mal de combats de chiens là-bas. C'est triste d'en être encore là de nos jours. Ils volent des chiens domestiques et les jettent aux chiens de combat. Ils sont totalement barbares. Les mineurs. Faudrait les abattre. »

Andriy n'aime pas la tournure de cette conversation. L'homme est pris d'un tic à l'œil gauche et descend allégrement le whisky. Le Chien lui tend la patte et pose un museau rassurant sur son genou. L'homme semble se détendre.

« J'ai eu un chien autrefois. Quand j'étais petit. Buster. » Il se penche pour gratter les oreilles du Chien. L'émotion et le whisky lui donnent une voix pâteuse. « Vous ne pourriez pas m'emmener avec vous, jeune homme ? Quand vous allez camper ? Dans le Kent ? Chasser en forêt avec le Chien ? Je suis bon tireur, vous savez. Lièvres. Lapins. Pigeons. Je sais écorcher les lapins. J'ai toujours mon couteau suisse. Ramasser du bois. Faire le feu. Les allumettes mouillées. La fumée partout. Faire chauffer l'eau. Les gobelets en émail pour le thé. Les toasts brûlés. Tout ça. » Il regarde Andriy, l'œil triste et larmoyant. « Je ne vous gênerai pas.

– Bien sûr, vous pouvez venir avec nous. Mais malheureusement nous revenons juste de Kent et nous allons Sheffield. »

Il vide son verre de whisky et pousse un grognement.

« Le dîner est bientôt prêt, Maria ? Je vais me changer. »

Dès que son père a quitté la pièce, Toby soupire de soulagement.

« Au fait, Emanuel, cette histoire de prison. Il ne vaut mieux pas qu'il sache.

– Il ne sait pas ? s'étonne Emanuel.

– Mon petit, dit Maria McKenzie à Emanuel de sa voix charmeuse, le père de Toby est un peu conventionnel à certains égards, bien que ce soit un père tendre et aimant. N'est-ce pas, Toby ? Mais pour être parfaitement honnête, disons qu'il a eu quelques difficultés à accepter certains côtés de la personnalité de Toby.

– Attends, m'ma, il est tellement rigide qu'on pourrait le planter comme un tuteur pour faire pousser de l'herbe.

– Toby, ton père est un homme de valeur qui travaille très dur pour nous. Et si j'avais su que tu t'attirerais ce genre d'ennuis, je ne t'aurais jamais autorisé à passer un an au Malawi et je t'aurais confié à ma famille dans le Renfrewshire.

– Ouais, c'est ça, m'ma. T'as fini ton sermon ?

– Et si jamais ton père l'apprend, continue Maria de sa voix séduisante de *Let's Talk English*, il me reprochera de t'avoir encouragé à partir. Parce que c'est moi qui ai dit que ça t'ouvrirait l'esprit et t'aiderait à comprendre les pays en développement, et ton père y était franchement opposé parce que, à son avis, il y a suffisamment de sous-développement ici, et particulièrement à Croydon, sans avoir à aller jusqu'à Zomba. »

Andriy commence à avoir des doutes sur cette famille. La mère est pleine de bonnes intentions et elle lui rappelle vraiment Mrs Brown avec sa taille fine et sa manie de boire du thé à longueur de journée, mais elle a des idées bizarres sur la nourriture. Et que signifient ces ongles de pied violets ?

Évidemment, on sait bien que les femmes mariées ont un appétit sexuel vorace, mais faire l'amour à une femme sous le toit de son mari, c'est aller au-devant des ennuis, même si ce dernier boit trop de whisky, tient des propos étranges et donne un mauvais exemple à sa femme. Et quant à ce garçon, Toby – il manque de respect à ses parents et Andriy se demande s'il saura guider Emanuel qui est jeune et impressionnable et s'intéresse aux pratiques sexuelles les plus dépravées.

« Croydon ? s'exclame Emanuel. Je crois que nous sommes passés par là aujourd'hui ! »

~

Chère Sœur

Aujourd'hui j'ai été réuni avec Toby Makenzi et je vais te raconter l'histoire remarquable de notre amitié car la première fois que je l'ai rencontré c'était à Zomba.

Mais maintenant ces mzungus ont semé le trouble dans mon esprit car je ne vois pas de ressemblance entre Croydon et Zomba à l'inspection de la maison de la mission qui est une bâtisse en brique de tout premier ordre. Ce Toby Makenzi avait apporté d'Angleterre un ballon de football remarquable fait en cuir comme nous n'en avions jamais vu de semblable. Quand les gamins pauvres de Zomba jouent au football nous devons enfler un ballon et l'envelopper dans un bagage plastique qui se pique aisément sur les buissons d'épines et beaucoup de ballons périssent ainsi. Et voyant ma face réjouie quand j'ai vu le ballon le mzungu a dit Frère je suis grandement désireux d'attenir du Malawi Gold et en échange je te le donnerai.

Ce Malawi Gold est si désireux aux mzungus que je crois que c'est la raison principale de leur venue dans notre pays. Et je me demande si les parents de Toby ne savaient pas cela pourquoi ont-ils envoyé leur fils ici ? Il est plein de regrets aussi que certains de nos policiers sont corrompus et incarnent les mzungus afin de grossir leurs revenus quand les mzungus sont délivrés avec beaucoup de pleurs et de lamentations et le paiement d'un ou deux mille kwachas.

Mais à Zomba on n'avait jamais vu un bagage de Malawi Gold aussi gros que celui que je lui ai trouvé et quand il l'a vu le policier corrompu a réclamé quatre mille kwachas or cette somme était hors de la portée de Toby. Alors je l'ai pris en pitié et je suis allé à la police et j'ai confessé que le Malawi Gold m'appartenait et ils ont libéré Toby Makenzi et m'ont incarné à sa place. Mais ces policiers n'ont pas de récompense quand ils incarnent un pauvre orphelin que personne ne paiera même cent kwachas pour le libérer alors ils m'ont délivré après m'avoir frappé de nombreux coups. Et le père Kevin aussi m'a châtié copieusement.

Et l'expression de Toby Makenzi était excessivement mystique car il a dit Frère tu as enduré des coups pour moi. Et comme il était empli d'une gratitude remarquable il a dit merci mon pote si Pa et Ma apprennent ça on a pas fini d'en entendre parler ce que j'ai compris qui voulait dire qu'ils seraient indéfiniment reconnaissants. Et il m'a donné un anorak vert désireux et une bonne paire de chaussures que j'ai encore à ce jour avec le ballon de football et il a dit écoute frère je te revaudrai ça si jamais tu viens en Angleterre passe chez moi et Pa et Ma s'occuperont de toi. Puis il a écrit son nom et son adresse sur un papier malgré que ce n'était pas bien épelé et nous nous sommes serré la main selon la coutume traditionnelle chewa de la fraternité.

Mais quand je suis venu chez lui j'ai été décevant que la Ma et le Pa n'avaient pas été louangés de ma bonne action comment j'avais délivré Toby Makenzi et les coups cruels que j'avais endurés pour lui. Car même si je ne me languissais pas d'une récompense cela aurait été réjouissant pour eux de savoir.

Car ce Pa Makenzi est découragé et goûte excessivement le whisky et il prononce le nom du Seigneur en vain. Car quand Maria a déposé son dîner devant lui il a crié Nom de Dieu, Maria, on est vraiment obligés de manger comme des lapins y a pas un seul morceau de viande dans cette maison ? Et après un passe-temps un parfum de tout premier ordre a percé l'air et le Chien a bondi sur ses pattes en aboyant joyeusement et le Pa a dit c'est bien viens ici j'ai quelque chose pour toi aussi.

Et quand la porte s'est refermée Toby a dit hé Emanuel tu as apporté de la Malawi Gold ? Et j'ai répondu non Frère parce que je crois que la police d'Angleterre est moins indulgente qu'au Malawi.

Après son dîner le Pa Makenzi a dit à Toby Makenzi alors à quelle bêtise as-tu perdu ta journée mon fils ?

Et Toby a dit puisque tu veux le savoir j'ai travaillé à mon projet.

Et le Pa a demandé et quel est ce projet ?

Et Toby a dit que c'était sur la représentation des opiacés dans les médias.

Et le Pa a claqué la main sur son sourcil et dit mon grand ce n'est pas avec ça que tu vas décrocher un emploi lucratif.

Et Toby a dit je n'en ai rien à faire moi d'un emploi lucratif.

Et le Pa a frappé son sourcil encore une fois et dit est-ce qu'il reste du whisky Maria ?

Et la Ma Makenzi a dit ne parle pas comme ça à ton père Toby.

Et après d'autres excès de whisky le Pa s'est tourné vers Andree en le suppliant de lui permettre de nous accompagner dans nos chasses en forêt. Et Andree qui est un très bon mzungu peut-être même meilleur que Toby Makenzi a dit d'un ton calme que la vie en forêt c'était fini pour nous mais qu'il était le bienvenu s'il voulait nous accompagner à Sheffield.

Alors le Pa a posé son whisky il a frappé ses deux sourcils avec ses mains et s'est mis à pleurer et la Ma a dit d'une voix joyeuse je crois qu'il est temps d'aller se coucher voulez-vous que je vous montre vos chambres ?

~

JE SUIS UN CHIEN JE DORS MON VENTRE EST PLEIN DE BONNE VIANDE POUR CHIEN J'AI GAGNÉ LE CŒUR DE LA DAME QUI SENT BON LES LÉGUMES J'AI CONSOLÉ L'HOMME QUI PUE LA BOISSON J'AI CHASSÉ LE CHAT TURBULENT ET MAINTENANT JE DORS JE SUIS UN CHIEN

~

Chère Sœur

Dans cette maison de Toby Makenzi il y a un bain miraculeux où quand on touche un bouton l'eau se met à tourbillonner aussi abondamment que la rivière Shire mais sans les crocodiles bien sûr et en passant le temps dans le bain je me suis trouvé à me tracasser pour ces bons mzungus plongés dans leur tourment impie et me suis demandé comment leur apporter la consolation.

Car le Pa adore la chasse et la vie de liberté de la forêt mais il est troublé par la vie de la ville. La Ma aime le Pa mais elle est troublée par son excès de whisky et ses blasphèmes. Alors j'ai été frappé par une idée réjouissante. Je vais donner à Pa Makenzi la canne à pêche des Mozambicains et le seau rouge. Comme ça il ira chasser les poissons dans les rivières et laissera derrière lui le whisky et le blasphème. Et qu'est-ce que je pourrais donner à Ma Makenzi ? Car tout le monde sait que les belles femmes sont exigeantes et je suis un garçon pauvre qui n'a rien à offrir. Et j'ai été frappé par une autre idée réjouissante. Cette Ma est bien-aimée des légumes je lui donnerai les carottes.

Cette pensée ainsi que le tourbillon abondant de l'eau m'ont incité à ouvrir mon cœur et chanter le chant de louanges que sœur Theodosia m'a appris Ave Maria Gratia Plena. Et c'était aussi réjouissant parce que la Ma s'appelle Maria.

~

Andriy Palenko, comment peux-tu en toute conscience confier ton jeune ami Emanuel à cette famille de fous? Mais qu'est-ce qu'ils ont, ces gens, avec leur énorme maison pleine de fenêtres? Deux voitures (après l'arrivée du père il avait vu une grosse Lexus posée dans l'allée à côté de la petite Golf), trois ordinateurs dernier cri, quatre télévisions, toutes avec des écrans plats, cinq salles de bains, quatre suites (il avait fait un petit tour de la maison), et j'en passe. À quoi bon tout ça si ça n'apporte pas le bonheur?

Si sa famille avait eu ne serait-ce que le dixième, non le centième de toute cette richesse, rien n'aurait été pareil – et ces gens en auraient-ils même ressenti le manque? « Un homme a besoin du strict nécessaire, ni plus ni moins », disait son père. Mais ils n'avaient pas le nécessaire. Pauvre papa. Son père savait mieux que personne que c'était dangereux de descendre au fond. Mais quand on n'a pas le nécessaire, on ne peut pas faire autrement.

Andriy est allongé tout habillé sur un des deux lits de la chambre qu'il partage avec Emanuel et fixe le plafond, tendu, en se préparant à la discussion qui l'attend. Dans la plus proche des cinq salles de bains, Emanuel emplit la maison de son chant exubérant. Andriy revoit soudain la scène de la cathédrale, la bouche ouverte, rose, les yeux fermés, les larmes. Le chant s'interrompt. On entend le gargouillis de l'eau qui se vide. Le voilà.

« Emanuel, mon père est tué dans accident de mine. Ton père est tué dans accident de chenal, c'est ça ?

– Tous les deux tués. Père et mère.

– C'est très terrible. Perdre ses deux parents en même temps.

– Et aussi mon petit frère qui était tout bébé. Cela je ne peux pas comprendre. Punir mon petit frère.

– Emanuel, c'est pas punition, c'est accident. Quelquefois, c'est la faute de personne.

– Mais peut-être c'est la faute de mon père parce qu'il a trompé ma mère.

– Et tu crois que cet accident de chenal était punition ?

– Non, non. Maladie Sida était punition. »

Hmm. Il y a peut-être un élément essentiel qui t'échappe, Andriy Palenko. Mais inutile de te tracasser pour quelque chose que tu ne comprends pas. Tu n'as que ce soir pour faire passer le message.

« Emanuel, mon frère – tu sais ce que c'est, préservatif ?

– Bien sûr que je sais. C'est une abomination aux yeux du Seigneur. En chichewa nous avons un dicton : *Il n'y a que les imbéciles qui mangent les bonbons avec le papier.* »

Planté au beau milieu de la pièce, Emanuel se sèche vigoureusement avec une épaisse serviette blanche comme s'il astiquait son corps menu et noueux pour lui donner le lustre de l'ébène. C'est la première fois qu'Andriy le voit nu. Il s'efforce de ne pas regarder, mais il ne peut s'empêcher de jeter un coup d'œil discrètement. Est-ce vrai ce qu'on raconte des parties viriles des Noirs ?

« Le préservatif protégera ta vie, Emanuel. Avec préservatif tu peux avoir plein de sexe, pas de problème. Pas de virus. Pas d'organisme. Pas sida. Pas de problème. Après tu dis prière et Dieu pardonne. »

~

Mrs McKenzie m'a montré une chambre située sous les toits – elle était ravissante, tout en harmonie de bleu et blanc comme dans un magazine, et j'avais même ma propre petite salle de bains avec une épaisse serviette blanche qui chauffait sur la barre et un savon parfumé tout neuf encore dans son emballage. Je l'ai tout de suite ouvert. Il avait un parfum épicé, luxueux, et non cette odeur douceâtre du savon d'Ukraine.

Serait-il impoli de lui demander si je pourrais le garder en partant ? S'en apercevrait-elle même si je me contentais de le glisser dans mon sac ? Après avoir pris une douche, j'ai enfilé ma chemise de nuit qui avait l'air grise et froissée dans cette chambre bleu et blanc immaculée, mais je n'avais rien d'autre. Puis je me suis assise dans le fauteuil et j'ai respiré l'odeur du savon sur mes bras et mes mains en me demandant où était Andriy et s'il se demandait lui aussi où j'étais. Les mansardes ont un côté très romantique.

Puis on a frappé à la porte. Mon cœur s'est mis à battre la chamade.

« Entrez. »

Mais ce n'était pas lui. C'était Mrs McKenzie.

« Coucou, a-t-elle dit de cette voix douce si subtile qui me rappelait le parfum du savon. Je peux entrer ?

– Bien sûr. »

Elle s'est assise au bord du lit.

« Vous avez tout ce qu'il vous faut ?

– J'aime beaucoup cette chambre. »

C'était vrai – je m'y sentais aussi bien que dans ma petite chambre de Kiev. Comment se fait-il que lorsqu'on pense à des choses agréables, on en a parfois subitement les larmes aux yeux ? Sniff sniff. Qu'est-ce qui m'arrivait ? J'ignore pourquoi, mais, je me suis mise à lui parler de Vulk, et soudain j'ai tout déballé : sa veste qui craquait, sa queue de rat vivant, sa voiture qui puait le cigare, ses yeux noirs sournois de chien affamé. Quand j'ai essayé de décrire cette nuit, les mots sont restés étranglés dans ma gorge.

Mrs McKenzie m'a dit de sa voix bienveillante : « Vous savez, le yoga est très apaisant quand on a besoin de se détendre. Vous voulez que je vous montre ?

– Non, ça va. »

Je trouve que cet engouement pour le yoga est typique de l'Ouest, mais je ne voulais pas l'offenser et de toute façon je continuais à renifler.

« Votre mère vous manque, mon petit ?

– Oui, bien sûr. » Et soudain j'ai lâché : « En fait, mon père me manque. Il n'habite plus chez nous.

– Il n'habite plus chez vous ?

– Il est parti vivre avec quelqu'un d'autre. Quelqu'un de beaucoup plus jeune. »

Quand j'ai prononcé ces mots, je me suis sentie rougir. De honte ou de rage, je ne savais pas. J'étais si triste pour mamma, qui passait ses journées toute seule à parler au chat dans l'appartement, prenait son petit déjeuner seule, dînait seule. Puis j'ai repensé à la façon dont elle le harcelait en permanence : fais ci, fais ça, dis, tu m'aimes, Vanya ? Quand j'aurai un mari, je ne serai jamais comme ça.

« Vous l'aimez vraiment, n'est-ce pas ? a souri Mrs McKenzie.

– Non. Pas du tout. »

Et puis j'ai ri, parce que je me suis aperçue qu'elle parlait de pappa, alors que je pensais à Andriy Palenko en me demandant ce que cela ferait d'être dans ses bras.

Soudain, on a frappé doucement et la porte s'est ouverte. Mon cœur a bondi. Mais ce n'était pas Andriy, c'était Toby.

« Dis, m'ma, tu as un préservatif ? » a-t-il chuchoté.

Mrs McKenzie n'a pas même tourné la tête.

« Deuxième tiroir du bas, de mon côté du lit. Fais attention à ne pas réveiller ton père.

– Merci, m'ma. »

~

Hmm. Intéressant. Des « Plaisir intense parfum fraise ».

Voilà qui ne ressemble guère aux préservatifs ukrainiens que connaît Andriy, quoique, a priori le principe est le même. Mais comment faire une démonstration à Emanuel ?

« On peut toujours lui passer un porno. » Toby McKenzie a l'air sombre. « Ça le ferait peut-être bander. Je peux en télécharger sur le Net. Paris Hilton et ses copines. Bikeuses à gros seins. T'as déjà vu ?

– Pornographia ?

– Bikeuses à gros seins ? Incroyable.

– Je crois pour Emanuel pornographia, c'est pas bon.

– Ouais. Il est un peu innocent, hein ? » acquiesce Toby.

Andriy est installé avec Toby McKenzie sur le canapé rouge de la salle de télé. Dans la maison, tout le monde dort. Toby boit une canette de bière. Il en offre une à Andriy qui refuse. Il doit garder les idées claires. Puis il se dit que dans une situation pareille ça ne lui ferait peut-être pas de mal d'être un peu éméché. Il accepte la bière et en boit quelques gorgées.

« Toby, mon ami Emanuel. Je soucie de lui après que je pars.

– T'inquiète, mec, je m'occuperai de lui. » Sa désinvolture n'a rien de rassurant.

« Comme tu dis, il est innocent. Peut-être mieux pour lui rester comme ça. »

Toby McKenzie le regarde en coin. « Tu veux qu'il reste innocent ? Alors, pourquoi tu lui files des préservatifs ? »

Andriy voudrait lui dire quelque chose de profond, lui expliquer qu'Emanuel doit prendre ce qu'il y a de mieux dans la culture occidentale tout en conservant les meilleurs aspects de sa propre culture. Mais c'est trop compliqué pour son anglais limité. La bière n'était peut-être pas une si bonne idée.

« Il est africain. » C'est tout ce qu'il est capable de marmonner.

« Ça le regarde, non ? » Toby gratte la racine de ses longues tresses, puis s'inspecte les ongles pour voir s'il a des pellicules. « Il doit avoir le choix. Tout le monde doit faire son choix. C'est la liberté.

– Quelquefois on a liberté mais on fait mauvais choix. Regarde mon pays Ukraine. »

Toby McKenzie hausse les épaules. « Si tu te trompes dans tes choix, faut assumer. Regarde mon père. Le plus marrant, c'est qu'il croit que c'est moi qui me trompe. Pour lui, il faut choisir entre travailler pour le système ou devenir clodo. Mais c'est pas vrai. » D'une main, il écrase la canette vide. « Il faut juste choisir entre le whisky et le cannabis. »

Ce garçon n'est pas idiot. Mais pourquoi est-il dans un état pareil ?

« OK, Toby, peut-être tu as raison. Avec préservatif il a choix.

– Au moins, s'il se trompe, ça ne le tuera pas. Pas comme cette saloperie que boit mon père.

– Mais comment faire démonstration préservatif ?

– Peut-être qu'il faut que tu fasses toi-même la démonstration », suggère Toby.

Hmm. Ce serait peut-être embarrassant. Andriy reprend une gorgée de bière. À l'écran, une troupe de danseuses quasiment nues s'agitent en rythme en secouant leurs cheveux. Malgré toute leur frénésie, elles n'ont strictement aucun impact sur ses parties viriles. Suffiront-elles à exciter Emanuel ? C'est peu probable.

Toby McKenzie prend la télécommande et zappe d'une chaîne à l'autre. Politique, décoration intérieure, cuisine. Soudain, il s'arrête. « Ça y est ! Des légumes ! » Andriy s'efforce d'imaginer une scène torride avec des choux et des oignons. Décidément, les Anglais sont vraiment excentriques.

« Ma mère en a plein. C'est quoi, sa taille ? Carotte ? Banane ? Céleri ? Concombre ? »

Andriy repense à la mince silhouette noire en train de se sécher avec une serviette blanche.

« Pas concombre. Non. Carotte, non. Peut-être on essaie banane taille moyenne.

~

Chère Sœur

J'ai beaucoup réfléchi au temps d'autrefois avant le couvent et l'orphelinat et la mission de Zomba quand on vivait avec notre mère et notre père et nos sœurs dans notre chaumière à murs de boue sur les rives de la Shire des longues journées que je passais dans la nudité à pêcher dans la rivière et ramasser des mangues. À cette époque-là ma compréhension du monde n'était pas la même.

Mais quand à l'âge de douze ans j'ai été esseulé et emmené à l'orphelinat par les bonnes sœurs j'ai découvert la Connaissance du Bien et du Mal. Car sœur Theodosia disait que Dieu est Amour et le Créateur de toutes les bonnes choses mais sœur Benedicta disait que tout le Mal qui nous arrive est une punition de nos péchés comme la maladie qui a emporté nos parents. Et les punitions éternelles qui arriveraient après la mort étaient considérément pires que la mort elle-même et qu'il y aurait des flammes rôtissantes et des huiles bouillantes et des morceaux de chair brûlée arrachés aux pinces.

Alors je me mettais à imaginer les tourments atrocement cruels que nos chers disparus devaient endurer en enfer et souvent je pleurais au milieu de la nuit en souhaitant ardemment que tu me réconfortes chère sœur mais tu étais à Blantyre. Puis sœur Benedicta me châtiait avec sa canne mais sœur Theodosia m'a appris une prière à chanter à Marie la mère de Jésus qui pouvait intersemer en notre faveur *Ora pro nobis peccatoribus.* C'est un chant d'une beauté si remarquable qu'il tranquillisait les âmes de nos chers disparus et même les peccatoribus et aussi mon âme.

La peur de ces tourments m'a éloigné de la connaissance chenal en dépit de ma curiosité coupable. Mais ce soir Andree et Toby Makenzi m'ont montré comment je peux être protégé des orgasmes qui causent la maladie mortelle en vêtant ma virilité dressée d'un préservatif et de cette manière je peux jouir de la connaissance chenal sans payer le prix mortel. Et puis je me suis rappelé que le père Augustine avait dit que le préservatif est une abomination aux yeux du Seigneur et même si mon corps était sauvé mon âme rôtirait en enfer. Et j'ai dit si je dois rôtir pour la connaissance chenal est-ce que je dois d'abord goûter le bonbon sans le papier ?

Mais ces bons mzungus m'ont montré l'usage de l'Abomination avec tellement d'astuce que c'est la banane qui rôtira et pas mon âme immortelle. Ils ont pris la banane et l'ont vêtue de l'Abomination et Andree m'a dit Emanuel quand tu vas avec la femme tu le mets pas sur banane mais sur tes parties viriles. Cela m'a fait sourire alors Andree a dévêtu la banane et l'a mangée car il est ukrainien et bien-aimé des bananes. Alors en utilisant une banane à la place de ma virilité dressée c'est elle qui rôtira dans la Fosse ardente et je serai épargné.

Car la vie de l'âme se perpétue au-delà de la vie du corps qui fleurit brièvement avant d'être jeté comme l'herbe dans le four disait le père Augustine qui est un brave homme avec un gros ventre et des dents de travers et aussi très myope. Puis il a mis son bras autour de moi et m'a dit ne t'inquiète pas mon garçon tes parents n'étaient pas mauvais mais ils souffraient de la fragilité de la condition humaine déchue. Et en voyant mon air toujours interrogateur il a soupiré et dit mon cher petit, les voies du Seigneur renferment des mystères qu'il ne nous est pas donné de comprendre mais certains parmi nous croient qu'il n'y a pas de mal sans un dessein et nous croyons qu'il ne permet le Mal que pour mettre notre bonté à l'épreuve.

Mais tout de même j'ai frotté et refrotté des questions dans ma tête jusqu'à ce qu'elles brûlent comme du petit bois et j'ai prié fervemment pour qu'il me guide pendant que je médite la Décision que je dois prendre. Car si je choisis les délices terrestres de la connaissance chenal alors je ne connaîtrai jamais l'Amour céleste et je ne chanterai pas dans le chœur des Anges.

Bendery

Il avait plu dans la nuit. Je le devinais à l'odeur particulière qui flottait dans l'air. Je m'étais réveillée de bonne heure dans ma mansarde bleu et blanc, surexcitée, brûlant d'impatience à l'idée d'aller enfin à Londres, la ville de mes rêves, et plus encore d'y aller avec *lui.*

Au début, c'était étrange de me retrouver seule avec lui dans la Land Rover, lui au volant et moi côté passager avec le Chien couché à mes pieds. Qu'allions-nous bien pouvoir nous dire ? J'avais envie de lui parler. *Londres est une très belle ville. Les Anglais portent des chapeaux melon.* Non, pas ce genre de bêtises. Je voulais lui parler de nous, de lui et moi. *Dis-moi qui tu es, Andriy Palenko. Tu m'aimes ? Es-tu celui que j'attends ?* Mais ça ne se fait pas. Nous avons donc roulé en silence, ralentis par les encombrements.

D'après le plan que Maria m'avait donné, nous étions sur South Circular Road. Il avait son air figé, concentré sur la conduite. Et je sais que ça paraît bizarre, mais pour la première fois j'ai remarqué qu'il avait beau être un mineur du Donbass, de profil il ressemblait vaguement à Mr Brown. Puis sans changer d'expression, comme s'il se parlait à lui-même, il a dit : «Je me demande bien ce que sont devenues toutes les carottes.

– Quelles carottes ?

– Celles de la caravane. Tu n'as pas remarqué ? Il y a deux sacs qui ont disparu. Il ne reste que six petites carottes.

– Six seulement ? Peut-être qu'elle les a volées ?

– Pour nourrir son mari.»

On a tous les deux éclaté de rire, ce qui a brisé la glace entre nous. Du coup, on a ri de plus belle jusqu'à en avoir mal aux côtes. Puis on a continué à rouler en silence, mais cette fois le silence avait changé de nature.

Soudain, Andriy a freiné brutalement. «Par le cul du diable ! Tu as vu ça ?» La Land Rover a zigzagué au milieu de la chaussée tandis que la caravane menaçait de se détacher de son crochet. «Ces conducteurs angliski ! Bandits, assassins !»

C'était plus fort que moi. J'ai éclaté de rire. «C'est comme ça qu'on dit dans le Donbass ?

– Quoi ?

– Par le cul du diable ?» J'ai ri.

Il m'a lancé un regard noir.

« Qu'est-ce que tu crois ? Qu'on est tous des brutes dans le Donbass ? Des rustres ?

– Non, ce n'est pas ça. C'est juste que c'est drôle.

– Et alors, qu'est-ce que tu t'es dit quand tu as vu tous ces mineurs arriérés débarquer dans ton cher Kiev ? Brandissant leurs drapeaux bleu et blanc en protestant contre ta Révolution orange. Avec leur accent du Donbass. Tu t'es dit que c'était l'invasion barbare ?

– Je n'ai pas dit ça.

– Non, mais je vois bien ce que tu penses. À chaque fois que j'ouvre la bouche, tu te mets à rigoler.

– Pourquoi tu dis ça, Andriy ?

– Je ne sais pas. » Il s'est rembruni et a serré les dents. « Il faut que je me concentre. Où est-ce qu'on va ?

– Kensington Park Road. » Maria avait cherché la rue pour moi et me l'avait montrée sur un plan. « Il faut tourner à gauche quelque part par là. À huit kilomètres à peu près. »

On s'est retrouvés coincés dans un embouteillage sur Putney Bridge, puis on a roulé pare-chocs contre pare-chocs jusqu'à Kensington Park Road, si bien qu'on est arrivés juste au moment où le consulat fermait. J'ai supplié la dame de l'accueil. J'ai expliqué qu'on m'avait volé mon passeport et qu'il fallait que j'en obtienne un nouveau. Mais c'était encore une de ces espèces de pimbêches qui font la moue comme si ça les fatiguait de parler aux gens.

« Revenez lundi. » Elle a levé les yeux au ciel et elle est repartie en trottinant dans sa jupe crayon qui, à mon avis, ne convenait pas à sa silhouette.

« Alors ? » m'a demandé Andriy qui m'attendait dehors. Quand je lui ai raconté, il a dit : « Ah, ces nouveaux Ukrainiens. Ils oublient qui leur paie leur salaire. »

Sur ce, on s'est tus parce qu'il fallait prendre une décision.

« Tu veux retourner à Richmond ? a-t-il dit.

– Et toi ?

– C'est comme tu veux.

– Non, c'est toi qui décides. » Je faisais attention – je ne voulais pas l'offenser une fois de plus.

« Je fais ce que tu veux, a-t-il dit.

– Ça m'est égal.

– On n'a qu'à jouer ça à pile ou face. Pile on y retourne, face on continue. »

Il a sorti une pièce de sa poche et l'a jetée en l'air d'un coup de pouce, et elle a atterri du côté pile.

« Voilà. Donc on y retourne, a-t-il dit.

– D'accord. » J'ai regardé la pièce, puis j'ai levé les yeux vers lui. Mais si on n'en a pas envie, on n'est pas obligés, hein ?

« Je fais ce que tu veux.

– Ça m'est égal. Mais je n'ai pas vraiment envie de retourner à Richmond, à moins que toi tu en aies envie. C'est vrai, ils étaient gentils mais…

– Gentils mais fous. »

On s'est mis à rire tous les deux.

« Alors, où veux-tu aller ? » Il avait de nouveau sa tête de Mr Brown.

« Ça m'est égal. C'est toi qui décides. »

~

Cette fille – il n'arrive à rien avec elle. Un coup elle sourit et l'instant d'après elle ne dit plus un mot, et il y a des fois où elle se moque de lui comme si elle le prenait pour un imbécile. C'est comme la boîte de vitesses de la Land Rover : la quatrième et la marche arrière sont trop proches. On roule tranquillement en troisième en s'apprêtant à passer en quatrième quand subitement on s'aperçoit qu'on est en marche arrière, et soit on cale, soit on recule brusquement.

Voilà qu'elle sourit de nouveau en lui annonçant qu'elle veut faire un tour de Londres, voir le théâtre du Globe, Tabard Inn, Chancery, Old Curiosity Shop. C'est quoi, ça ? Elle le prend pour un guide personnel pour VIP ou quoi ? D'abord, il faut qu'il réussisse à se garer, parce que ce n'est pas facile de conduire avec une caravane dans une circulation pareille. La plupart du temps, il ne peut même pas passer la troisième et la deuxième n'arrête pas de sauter, si bien qu'il roule en première en consommant des litres d'essence et qu'il va devoir refaire le plein pour aller jusqu'à Sheffield. S'il avait les outils nécessaires, il jetterait un coup d'œil à la boîte de vitesses. Il paraît que la boîte de vitesses de la Land Rover vaut le détour. Qu'est-ce qu'elle donnerait, comparée à celle de leur vieille Zaporozhets ? Elle avait un défaut du même genre.

Quand il avait treize ans, son père avait acheté une Zaporozhets 965 bleu ciel d'occasion – la Zaz, l'appelaient-ils affectueusement, avec son dos voûté de vieux grand-père. C'était la première voiture du peuple à être produite en masse en Ukraine. Une carrosserie en vrai métal – et non cette saleté de fibre comme la Trabant. Son père était le premier de leur bloc d'immeubles à en avoir une. Tous les dimanches, il la lavait et l'astiquait dans la rue, et il passait parfois quelques heures avec Andriy à bricoler en tête-à-tête sous le capot. (Écoute, petit, disait son père. Écoute la musique de la combustion interne.) Son père réglait le moteur au quart de poil pour qu'il tourne impeccablement. Tut-ut-ut-ut-ut-ut. C'était le bon temps. Plus la voiture vieillissait, plus les séances de bricolage se prolongeaient. Ensemble, ils avaient meulé les soupapes et remplacé le solénoïde et l'embrayage. Il avait appris beaucoup de choses sur les moteurs de voitures, mais surtout il avait appris qu'on pouvait régler tous les problèmes en les abordant avec patience et méthode. Au bout du compte, la voiture avait survécu à son père. Pauvre papa.

Cette fille – il a eu beau l'approcher avec patience et méthode, elle est plus imprévisible qu'une boîte de vitesses qui saute. Parviendra-t-il un jour au réglage parfait ? Il bifurque dans une ruelle, puis dans une autre, et suit un passage entre deux grands immeubles. Il tombe sur un terrain vague à l'emplacement d'un bâtiment démoli, avec un panneau « Interdiction de stationner » et quelques véhicules garés. Ça fera l'affaire.

« On marche ?

– On marche. »

Et là, pour une raison inexplicable, elle sourit.

Il fait trop chaud. Malgré la pluie qui est tombée récemment, l'air est de nouveau poussiéreux. Ça sent les pots d'échappement, les égouts bouchés et les diverses odeurs des cinq autres millions de gens qui respirent au même moment. Une exaltation inattendue s'empare de lui. Une fois qu'on pose le pied à terre sans plus avoir à se soucier des chauffards angliski, Londres, c'est vraiment quelque chose.

Il est tout d'abord stupéfait par son immensité, cette ville qui s'étend à perte de vue au point qu'on finit par en oublier qu'il peut y avoir autre chose au-delà. Il a déjà vu Canterbury et Douvres, mais rien ne peut vous préparer à la démesure de Londres. Ces voitures qui glissent en douceur et en silence comme des cygnes argentés, des modèles de luxe et non les vieux tacots polluants qu'on trouve chez lui. Ces immeubles de bureaux qui masquent presque le ciel. Et tout est en parfait état, soigneusement entretenu – les chaussées, les trottoirs. Mais pourquoi tous les bâtiments et les statues sont-ils couverts de fientes de pigeon ? Il y a des pigeons qui se pavanent à tous les coins de rue. Le Chien est ravi. Il les pourchasse en aboyant et en bondissant de joie.

Ils arrivent devant une rangée de boutiques aux devantures remplies d'articles tentants. Portables minuscules bourrés de haute technologie, au design compact et astucieux ; caméras si petites qu'elles tiennent dans le creux de la main, mini-systèmes hi-fi ingénieux avec un millier de morceaux, si ce n'est plus, disponibles à volonté ; des télévisions de la taille d'un mur avec une image d'un éclat incroyable, imaginez un peu regarder un match de foot dans le fond de son fauteuil en buvant une bière, encore mieux qu'au stade, on a une meilleure vue ; des lecteurs de CD programmables ; des lecteurs de DVD multifonctions ; des ordinateurs de pointe avec une quantité inimaginable de RAM, de gigas, de hertz, etc. Trop de choix. Il y a tant de choses qu'on n'a jamais désirées car on ne savait même pas qu'elles existaient.

Il s'attarde, parcourt les listes de détails techniques, les étudie presque furtivement comme s'il était sur le point de commettre un péché non répertorié. Que de profusion ! Mais d'où viennent tous ces produits ? Irina traîne en contemplant d'un air incrédule la vitrine d'un magasin de vêtements.

Magasins d'alimentation, restaurants – on trouve de tout, la terre entière a été pillée de ses biens pour entretenir cette profusion. De ses hommes aussi, arrachés aux quatre coins du globe – Europe, Afrique, Inde, Orient, Amérique –, tous ces peuples mélangés, cette foule de gens venus de partout, qui se coudoient dans les rues sans même se regarder. Certains sont au portable – même les femmes. Et tous sont bien habillés de vêtements comme neufs. Et les chaussures – des chaussures neuves en cuir. Pas de pantoufles, comme on en voit chez lui dans la rue.

« Attention ! »

Il est si fasciné par les chaussures des passants qu'il manque de rentrer dans une jeune femme qui trotte sur ses talons hauts et se retourne en lançant d'un ton hargneux : « Dégage !

– À quoi tu rêves, Andriy ? »

Irina le saisit par le bras et le tire en arrière. Sa main sur son bras lui fait l'effet d'une décharge électrique. La jeune femme poursuit son chemin en accélérant encore le pas. Ce regard qu'elle a eu – c'était pire que du mépris. À croire qu'il était transparent. Ses yeux ne l'ont même pas vu. Sa tenue le rend invisible – sa plus belle chemise à présent élimée et délavée, son pantalon encore tout neuf quand il était parti, un pantalon ukrainien en tissu bon marché devenu rapidement informe, retenu par une ceinture en simili cuir, ses chaussures également en simili cuir qui commencent à se fissurer aux orteils.

« Tout le monde est si élégant. J'ai l'impression de sortir de la campagne », dit Irina comme si elle lisait dans ses pensées. Cette fille. C'est vrai, son jean est usé et couvert de taches de fraises, mais il épouse merveilleusement ses courbes, ses cheveux ont l'éclat d'une aile d'oiseau et elle sourit à pleines dents au monde entier de son sourire creusé de fossettes.

« Ne dis pas ça. Tu es… » Il a envie de la prendre par l'épaule. « … Tu es normale. »

Fallait-il qu'il la prenne par l'épaule ? Non – elle risquait de crier : « Fiche-moi la paix ! » Ils continuent donc à marcher en errant au hasard des rues, buvant du regard tout ce qui s'offre à eux. Le Chien court devant en plongeant entre les jambes des piétons, embêtant tout le monde. Oui, Londres, c'est vraiment quelque chose.

Mais ce qu'il ne comprend pas, c'est pourquoi il y a une telle abondance ici et une telle pénurie chez lui. Les Ukrainiens sont aussi travailleurs que n'importe qui, plus travailleurs même, car le soir, après leur journée de travail, ils cultivent leurs légumes, réparent leurs voitures, coupent leur bois. En Ukraine, on peut passer sa vie entière à travailler comme un forçat et ne rien avoir. On peut passer sa vie entière à travailler comme un forçat et finir dans un trou, recouvert de charbon. Pauvre papa.

« Regarde ! »

Irina lui montre une petite dame au teint mat qui porte un foulard bariolé comme les femmes des anciennes républiques de l'Est. Elle a un bébé blotti dans ses bras et aborde les passants en mendiant. Le bébé est affreusement difforme, avec un bec-de-lièvre et un œil partiellement ouvert.

« Tu as de l'argent, Andriy ? »

Il fouille dans ses poches, vaguement agacé par cette femme car il ne lui reste plus beaucoup d'argent et il préférerait le dépenser autrement. Pas pour elle en tout cas. Mais il voit bien de quelle façon Irina regarde le bébé.

« Tenez », dit-il en ukrainien en lui tendant deux livres. La dame regarde les pièces, puis lève les yeux vers eux et secoue la tête.

« Gardez votre argent, dit-elle en mauvais russe. J'ai plus que vous. »

Elle s'éloigne avec son bébé et s'approche d'un couple de Japonais qui prennent en photo une statue couverte de fiente de pigeon.

Ils ont déjà rebroussé chemin quand Irina remarque en devanture d'un restaurant chic où les tables sont dressées pour le dîner un petit carton discrètement glissé dans un coin. *Cherche employé(e). Bien payé(e). Logement fourni.*

« Oh, Andriy, regarde ! C'est peut-être ce qu'il nous faut. En plein cœur de Londres. Viens, on va demander. »

Comment ça, « ce qu'il nous faut » ? Depuis quand ce « nous » ? Ce serait bien, parce que c'est vraiment une jolie fille et qui a bon cœur, en plus, pas comme ces écervelées qui ne pensent qu'à ce qu'elles vont s'acheter, comme Lida Zakanovka. Mais il ne sait pas où il en est avec elle. Elle n'arrête pas de changer d'avis. Et il aime que les choses soient claires. D'une manière ou d'une autre.

« Tu peux demander si tu veux.

– Tu ne veux pas venir ?

– Je ne crois pas que je vais rester très longtemps à Londres. Un ou deux jours, peut-être.

– Et après, tu iras où ?

– J'ai prévu d'aller à Sheffield.

– Sheffield, c'est où ?

– Dans le Nord. À trois cents kilomètres. »

Son sourire s'évanouit. Elle fronce les sourcils.

« J'aimerais vraiment rester à Londres.

– Tu peux rester. Pas de problème.

– Pourquoi tu veux aller à Sheffield ? »

Il fixe la devanture en évitant son regard. Il décide de ne pas lui parler de Vagvaga Riskegipd.

« Tu sais, c'est très beau, Sheffield. Une des plus belles villes d'Angleterre.

– Ah bon ? Dans mon livre, ça dit que c'est une grande ville industrielle célèbre pour la sidérurgie et la coutellerie. » Elle l'observe un moment. « Peut-être que je viendrai aussi. »

Pourquoi a-t-elle enlevé son ruban orange au Chien pour le remettre ? Il allait bien mieux au Chien.

« Je croyais que tu voulais rester à Londres ?

– Tu ne veux pas que je vienne ? »

Il hausse les épaules. « Tu peux venir si tu veux.

– Mais peut-être qu'on pourrait rester un moment à Londres pour gagner un peu d'argent. Et puis après on irait voir Sheffield. »

Qu'est-ce qui t'arrive Andriy Palenko ? Tu es un homme, non ? Tu n'as qu'à refuser.

~

La patronne du restaurant nous a regardés des pieds à la tête, Andriy et moi. Elle avait des cheveux noirs tirés en arrière en queue-de-cheval, un visage blanc poudré et une bouche très rouge. Pourquoi se maquillait-elle autant ? C'était affreux. Elle a tapoté ses dents du bout d'un ongle rouge. « Oui, nous avons un poste de commis de cuisine et nous avons besoin de quelqu'un de présentable pour la salle. » Elle s'est tournée vers moi. « Vous avez déjà été serveuse ?

– Bien sûr, ai-je menti. Au Golden Pear. Au Skovoroda. À Kiev. » Ça ne doit pas être bien compliqué de poser une assiette sur une table, après tout.

« Avez-vous une jupe et des chaussures noires, et un haut blanc ?

– Bien sûr », ai-je menti à nouveau. Je n'avais pas l'habitude de mentir avant d'arriver en Angleterre, mais visiblement je suis plutôt douée pour ça.

Il a été convenu qu'on commencerait demain, avec des horaires de onze heures à quinze heures et de dix-huit heures à minuit. Le salaire était de quatre livres l'heure pour les commis de cuisine et le double pour les employés de salle, plus une part des pourboires et du service, nourris et logés. Elle a dit ça à toute vitesse sans même nous regarder.

« On n'a pas besoin logement, a dit Andriy. On a notre logement.

– Le salaire est le même avec ou sans logement. C'est à prendre ou à laisser. »

J'ai fait un rapide calcul dans ma tête.

« On prend, j'ai dit. Sans logement. »

Quand je lui ai demandé si je pouvais lui emprunter de l'argent pour acheter la tenue de serveuse, ça l'a mis de mauvaise humeur. Il faut penser en termes de capitalisme. Vois ça comme un investissement. » J'ai promis de partager mon salaire et mes pourboires avec lui. J'avais vu un magasin avec une grande affiche en devanture qui disait *Soldes 50 % de réduction* et j'étais impatiente d'aller voir. Je comptais y passer demain matin en allant travailler.

Lorsqu'on est retournés à la caravane, le terrain vague était fermé par une barrière métallique cadenassée, ce qui n'avait aucune importance car nous n'avions pas l'intention d'aller où que ce soit. Nous étions morts de faim. Maria nous avait préparé tout un festin à base de plats bizarres. Elle avait même mis des conserves de viande pour le Chien, mais Andriy a dit que c'était ridicule, que le Chien pouvait chasser des pigeons. Il l'a expédié dehors et a mangé la nourriture du Chien.

Il y a eu un moment d'embarras quand j'ai dû aller aux toilettes, mais, heureusement, il faisait déjà nuit. J'aurais pu être gênée aussi lorsque j'ai dû enfiler ma chemise de nuit, mais Andriy a courtoisement fait semblant de lire un de mes livres, alors qu'il ne sait pas vraiment lire en anglais, et quand ça a été son tour de se déshabiller, j'ai fait semblant, moi aussi, de m'y plonger. Mais j'ai tout de même jeté un œil en douce. Mmm. Nettement plus intéressant sans le pantalon ukrainien.

Je me suis allongée sur la couchette qu'occupait avant Yola et il s'est glissé dans celle de Marta. On n'a même pas déplié le grand lit, car ça revenait à dormir ensemble. Il régnait un tel silence dans l'espace clos de la caravane qu'on s'entendait respirer l'un l'autre. Et puis je me suis demandé ce que ça ferait de dormir ensemble dans le grand lit. Parce qu'il a vraiment de très belles mains. Bronzées, avec des poils blonds. Et ses bras aussi. Et puis ses jambes. Et c'est un vrai gentleman qui a de bonnes manières, exactement comme Mr Brown, qui dit toujours s'il vous plaît, excusez-moi et pardon. Et j'aime bien la politesse avec laquelle il parlait à Emanuel, aux parents de Toby et même au Chien, et cette façon qu'il a d'écouter attentivement les gens. Y compris moi. Bon, d'accord, j'avoue qu'il n'est pas très cultivé, mais ce n'est manifestement pas un imbécile. Mais est-ce que c'est le bon ? La première fois, il ne faut pas se tromper.

Je l'écoutais respirer en me demandant s'il était réveillé et m'écoutait respirer, lui aussi. Juste au moment où je m'apprêtais à m'endormir, le Chien est revenu et s'est mis à aboyer devant la porte. Andriy s'est levé pour le faire entrer et lui a donné à boire – slurp, slurp, slurp –, puis il a étendu par terre une vieille couverture de la Land

Rover pour qu'il se couche dessus. Le Chien s'est endormi presque aussitôt dans un tel vacarme de ronflements et de sifflement – rrr… sss… rrr… sss – qu'on s'est mis à rire tous les deux. Après ça, j'ai eu un mal fou à me rendormir. Impossible de ralentir mon cœur.

Je n'arrêtais pas de songer à tout ce qui m'était arrivé depuis que j'étais partie de chez moi, à lui, là, si près de moi dans le noir, à ce qu'il pouvait bien penser.

« Andriy, tu dors ?

– Non. Et toi ?

– Non.

– Il faut qu'on essaie de dormir. La journée va être dure demain.

– OK. »

Dans le noir, j'entends les bruits de la ville au loin, une rumeur effervescente, ininterrompue, comme quand on colle un coquillage à son oreille et qu'on entend le bruit de la mer, même si on sait très bien que ce n'est jamais que le sang qui circule dans son crâne.

« Andriy, tu dors ?

– Non.

– Parle-moi de Sheffield.

– C'est une des plus belles villes d'Angleterre. Peut-être même du monde entier. Mais il n'y a pas beaucoup de gens qui le savent.

– À quoi ça ressemble ?

– Elle est entièrement construite en pierre blanche avec des dômes et des tours magnifiques. Comme elle est située sur une hauteur, on la voit de loin – quand on arrive, on a l'impression qu'elle miroite dans la lumière à l'horizon.

– Comme le monastère des grottes de Kiev ?

– Plus ou moins, oui. Allez, dors. »

~

JE SUIS UN CHIEN UN VILAIN CHIEN JE COURS MON HOMME MANGE LA NOURRITURE POUR CHIEN VA CHASSER PIGEON IL DIT JE COURS J'ARRIVE DANS UN ENDROIT PLEIN DE PIGEONS PARTOUT IL N'Y A QUE DES PIGEONS JE SAUTE J'ATTRAPE UN PIGEON JE MANGE LA VIANDE FILANDREUSE LA GUEULE PLEINE DE PLUMES C'EST PAS BON ICI JE SENS UNE ODEUR DE VIANDE UNE BONNE NOURRITURE D'HOMME UN HOMME ASSIS SUR UN BANC MANGE DU PAIN AVEC DE LA VIANDE IL POSE LE PAIN ET LA VIANDE SUR LE BANC JE SAUTE J'ATTRAPE JE MANGE VILAIN CHIEN DIT L'HOMME JE SUIS UN VILAIN CHIEN JE SUIS UN CHIEN

~

Commis de cuisine ! Comment as-tu pu laisser faire ça, Andriy Palenko ? Tu avais pourtant la ferme intention de les déposer tous les deux à Londres et de partir pour Sheffield. Et voilà que, subitement, tu te retrouves non seulement commis de cuisine, mais plongeur, balayeur, cuistot, tout. Le pire, c'est les pieds. Si le sol n'était pas aussi graisseux, tu pourrais travailler pieds nus. Dès que tu toucheras ta première semaine de paie, il faudra que tu t'achètes une de ces paires de baskets carrossées comme des engins de l'espace.

Ils ont profité de la pause pour se balader dans les rues, ce qui n'était pas intelligent car avant même de reprendre leur poste, en fin d'après-midi, ils ont déjà mal aux pieds. Dans la cuisine surchauffée, il règne une véritable frénésie. Fais ci ! Va chercher ça ! Plus vite ! Plus vite ! Tu as toujours les mains mouillées, savonneuses, couvertes de détergent puissant, les manches trempées, les pieds qui patinent sur le sol glissant, et à chaque respiration tu avales de la vapeur et de la graisse à pleins poumons.

Gilbert, le chef, est un Australien, une espèce d'armoire à glace avec un sale caractère, mais un véritable magicien aux fourneaux, qui découpe, taille et tranche en maniant ses grands couteaux en virtuose. La cuisine, Andriy avait toujours considéré que c'était un travail de femme, mais à voir Gilbert s'attaquer à la lame à une pièce de viande, puis la jeter dans un grésillement au milieu d'une poêle fumante, ce n'est pas inintéressant. Peut-être va-t-il apprendre quelque chose, après tout. Gilbert a deux assistants originaires d'Espagne – ou peut-être de Colombie – qui accourent à ses ordres et une équipe d'aides-cuisiniers qui hachent, remuent et préparent les plats. Puis il y a Dora, la seule femme de la cuisine, qui s'occupe des desserts. Et enfin les deux commis – Huan et lui – qui débarrassent et vident les assiettes, font la plonge, essuient ce qui est renversé ou trimbalent de gros sacs quand un des autres le leur demande – ce qui revient en fait à être l'esclave de dix maîtres, dont le pire ou en l'occurrence la pire est Dora, qui doit venir de Croatie ou peut-être du Monténégro et qui n'a rien d'une beauté.

À mesure que la soirée avance, les cris de Gilbert s'estompent et laissent place aux glapissements de Dora, les assiettes sales s'entassent, la mousse de savon et la vapeur s'accumulent. Au moins, dans la mine, on pouvait travailler à son rythme. Quand Gilbert va fumer une cigarette dehors, les Colombiens lui font parfois goûter un des plats au menu, mais au bout d'un moment il a mal au ventre et partout ailleurs, et ne rêve plus que d'aller s'asseoir près de la porte ouverte de l'arrière-cour qui laisse passer de temps en temps un souffle de vent, brassant l'air épais.

Parfois, quand la porte à double battant s'ouvre, il aperçoit Irina qui se faufile de table en table dans la salle – comme elle est chargée de servir les boissons, elle entre rarement dans la cuisine. Elle s'est fait deux tresses, ce qui lui donne l'air encore plus jeune, et avec son uniforme noir et blanc elle ressemble à une pulpeuse collégienne. Les hommes la suivent du regard dans la salle. À qui sourit-elle ainsi ? Pourquoi sa blouse est-elle si décolletée ? Pourquoi a-t-elle jugé utile d'acheter une jupe aussi courte ? Quand elle se penche pour servir les boissons, on aperçoit… enfin, non, pas tout à fait. Vous avez vu un peu comme cet homme la fixe du regard ?

Bien après que les cuisiniers et les employés de service sont rentrés chez eux, les commis doivent encore ranger, laver le sol et tout remettre en ordre pour le lendemain. Assise sur une chaise, les pieds posés sur une autre, Irina attend dans la salle en picorant dans une assiette que les Colombiens lui ont préparée.

Il est quasiment une heure du matin quand ils peuvent enfin rentrer. La nuit est calme, le ciel étoilé. Andriy respire à pleins poumons l'air frais pollué au point d'en avoir la tête qui tourne. Ils ont encore une bonne demi-heure de marche pour rejoindre la caravane. Il avance en mettant un pied devant l'autre comme un robot. Robot. En russe, ça signifie « travail ». Voilà ce qu'il est. Une machine qui travaille.

« Moins vite, Andriy. »

Il s'aperçoit qu'elle a du mal à le suivre.

« Excuse-moi.

– Tiens. C'est pour toi. Je peux te rembourser ce que je t'ai emprunté. »

Elle glisse la main dans sa blouse ridiculement décolletée et en sort un billet de vingt livres roulé.

« Comment tu as eu ça ?

– C'est un type qui me l'a donné. Un client.

– Pourquoi ?

– Je ne sais pas pourquoi. Il me l'a donné, c'est tout. J'étais en train de lui servir à boire.

– Je l'ai vu plonger les yeux dans ton décolleté. Tu as l'air d'une pute, habillée comme ça.

– Non, ce n'est pas vrai. J'ai l'air d'une serveuse. Ne sois pas ridicule.

– Garde ton argent, je n'en veux pas.

– Allez, tiens. C'est pour toi. Ce que je t'ai emprunté. Qu'est-ce qui te prend ?

– Je t'ai dit que je n'en voulais pas. »

Il fourre ses mains dans ses poches et baisse le menton, et ils poursuivent leur chemin en silence. Qu'est-ce qui lui prend ?

~

Quand j'ai vu la façon dont ce vieux monsieur me regardait, j'en ai eu la chair de poule, c'était horrible. Il a pris son portefeuille, en a sorti un billet de vingt livres et l'a roulé entre ses doigts de manière ostentatoire, et quand je me suis penchée avec son verre, il l'a glissé dans mon soutien-gorge. Je l'ai senti là toute la soirée, raide et piquant entre mes seins.

Le restaurant était bondé, il y avait des gens qui attendaient à côté de l'entrée, les serveurs couraient d'une table à l'autre en essayant de garder leur calme tandis que Zita, la patronne, conduisait les clients à leurs tables en se pavanant avec son sourire maquillé. Comme il était assis près de la fenêtre, personne n'a dû remarquer. J'aurais peut-être dû le lui rendre. Mais je me suis dit : je ne le reverrai peut-être jamais, et du coup je peux rembourser Andriy et ça facilitera les choses entre nous. Sur ce, Andriy est devenu d'une humeur massacrante, et franchement je n'avais pas besoin de ça car j'ai bien assez d'idées sombres ce soir.

La pire, c'est que le type au billet de vingt livres m'a fait penser à mon pappa. Même stature. Même lunettes à monture invisible. Même cheveux décrépits hérissés sur le crâne. Il était seul à sa table. Je l'ai fixé un moment, stupéfaite par la ressemblance, puis j'ai surpris son regard et j'ai détourné les yeux. C'est probablement comme ça que ça a commencé – l'histoire du billet de vingt –, sur ce bref échange de regards. Mais ce qui me tracasse, c'est que je me demande si pappa était comme ça. Se ridiculisant devant une jeune fille, plongeant les yeux dans son décolleté.

Il faut vous dire que la fille pour laquelle pappa a quitté la maison a presque le même âge que moi. Svitlana Surokha. En fait, elle était dans le même lycée que moi, deux classes au-dessus. C'est une de ces filles que tout le monde aime bien, jolie, avec des cheveux blonds bouclés comme une starlette, des yeux bleus et un nez retroussé, passant son temps à rire et plaisanter sur les professeurs. Une fois à l'université Shevchenko, où pappa enseigne l'histoire, c'est devenu une des organisatrices du mouvement des étudiants de la Révolution orange. Et ils sont tombés amoureux. Comme ça. C'est ce que pappa a dit à ma mère et c'est ce qu'elle m'a répété en pleurant jusqu'au milieu de la nuit, vidant les boîtes de mouchoirs les unes après les autres, jusqu'à ce qu'elle ait le nez tout rouge et les yeux bouffis et plissés comme un porcelet.

Pas joli à voir. Franchement, on ne pouvait pas en vouloir à pappa de délaisser cette rombière à l'allure rébarbative qui passait son temps à le harceler et tomber amoureux d'une jeune et jolie fille pleine de drôlerie. « Tomber amoureux » – la belle étudiante militante blonde et l'éminent historien ukrainien attirés l'un vers l'autre par un même amour de la liberté. Qu'y a-t-il de plus romantique ?

Bien sûr, ma mère me faisait de la peine avec ses reniflements et ses mouchoirs trempés. Mais tout le monde sait que si les femmes ne réussissent pas à retenir leurs hommes, c'est de leur faute. Il faut qu'elle fasse des efforts. Le pire, c'est que même ma mère le savait et que des efforts, elle en avait fait, se teignant les cheveux, mettant du rouge à lèvres rose vif et cet impossible foulard rose. Mais elle ne pouvait pas s'empêcher de le harceler d'une manière vraiment humiliante. « Tu m'aimes bien un petit peu, tout de même, Vanya ? » Ça n'avait fait qu'empirer les choses. Moi, je ne commettrai jamais la même erreur.

Le type des vingt livres – il me faisait penser à pappa –, c'était un monsieur respectable d'âge mûr, qui devait avoir une femme entre deux âges et une famille cachées quelque part. Mais il avait le regard de Vulk. Un regard affamé. *Tu aimer, fleurrr ?*… Un regard avide. Sa façon de m'observer n'avait rien de romantique, on aurait dit un chat observant une souris, guettant ses moindres mouvements, se léchant les babines à l'idée de l'attraper.

Mon cher pappa tout ridé et tout froissé avait-il regardé Svitlana Surokha de cette façon-là ? Les hommes sont-ils tous comme ça ?

Andriy avait la tête baissée, l'air sombre, et il s'était remis à marcher trop vite, mais je n'allais pas lui demander de ralentir pour moi. Je n'en voulais même pas à pappa. J'étais si déçue que je ressentais un grand vide au fond de mon cœur, déçue par pappa, évidemment, mais aussi par toutes ces histoires de romances entre hommes et femmes. On passe sa vie à attendre le bon, les baisers au clair de lune, l'amour éternel, Mr Brown et sa mystérieuse protubérance, la fidélité au-delà de la mort ; et puis soudain on s'aperçoit que ce que l'on a tant attendu n'existe pas et qu'il faut rabaisser ses prétentions. Quelle désillusion !

Du coup, quand au bout de dix minutes de silence Andriy a soudain passé son bras autour de moi, je me suis écartée. « Non ! »

J'ai aussitôt regretté, mais c'était trop tard. *Excuse-moi, ce n'est pas ce que je voulais dire. Remets ton bras, s'il te plaît.* Mais ça ne se fait pas, hein ?

~

Bon, c'est décidé. Dans quelques jours, il empochera son salaire de la semaine et il partira pour Sheffield. Inutile de s'attarder plus longtemps ici et de se ridiculiser en poursuivant une fille qui ne s'intéresse pas du tout à lui. Londres est une ville excitante, qui donne à réfléchir, et, pour être franc, il est content d'y avoir passé quelques jours pour goûter à ce côté doux-amer. Et puis c'est une bonne chose d'avoir un peu d'argent en poche pour le voyage. Mais il est temps de lever le camp. Elle se débrouillera très bien. Elle pourra s'installer dans le logement fourni avec le poste, et elle a l'air de rapporter des pourboires en plus de son salaire. C'est probablement pour ça qu'elle met cette blouse. Enfin, ça la regarde. Ça ne lui fait ni chaud ni froid. Elle peut régler la question de son passeport, bien qu'elle n'ait pas l'air pressé, économiser pour le voyage et même s'acheter de jolis vêtements si c'est ce qu'elle veut. Il n'a pas à se faire du souci pour elle. Il prendra la caravane et le Chien. Il est impatient de se retrouver seul, sur la route.

Ils sont à proximité de l'endroit où sont garées la caravane et la Land Rover quand ils entendent le Chien aboyer furieusement et des coups sourds irréguliers. À mesure qu'ils approchent, le bruit s'intensifie et se mêle d'un vacarme de voix perçantes. Il accélère le pas, puis se met à courir.

Au détour de la ruelle, ils voient une horde d'enfants qui forment un cercle autour de la caravane et la bombardent de briques. Le Chien aboie frénétiquement en esquivant les jets, essayant de les faire fuir. Mais d'où ils sortent, ces petits cons ? Dans la lueur orange des réverbères qui ne projettent aucune ombre, les silhouettes dansent comme si elles participaient à une étrange orgie. L'un d'entre eux a glissé un tas de petit bois et de papier sous la caravane et lance des allumettes dessus.

« Qu'est-ce que vous faites ? Arrêtez ! » Andriy se précipite vers eux en agitant les bras. Les enfants s'interrompent le temps d'une seconde, à peine. Le plus proche est un gamin en haillons avec une tignasse en bataille. Leurs regards se croisent. Le gamin ramasse une demi-brique et la lui jette.

« Tumaurapaconarvatefairfout tumaurapa ! »

Andriy l'évite de justesse. Il se rue sur le petit salopard, le saisit par les deux bras et le fait tournoyer sur place avant de l'envoyer valdinguer. Le gamin titube et tombe par terre.

« Vatefairfoutsalconar ! »

Andriy se jette sur un autre gamin qui lui échappe en courant, puis un autre qui réussit à se dégager avec une agilité de chat et détale en lui crachant dessus. Même

Irina s'en mêle. Elle agrippe un garçon par le bras et quand il se met à lui cracher à la figure en l'injuriant, elle lui crache à son tour dessus en lui rendant ses insultes et lui donne une bonne claque sur le derrière. Où a-t-elle appris ces mots ? Le Chien retrousse les babines et se jette sur le garçon aux allumettes juste au moment où le feu gagne le papier. La fumée leur parvient aux narines. Les enfants se dispersent en criant et en jetant des briques derrière eux. Le Chien pourchasse les derniers retardataires en les talonnant.

Le papier a pris feu et le petit bois craque sous la caravane, fumant et projetant des étincelles. Le Chien devient fou. D'un coup, Andriy ouvre sa braguette et pisse sur les flammes. Il y a un sifflement et un peu de fumée, mais la caravane n'est pas trop endommagée. Pourquoi le regarde-t-elle avec ce grand sourire ? C'était une urgence. Eh bien, qu'elle regarde. Qu'elle sourie. Il se fiche bien d'elle.

Il s'assied sur le marchepied de la caravane et enfouit la tête dans les mains, cédant à la fatigue. Mais il faut qu'elle vienne se glisser à côté de lui. Son bras, sa cuisse – l'endroit où leur peau se touche est aussi brûlant que du métal chauffé à blanc. Pourquoi faut-il que cette fille lui prenne la tête comme ça ? S'il n'y a rien de possible entre eux, pourquoi ne lui fiche-t-elle pas la paix ?

À cette seule idée, il se sent déprimé, furieux contre lui-même et contre elle. Et il y a autre chose qui le contrarie : le regard du gamin aux cheveux en bataille quand il l'a envoyé valser. Ce n'était pas le regard pétillant de malice d'un petit garnement qui s'amuse, mais un regard vide et inerte – un regard qu'il ne connaît que trop. Comme celui de la fille nue dans le 4 × 4. Ou celui des Ukrainiens sur la jetée. Pourquoi tant de gens sur cette terre ont-ils ce regard inerte de zombie ?

« Andriy ?

– Quoi ?

– On ne peut pas rester ici.

– Pourquoi ça ?

– Les enfants – ils vont revenir une fois qu'on sera endormis. Ils vont mettre le feu alors qu'on y est.

– Mais non. »

Mais ne peut-elle donc pas se taire et lui fiche la paix ?

« On ne sait jamais. Et même s'ils ne reviennent pas cette nuit, la caravane n'est pas en sécurité ici. Ils reviendront sûrement.

– On peut la déplacer demain matin. »

Il se sent gagné par une fatigue qui s'infiltre en lui et se solidifie dans ses membres. Il a dû se froisser un muscle de l'épaule en faisant tournoyer le gamin et souffre d'autres douleurs mystérieuses dans le dos et les jambes.

« Il y aura trop de monde demain matin. C'est plus facile de trouver une place à cette heure-ci. Il vaut mieux y aller maintenant.

– Où veux-tu aller ?

– Je ne sais pas. N'importe où. On peut peut-être trouver une place plus près du restaurant. »

Il ramasse alors un bout de brique et tape sur le cadenas de la barrière qui cède rapidement. En fait, elle a raison – c'est plus facile de conduire la nuit. Il réussit même à mettre la quatrième sans passer en marche arrière. Il se souvient d'avoir vu une petite rue tranquille où il y a parfois des voitures garées, derrière le restaurant. Ça fera l'affaire pour ce soir. Ce n'est que temporaire. Bientôt, il repartira.

~

Après l'histoire des gamins, Andriy est devenu encore plus grincheux. J'avais beau essayer de plaisanter et de lui remonter le moral, chaque jour il était de plus en plus grognon et n'arrêtait pas de répéter qu'il partirait pour Sheffield dès qu'on aurait touché notre première semaine de salaire.

J'avais déjà à peu près quatre-vingts livres de pourboires laissés par les clients. J'ai voulu les partager avec lui, mais il a refusé en secouant la tête et m'a dit qu'il en avait marre de ce boulot et que, de toute façon, il n'allait pas tarder à partir pour Sheffield. Mais qu'est-ce qu'il avait ? Ne me dites pas qu'il faisait encore la tête au sujet de ce billet de vingt livres.

Du coup, je suis retournée au magasin qui soldait et j'ai acheté une autre blouse moins décolletée. Je croyais qu'il allait être content, mais pas du tout. Il m'a dit qu'elle était encore trop décolletée et que ma jupe était trop courte. Il était assommant, enfin ! C'est une belle jupe, juste au-dessus du genou, bien coupée, avec une jolie doublure en soie qui était vendue à moitié prix parce qu'il manquait un bouton, que je n'ai eu qu'à recoudre. Elle a aussi une poche profonde, ce qui est pratique pour les pourboires. Il n'y a pas moyen de le satisfaire. S'il n'aime pas ma façon de m'habiller, c'est son problème. Pourquoi ne va-t-il pas à Sheffield au lieu de traîner ici en me tapant sur les nerfs ?

Le lendemain matin, j'ai décidé d'aller au consulat ukrainien pour avoir un nouveau passeport. Comme il me restait un peu de l'argent des pourboires, j'ai fait un tour dans la première boutique de vêtements inabordables. Franchement, les prix sur les étiquettes sont hallucinants. J'ai passé une heure à essayer plein de trucs, à me regarder dans la glace. Je ne suis jamais allée au consulat. Il y avait un pantalon soldé à trente livres, alors qu'il en coûtait cent vingt au départ. Il était noir, taille basse et super-moulant. Il était fabuleux. Je savais qu'Andriy le détesterait.

Je suis passée à la caravane, mais Andriy était déjà parti au restaurant et c'est là que j'ai remarqué une espèce d'étiquette collée au pare-brise de la Land Rover. Je l'ai retirée et je l'ai mise dans ma poche pour la lui montrer. Il y avait aussi une espèce de machin fixé à la roue avant de la voiture et un autre à celle de la caravane. C'était bizarre. Il saurait sûrement comment les enlever. Comme il y avait du monde au déjeuner, je n'ai pas réussi à lui parler. De toute façon, il avait l'air si grognon que je l'évitais.

Et puis quelqu'un d'autre est arrivé dans le restaurant et ça n'a fait qu'aggraver les choses.

Il était presque trois heures, la fin du service du déjeuner, et certains des employés étaient déjà partis. Il ne restait que deux clients dans le restaurant, un jeune couple qui finissait son repas. Un homme est entré tout seul et s'est installé près de la devanture – à la même table que celle du type au billet de vingt. Je ne l'ai pas reconnu tout de suite, mais lui m'a reconnue aussitôt.

« Irina ? »

C'était un jeune homme brun aux cheveux très courts. Il avait un costume gris, une chemise très blanche avec une grosse montre en or qui dépassait du poignet et une cravate à motifs bleu et rose. Très séduisant pour tout dire.

« Vitaly ? »

Il a souri. « Hello.

– Waouh, Vitaly ! Qu'est-ce que tu as changé !

– Qu'est-ce que tu fais là ?

– Je gagne ma vie, évidemment. Et toi ?

– Moi aussi. Je gagne beaucoup d'argent. » Il sort un minuscule portable de sa poche et l'ouvre. « Consultant en recrutement, solution d'emploi dynamique innovante radicale (d'une main, il fait le geste de couper), réponse organisationnelle pour tous vos besoins de main-d'œuvre flexible. Mieux payé que fraises. »

Bon, d'accord, j'avoue que j'étais impressionnée.

« Consultant en recrutement ? C'est quoi ?

– Oh, ça veut juste dire trouver un travail pour une personne. Ou trouver une personne pour un travail. Je recherche toujours des nouveaux pour remplir des postes vacants très intéressants.

– Tu peux trouver du travail ? »

Il a montré son téléphone et appuyé sur quelques touches.

« Je peux te trouver un travail de premier ordre, Irina. Très bien payé. Un travail propre. Avec logement de luxe. Et mon ami Andriy. J'ai un bon travail pour lui aussi. À côté de l'aéroport d'Heathrow. Il est là ?

– Il travaille à la cuisine. Commis de cuisine.

– Commis de cuisine. Hmm. » Il secoue la tête avec un petit sourire. « Irina, toi et Andriy… vous possibilisez ?

– Pourquoi tu me demandes ça ? » lui ai-je dit. Alors il a pris ma main et il m'a fixé de ses yeux très sombres avec un regard qui m'a fait frémir. « Irina, tout le temps je pense à toi. »

J'ai rougi. C'était si romantique. Parlait-il sérieusement ? Je ne savais pas quoi dire. J'ai retiré ma main, au cas où Andriy regarderait.

« Parle-moi de ce travail, Vitaly. C'est quel genre de travail ?

– Tout premier ordre. Cuisine gastronomique. Une société internationale haut de gamme qui cherche désespérément du personnel remplaçant fiable et motivé. »

Il parlait d'une voix grave, et cette façon qu'il avait de prononcer ces longs mots en anglais lui donnait l'air incroyablement cultivé. « Contrat de préparation de repas pour une grande compagnie aérienne près de l'aéroport d'Heathrow. »

~

Oui, depuis que l'homme a pour la première fois levé la tête au-dessus de la bouche de la grotte pour contempler les étoiles célestes, en se disant que ce serait bien agréable d'en posséder une à lui tout seul, l'homme rêve de faire travailler les autres à sa place en les payant le moins possible. Et ce rêve, personne ne l'a poursuivi avec autant de dynamisme que Vitaly. Il a passé la journée à ratisser tous les bars et les restaurants de Londres à la recherche des bons candidats. Les nouveaux arrivants, les égarés, les désespérés, les cupides. On peut se faire beaucoup d'argent avec ces gens-là.

Car, comme le disait l'autre barbu à grosse tête, Karl Marx, personne ne peut bâtir une fortune par son seul travail, mais pour faire partie de l'élite des riches VIP, il faut s'approprier le travail des autres. Pour accomplir ce rêve, les hommes ont eu recours au fil des millénaires à de multiples solutions ingénieuses, de l'esclavage au travail forcé, en passant par la déportation, l'engagisme, la servitude pour dette et les colonies pénitentiaires, jusqu'à la précarisation, le travail sur appel, le travail flexible, la clause de non-grève, les heures supplémentaires obligatoires, le statut d'indépendant obligatoire, l'intérim, la sous-traitance, l'immigration clandestine, l'externalisation et autres changements organisationnels visant à une flexibilité maximale. Et le fer de lance de cette révolution permanente de la procédure d'entreprise n'est autre que le consultant en recrutement pour une solution d'emploi dynamique et radicale, qui a joué un rôle historique. Trop peu de gens en sont conscients.

C'est pour cela qu'en dépit du luxueux costume sur mesure en pure laine anthracite, du Nokia N94i dernier cri niché dans sa poche et de la vraie Rolex Explorer II qui glisse un clin d'œil insolent sous le poignet de sa chemise, il se sent tristement incompris. Ce qu'il te faut, se dit-il, c'est une fille pour partager ta réussite – une fille bien, jolie, venant d'un bon milieu, et non une de ces filles de seconde zone maquillées comme des pots de peinture ; une fille innocente à qui tu pourras enseigner l'art d'aimer comme tu l'entends, assez séduisante pour exciter la jalousie des autres hommes, mais pas suffisamment pour s'enfuir avec le premier guignol qui possédera un Nokia N95ii et une Rolex Daytona. Ce qu'il te faut, c'est une fille qui t'assure qu'en fait tu es un homme bien. Un homme dynamique. Un VIP. Pas un criminel. Pas un loser. Et elle est là devant toi, la fille de tes rêves, elle te sourit de son charmant sourire en te resservant un verre de sauvignon blanc bien frais. C'est vraiment un très bon vin – un des petits avantages agréables du métier. Et le plus tragique là-dedans, c'est qu'alors même que tu contemples le creux soyeux qui plonge entre ses adorables seins, une voix pragmatique résonne en toi : tu pourrais te faire pas mal d'argent avec cette fille.

Car, voyez-vous, quand vous avez grandi au fin fond de la vallée du Dniestr dans une ville provinciale nichée dans un méandre du fleuve qui sépare la Moldavie de la république de Transnistrie – une ville où les armes font la loi, où vous avez perdu votre père et deux de vos frères, abattus au beau milieu de la grande rue non loin de la maison pour avoir refusé de payer pour garantir leur protection, un troisième frère tombé pendant la guerre d'indépendance et votre mère morte de chagrin à l'âge de quarante-deux ans lorsque sa maison a été rasée et que vos deux sœurs ont été vendues par un escroc kosovar à un salon de massage de Peckham –, quand vous avez grandi dans une ville comme Bendery, ça vous endurcit.

Ah, Bendery ! Bendery et ses tristes blocs de béton de l'ère soviétique qui dissimulent un cœur sauvage, ses ruelles qui sentent les égouts bouchés et l'ail frit, ses couchers de soleil qui brillent comme des feux par les fenêtres calcinées des immeubles proches du pont, son large fleuve à la surface argentée qui clapote le long des berges sablonneuses où parfois vient s'échouer un cadavre, ses forêts où les fantômes soupirent encore, ses rues où le sang a coulé. Ah, Bendery ! Ses yeux s'embuent d'une tristesse douce-amère. Il plonge le regard dans le décolleté de la blouse d'Irina. Autrefois, il a eu une petite amie comme elle à Bendery. Rosa. La fille de la bibliothécaire de l'école. Elle avait quinze ans et elle était vierge. Lui aussi. Elle avait des yeux bruns, le regard plein de promesses. Ils se retrouvaient après les cours dans une clairière secrète au bord du fleuve. Elle aussi doit être à Peckham maintenant.

En d'autres temps, il avait été l'espoir de sa famille, l'étudiant qui nourrissait de grands rêves. Pour sa mère, il était la prunelle de ses yeux. Il serait probablement devenu avocat ou homme politique s'il n'avait vécu à Bendery et n'était tombé sur ce livre qui devait changer sa vie, enfermé dans une armoire de lycée pleine d'ouvrages passés de mode, dont certains avaient plus de quatre-vingts ans et que la bibliothécaire avait cachés là au cas où ils redeviendraient au goût du jour. Sans doute y sont-ils encore.

Il venait d'avoir seize ans quand la Transnistrie avait fait sécession avec la Moldavie, en 1992, sur la question de la langue. Alphabet cyrillique contre alphabet latin. Naturellement, il s'était rallié aux patriotes avec ses frères, mais son cœur n'y était pas et il avait évité les combats les plus meurtriers, alors même que Bendery, qui est situé sur la rive ouest du Dniestr et n'est relié au reste de la Transnistrie que par un pont, était en première ligne durant la guerre civile. Deux mille victimes, dont son frère aîné, des centaines de maisons brûlées, dont la leur, et tout ça pour savoir dans quel alphabet devait s'écrire une langue. Certes, il était aussi patriote que n'importe qui, mais il estimait que ça ne valait pas la peine de risquer sa vie pour si peu. Certains je-sais-tout disaient qu'en fait c'était une question politique – il s'agissait de décider s'il était temps de dire adieu à leur passé sous domination russe pour faire les yeux doux à la Roumanie pro-occidentale. Et d'autres prétendaient que ce n'était qu'une guerre tribale entre clans de gangsters rivaux. Chacun avait probablement ses raisons de s'engager dans la lutte, il y en avait même qui s'engageaient sans en avoir aucune.

Après l'accord de trêve et le retour à une étrange normale, il avait essayé pendant quelques années de réussir dans l'entreprise de construction familiale, il avait vraiment essayé. Il travaillait jour et nuit, trimbalant des briques, gâchant le béton, posant des conduites et des évacuations, installant des portes et des fenêtres tout en payant pour assurer sa protection. Mais après que son père et ses jeunes frères eurent été abattus dans la rue principale de Bendery par un homme de main d'un de ces gangsters pour avoir osé contester une augmentation du tarif de la protection, il s'était rendu compte que le travail était le propre des losers et que le vieux roublard barbu avait raison (c'est probablement pour ça qu'il fallait enfermer ces livres pernicieux) : si on voulait faire partie de l'élite, il fallait apprendre à exploiter le travail des autres et les laisser vous enrichir. Récolter le fruit des efforts d'autrui – les losers. C'est la seule solution.

Alors il avait contacté le faux demandeur d'asile kosovar qui avait transporté ses sœurs en lui offrant de lui procurer quatre filles s'il le faisait passer en Angleterre. En fait il n'en avait trouvé que trois, les deux filles de son ancien professeur d'anglais du lycée réduit à la misère après avoir été renvoyé pour avoir refusé d'enseigner l'anglais en alphabet cyrillique et une jeune sourde et muette qui vendait des conserves de champignons au vinaigre sur le marché. Le trafiquant kosovar avait obtenu des passeports grecs et Vitaly les avait escortées sur le ferry jusqu'à Douvres, où le Kosovar, qui opérait sous le nom de Mr Smith, l'avait déchargé des filles et présenté à son oncle, Vulk, qui avait dirigé une entreprise similaire en Slovénie et en Allemagne, et qui l'avait à son tour présenté au fermier Leapish, qui avait commis l'erreur de le présenter à sa femme (ah ah), qui l'avait présenté à Jim Nightingale de la société Nightingale Human Solutions. C'est comme ça que ça marche dans les affaires – il faut des contacts, et quand on a les bons contacts, on peut vendre n'importe quoi.

Et à peine quatre mois plus tard, te voilà assis à la meilleure table de ce restaurant très cher de Londres dans ton beau costume très cher et très chic (tu as tiré un trait sur ta phase crâne rasé et chaîne en or ornée d'un pendentif en forme de couteau, qui faisait peut-être mauvaise impression auprès de certains hommes d'affaires angliski), avec au poignet une vraie Rolex Explorer II et non une de ces imitations dont le premier imbécile venu sait que c'est une fausse, en train d'attendre ton client en dégustant un verre bien frais de sauvignon blanc néo-zélandais dont le prix exorbitant te rassure, prenant en photo cette fille séduisante et potentiellement très chère sur ton luxueux Nokia N94i, confronté au délicieux dilemme de savoir si tu vas la garder pour toi ou la vendre à quelqu'un d'autre. Tu connais deux ou trois types qui pourraient bien être intéressés si tu leur envoies sa photo.

À Bendery, les filles aussi innocentes et jolies que ça se vendaient pour une bouchée de pain, en fait tu en as toi-même défloré plusieurs – c'était après Rosa, après la guerre, après toutes les tueries –, et depuis quelque temps tu te dis que c'est bien beau de dépenser autant d'argent sur l'apparence, les costumes, les montres, les téléphones, les filles, et que c'est probablement un investissement essentiel si tu veux te créer une bonne image de marque pour les affaires, mais que si tu veux véritablement devenir riche, tu ne peux pas tout dépenser, il te faut économiser et investir, bâtir ton capital, d'autant que l'immobilier est sacrément cher à Londres. Et tu as pas mal besoin d'argent.

Peu de gens se rendent compte à quel point il t'a fallu lutter – et lutter seul – pour t'extirper de cette ville située au milieu de nulle part en bordure de cette république non reconnue, qui n'est en fait qu'une bande de terre peuplée d'une demi-douzaine de bourgades dangereusement coincées entre la rive droite du Dniestr et la frontière ouest de l'Ukraine, et t'établir comme consultant en recrutement motivationnel expert en solution humaine au cœur même de l'Ouest. Ils ne comprennent pas à quel point il faut être dynamique et parfois même impitoyable, combien on se sent seul, absolument seul, quand on ne peut faire confiance à personne, car n'importe quel guignol peut vous démolir et vous piquer votre business et vos plus proches associés sont aussi vos pires concurrents.

Car dans la transition entre l'ancien monde et le nouveau, comme le vieux roublard à la barbe en broussaille l'a écrit, tous les rapports sociaux figés et couverts de rouille se dissolvent, tout ce qui avait solidité et permanence s'en va en fumée, tout ce qui était sacré est profané, et l'homme doit porter un regard lucide sur les véritables choix qui se présentent à lui et ses relations avec les autres. Car dans ce nouveau monde il n'y a que des rivaux et des perdants. Et des femmes, bien sûr.

~

Elle s'approche furtivement de lui avec son sourire exaspérant.

« Andriy. Vitaly est là. Vitaly du champ de fraises.

– Où ça ? »

Il ne manquait plus que ça. Le roi du mobilfon qui vient le narguer devant l'évier, alors qu'il a les mains dans la plonge.

« Ici. Au restaurant. Près de la fenêtre.

– Qu'est-ce qu'il veut ?

– Il dit qu'il a un travail pour nous. Un excellent travail. De la cuisine gastronomique près de l'aéroport d'Heathrow. »

Andriy sent la colère lui monter au visage.

« Si tu veux partir avec Vitaly, ça te regarde. Ce travail ne m'intéresse pas. »

Il attrape à tâtons une poignée d'assiettes glissantes dans l'eau chaude décapante, observant au passage à quel point ses mains sont rouges et irritées.

« Il dit que c'est bien payé. Et que c'est un travail propre. Ça serait peut-être mieux pour toi. Mieux que commis de cuisine.

– Il sait que je suis commis de cuisine ?

– Je lui ai dit qu'on travaillait pour se faire un peu d'argent. Va au moins lui parler.

– Qu'est-ce que tu lui as dit d'autre ? »

Sincèrement, ce n'est pas de sa faute, à cette fille. Elle ne comprend rien à rien.

« Je ne sais pas. Qu'est-ce que tu as, Andriy ? Il essaie de nous aider.

– Il n'agit que dans son intérêt. » Il s'essuie les mains sur un torchon mouillé. « Tu lui as servi à boire, Irina ? Tu lui as bien montré ton décolleté ?

– Arrête, Andriy. Qu'est-ce qui t'arrive ?

– Il t'a montré son mobilfon ?

– Va lui dire bonjour. C'est ton ami, non ?

– Je dirai ce que je veux. »

Il entasse les assiettes visqueuses dans l'égouttoir et ouvre d'un coup de pied la porte battante de la salle du restaurant. Il regarde autour de lui. Vitaly est attablé près de la fenêtre. Il boit du vin en tripotant son portable avec ostentation. Où a-t-il trouvé ce costume ultra-chic ? Soudain, la porte d'entrée du restaurant s'ouvre en grand et un autre type entre en trombe – un grand type au crâne rasé avec une horrible cicatrice qui lui barre la joue et la lèvre. Immobile à la porte de la cuisine, Andriy regarde fasciné le type à la cicatrice qui repère Vitaly, traverse la salle et se plante devant sa table. Andriy est certain de l'avoir déjà vu, mais il ne se rappelle pas où. Irina est restée terrée à la cuisine. Sur ce apparaît Zita, qui se demande où est passée Irina qui devrait être dans la salle pour offrir à boire au client.

L'homme à la cicatrice lance d'une voix si forte que tout le monde l'entend : « Où elle est ?

– Quelque part ici, répond Vitaly. Assieds-toi.

– Tu me dois une fille, crevure. Tu promis quatre et tu amènes que trois.

– Assieds-toi, Smitya, dit Vitaly à voix basse. On peut tout discuter. Prends un verre. » Il fait signe à Zita.

« Ces salopes de Chinoises que tu vends. Pas une de vierge. Je me suis fait brûler. »

Andriy se souvient où il l'a vu. Vitaly lève les mains d'un geste apaisant. « OK. On peut faire affaire, mon ami. J'ai proposition pour toi.

– Montre la fille.

– Une minute. Elle est là. Assieds-toi. Je vais la chercher. »

Andriy est en nage. Sa rage est telle que tout son corps est tendu. S'il avait une arme à la main, il abattrait Vitaly sur-le-champ, se dit-il. Mais il se retire discrètement derrière la porte entrouverte de la cuisine, à l'abri du champ de vision de Vitaly. Irina s'est volatilisée quelque part.

L'homme regarde fiévreusement autour de lui. Il pose les yeux sur Zita.

« C'est elle ? Cette mocheté ? Tu me prends pour tête de chou ?

– S'il te plaît, Smitya. On est des gens civilisés, pas des gangsters. Parlons affaire.

– Pas l'embrouille avec moi. » Sa cicatrice violette tranche sur son teint livide. « Tu oublier qui je suis, crevure. Tu faire le malin pour parler affaire. Tu oublier comment on parle affaires ici. »

Il voit le type sortir un revolver d'une poche intérieure de sa veste. Tout se passe comme au ralenti. Un sourire balafré s'étire sur ses dents. Le visage de Vitaly se tord de peur. Zita hurle. L'homme tire à quatre reprises : deux fois sur Vitaly, une fois sur Zita et une autre sur le miroir qui se trouve derrière le bar.

Bang. Bang. Bang. Bang.

La succession rapide de coups retentit dans l'espace confiné comme une série d'explosions souterraines. Andriy met les mains sur ses oreilles. Dans le vacarme des cris et du verre brisé, Zita bascule en arrière, Vitaly s'affaisse sur sa table et le jeune couple qui finissait son repas se met à pousser des hurlements hystériques. L'homme tourne les talons, se précipite vers la sortie et disparaît dans la rue.

Dans le silence qui suit, Andriy entend Gilbert qui crie de la cuisine : « C'est quoi, ce bordel ? » Puis la jeune femme du couple qui appelle la police sur son portable et les longs gémissements chevrotants de Zita qui contemple l'amas de chair, de sang et d'os éparpillés qui reste de sa jambe gauche. Vitaly n'émet aucun son. Andriy s'approche précautionneusement de Vitaly qui gît, affalé en travers de la table. Un filet de sang foncé se répand peu à peu sur la nappe blanche damassée et se mêle à une sorte d'écume grisâtre qui jaillit en bulles d'une double plaie béante en plein front. Il a les yeux ouverts. La main tient encore le pied du verre qui a éclaté dans sa main. Soudain, une curieuse mélodie fuse de son corps, un air d'une gaieté grotesque – di di daah da – di di daah da – daah ! La sonnerie retentit à plusieurs reprises, puis elle se tait.

Andriy a les yeux écarquillés. L'horreur se met à bouillonner en lui, pareille à l'écume grise – une horreur mêlée de culpabilité. Aurait-il dû intervenir ? Aurait-il pu le sauver ? Était-ce la colère muette qu'il ressentait qui a condamné Vitaly à mort ? Sa première réaction est de rire

– il est forcé de mettre la main devant sa bouche pour s'en empêcher. La seconde est de fuir – fuir la mort en se jetant dans la lumière du monde des vivants.

Gilbert le costaud prend la situation en main avec un remarquable pragmatisme, ordonnant au couple de clients de se taire et de se rasseoir en attendant la police, tout en essayant d'étancher le sang qui s'écoule de la blessure de Zita avec des serviettes propres.

« Tu peux y aller si tu veux. » Il prend discrètement Andriy à l'écart. « Si tu as peur de la police.

– C'est OK », dit Andriy. Puis il se rappelle le revolver caché au fond de son sac à dos.

Quand il retourne dans la cuisine, il s'aperçoit que tous les autres membres du personnel ont disparu. Il ne reste qu'Irina qui s'agrippe des deux mains à l'évier comme si elle s'apprêtait à vomir.

« Ça va ? »

Elle hoche la tête en silence. Elle n'a pas l'air d'aller du tout.

« Et toi ?

– Oui. Normal.

– Où est-ce qu'ils sont tous passés ? » demande-t-elle. Elle tremble des pieds à la tête.

« Ils sont partis, je crois. Ils sont tous clandestins. À part Gilbert. Quelqu'un a appelé la police. »

Dans la salle, Gilbert réclame de la glace. Andriy prend un bol, le remplit de glaçons et le lui apporte. Coincé entre des tables, Gilbert s'efforce d'étancher le sang qui coule de la jambe de Zita en nouant les serviettes en garrot de ses grosses mains avec une dextérité stupéfiante. L'odeur de poudre flotte toujours. Dans un silence hébété, le jeune couple contemple le front de Vitaly dont les plaies ont cessé de suinter et commencent à sécher, avant de baisser les yeux sur le plat qui se dessèche également dans les assiettes. La fille pleure doucement.

Soudain, la porte du restaurant s'ouvre. Andriy lève les yeux en s'attendant à voir des policiers ou des ambulanciers, mais un gros type entre avec un portable dans une main et un bouquet de fleurs dans l'autre. Sa figure aux bajoues pendantes ne trahit aucune émotion. Andriy recule sans bruit, le cœur battant. Vulk s'approche du corps affalé de Vitaly et marmonne entre ses dents. À l'instant même où Andriy atteint la porte de la cuisine, Vulk tourne la tête. Leurs regards se croisent. Vulk se rue en avant. Gilbert lui barre le chemin d'un bras robuste.

« Désolé, on est fermés. »

Vulk essaie de forcer le passage à coups d'épaule en se servant du bouquet de fleurs comme d'un fléau, mais Gilbert est aussi baraqué que lui. Il lui bloque le chemin.

« Vous n'avez pas entendu ? On est fermés.

– Hrrr ! » Vulk le bouscule violemment et se rue dans la cuisine. Mais Andriy a profité de l'instant de répit que lui a procuré l'intervention de Gilbert pour empoigner Irina, la tirer dans la réserve de la cuisine, attraper la clé dans la serrure et fermer de l'intérieur. Clac.

La réserve est froide et sent les oignons. L'interrupteur est à l'extérieur. Ils attendent dans le noir en tendant l'oreille. Elle tremble en gémissant. Il l'étreint en mettant sa main sur la bouche pour qu'elle se taise. Il sent le cœur de la jeune fille qui saute dans sa poitrine. De l'autre côté de la porte, ils entendent Vulk qui tourne toujours comme un fou dans la cuisine. Ils entendent un fracas d'assiettes cassées et le bruit métallique d'une casserole qui rebondit par terre, et cette voix pareille au hurlement d'une bête furieuse – *Petite fleurrr !* La porte de la réserve tremble et la poignée cliquette, mais la serrure tient. Quelqu'un – Vulk sans doute – allume la lumière de l'extérieur, et l'espace d'un instant ils se fixent tous les deux, le regard terrifié.

« Petite fleurrr ! Jamais tu échapper Vulk ! Où tu caches, Vulk te trouvera ! »

Puis ils sont replongés dans le noir.

Il la serre plus fort contre lui. Un instant plus tard, il entend Gilbert.

« Qu'est-ce que tu fous là ? Barre-toi, connard ! »

De nouveau, il y a des bruits de coups et de fracas, puis un hurlement qui peut tout aussi bien provenir de Vulk, de Gilbert ou de n'importe qui. La cuisine retombe dans le silence. Ils entendent les sirènes au lointain.

« Il est parti ? » chuchote Irina.

Andriy tend l'oreille. « Je crois. »

Il tourne la clé aussi silencieusement que possible et entrouvre la porte. Des voix s'élèvent de la salle, mais la cuisine est déserte. Sur la pointe des pieds, il traverse l'arrière-cuisine et va jusqu'à la plonge. Personne. Personne dans le vestiaire. Il jette un œil par la fenêtre de derrière. La cour est vide. Il prend son sac à dos et le sac rayé d'Irina dans le vestiaire – depuis leur mésaventure avec les enfants ils ne laissent plus rien de valeur dans la caravane – et retourne à la réserve. La porte est verrouillée. Elle s'est enfermée à l'intérieur. Il tambourine discrètement.

« Ouvre. Vite. C'est moi. »

Il entend la clé tourner dans la porte. Clac. Elle l'entrouvre de deux centimètres et pointe le nez à l'extérieur.

« Il est parti ?

– Oui. Allons-y. »

Il lui prend la main et ils se faufilent tous les deux dans la cuisine, puis sortent discrètement par-derrière. Il n'y a personne en vue. Une fois dehors, ils se mettent à courir. Le hurlement des sirènes résonne dans tout le quartier. Les sacs sur l'épaule, il la tire par la main. La caravane n'est qu'à deux rues de là. C'est du moins ce qu'il pense. Peut-être dans la rue suivante. Non ? Celle d'après ? Non, il est sûr qu'elle était là-bas, à côté des poubelles. Ils rebroussent chemin. Ils ont arrêté de courir et se sont remis à marcher, hors d'haleine. Ils refont le tour du pâté de maisons avant de se rendre compte que la caravane a bel et bien disparu.

Il s'assied sur le trottoir et enfouit la tête dans les mains. Ses jambes étendues devant lui pèsent une tonne. Son cœur cogne toujours dans sa poitrine. La caravane et la Land Rover. Leurs sacs de couchage. Quelques vêtements. Les carottes. Leurs bouteilles d'eau. Tout a disparu.

« Le Chien ! Ils ont même pris le Chien ! »

Mais alors même qu'il mesure tout ce qu'il a perdu, une autre part de lui-même se dit : tu es vivant, Andriy Palenko, et le roi du mobilfon est mort. Son sang est tout gluant sur son beau costume tandis que ton sang à toi bat dans tes veines. Et puis tu as tenu cette fille dans tes bras, tu as senti son corps contre le tien, docile et ferme à la fois, tendre et cependant agile, tout en douces courbes. Et à présent tu voudrais davantage.

Voilà bien le problème : ils en veulent tous davantage – le type au billet de vingt, Vulk, Vitaly et toute leur minable cohorte de clients –, ils veulent tous la même chose que toi. Se baigner dans les douces eaux de sa jeunesse. Cette jeune fille comme il faut, aussi fraîche qu'un mois de mai. Et elle le sent. Ce n'est pas étonnant qu'elle tremble comme un lapin pourchassé. Qu'elle bondisse dans tous les sens. Fiche-lui la paix, Andriy. Sois un homme.

~

JE SUIS UN CHIEN JE COURS JE MANGE DEUX PIGEONS MON HOMME ET LA FEMELLE PLUS BÊTE QU'UN MOUTON SONT PARTIS JE SUIS UN CHIEN SEUL DEUX HOMMES VIENNENT POUR PRENDRE NOTRE MAISON À ROUES J'ABOIE JE MONTRE LES DENTS JE LEUR SAUTE DESSUS JE MORDS VILAIN CHIEN DIT L'HOMME C'EST UN VILAIN JE SUIS UN VILAIN CHIEN JE SUIS UN CHIEN TRISTE JE SUIS UN CHIEN SEUL MA MAISON À ROUES EST PARTIE LE VILAIN M'ATTRAPE ME POUSSE À L'ARRIÈRE D'UNE CAGE À ROUES AVEC BEAUCOUP DE CHIENS TRISTES OÙ ON VA ON VA À LA MAISON DES CHIENS DIT LE CHIEN TRISTE JE CONNAIS CETTE MAISON DE CHIENS C'EST PAS UNE BONNE MAISON DIT LE CHIEN TRISTE TOUS LES CHIENS VIVENT EN CAGE DES PETITES CAGES ET PARTOUT ÇA SENT LA TRISTESSE DES CHIENS LA NUIT LES CHIENS TRISTES PLEURENT ILS N'ONT PAS D'HOMME JE N'IRAI PAS DANS CETTE MAISON DE CHIENS TRISTES JE SUIS UN CHIEN QUI COURT L'HOMME OUVRE LA CAGE À ROUES JE SAUTE JE COURS L'HOMME COURT JE COURS PLUS VITE JE COURS LOIN DE LA CAGE LOIN DE LA TRISTESSE DES CHIENS JE RETROUVERAI MON HOMME LÀ À CÔTÉ DE LÀ OÙ IL Y AVAIT LES PIGEONS JE COURS JE COURS JE SUIS UN CHIEN

~

Quand il m'a serrée contre lui dans la réserve et que j'ai senti ses bras forts et protecteurs qui m'étreignaient, j'ai eu la certitude que c'était le bon. Nous étions dans le noir. Je ne voyais rien. Je ne percevais que les odeurs et les sensations. Je sentais les oignons et les épices, son odeur réconfortante de noisette, mon visage pressé contre son torse, nos deux cœurs qui battaient à l'unisson. Boum. Boum. Boum. J'étais terrifiée, mais il me donnait un sentiment de sécurité. C'était si beau, comme dans le passage de *Guerre et Paix* où Natacha et Pierre s'aperçoivent enfin qu'ils sont faits l'un pour l'autre. Si ce n'est que je crois qu'il ne s'en est pas encore aperçu.

Il m'a pris la main quand nous avons couru et ce n'était peut-être pas un élan de passion, mais c'était tout de même romantique. Et je me suis dit : même si ça ne dure pas toujours, il faut bien croire à ces histoires d'amour. Car si on ne croit pas en l'amour, en quoi peut-on croire ? Et maintenant que j'ai trouvé le bon, ce n'est qu'une question de temps avant le grand soir. Qui sait, ce soir peut-être nous retrouverons-nous dans les bras l'un de l'autre dans notre petite maison roulante ? Bon, d'accord, je sais que ce n'est pas *Guerre et Paix*, mais qu'importe.

Lorsqu'on s'est aperçus que la caravane avait disparu et qu'on n'avait nulle part où aller, il s'est assis sur le trottoir, la tête enfouie entre les mains, et j'ai cru qu'il allait pleurer, alors j'ai mis mon bras autour de ses épaules. Mais tout ce qu'il a dit, c'est : « Le Chien ! Ils ont même pris le Chien ! »

Ça me plaît qu'il aime à ce point ce chien hideux. De mon côté, je me disais qu'ils avaient aussi emporté mon nouveau pantalon à trente livres, ce qui était d'autant plus embêtant que je ne l'avais pas encore porté, mais je ne lui en ai pas parlé. Évidemment, j'étais aussi très triste d'avoir perdu notre petite caravane si accueillante, surtout quand je me suis rendu compte que finalement le grand soir n'était pas pour aujourd'hui. Je lui ai montré l'étiquette jaune et noir que j'avais trouvée sur le pare-brise, et il m'a dit d'un ton relativement désagréable : « Pourquoi ne pas l'avoir montrée avant ? » Puis il a ajouté : « Excuse-moi, Irina. Ce n'est pas de ta faute. De toute façon c'était déjà trop tard, probablement. »

J'adore cette façon qu'il a de s'excuser. Il n'y a pas beaucoup d'hommes qui en sont capables.

On était assis côte à côte sur le trottoir, sans autre chose que ce qu'on avait dans nos sacs. On n'avait même pas reçu notre première semaine de salaire. Heureusement que j'avais les pourboires. Si seulement je n'avais pas acheté ce pantalon ! Andriy a déclaré qu'il fallait quitter Londres et partir tout de suite pour Sheffield, et je lui ai dit que je l'accompagnais. Il faut parfois laisser les hommes décider.

On a passé la nuit à la belle étoile, pelotonnés sur un banc de la place, non loin de l'endroit où était garée la caravane, car Andriy pensait que le Chien reviendrait peut-être. On a enfilé tous nos vêtements, trouvé des journaux et des cartons pour mettre en dessous, et deux sacs-poubelles inutilisés devant un magasin dans lesquels on s'est glissés comme dans des sacs de couchage. Et malgré le froid je crois que c'était une des plus belles nuits de ma vie, je me sentais tellement en sécurité entre ses bras, blottie contre son corps robuste comme un arbre, avec les lumières étincelantes de la ville qui clignotaient autour de nous et tout là-haut, dans le ciel, les étoiles presque invisibles.

On n'a pas beaucoup dormi, car les gens n'arrêtaient pas de venir nous parler – de vieux alcooliques, des croyants, des policiers, des dealers, des touristes étrangers, un homme qui voulait savoir si ça nous intéresserait de poser pour des photos, un autre qui nous offrait un lit pour la nuit dans un luxueux appartement, ce qui me paraissait très généreux de sa part, mais Andriy a poliment décliné son offre. Une femme qui donnait à manger aux pigeons nous a offert le pain qu'elle avait acheté et puis aussi du gâteau. Quelqu'un d'autre nous a apporté du café. C'est incroyable le nombre de gens gentils qu'on trouve en Angleterre. Je ne sais pas pourquoi, mais à cette seule idée je me suis mise à renifler pitoyablement.

« Pourquoi pleures-tu ? a-t-il demandé.

– Je ne sais pas. » Il a dû penser que j'étais vraiment idiote. « Parle-moi de Sheffield.

– Sheffield, c'est une des plus grandes villes d'Europe, tu sais », a-t-il dit avec son drôle d'accent du Donbass. Mais je n'ai pas ri. « Il y a des avenues très très larges bordées d'arbres, si bien qu'il y a toujours de l'ombre en été, et partout de l'eau fraîche qui joue dans des fontaines de marbre, et puis des places et des parcs couverts de fleurs, et des bougainvilliers rouges et violets qui couvrent les murs des palais.

– C'est vrai ?

– Je crois.

– Dis-moi encore.

– Et les habitants de cette ville sont réputés dans le monde entier pour leur gentillesse, leur amabilité et l'accueil qu'ils réservent aux étrangers, car ils ont appris l'art de vivre en paix de leur dirigeant, Vloonki, un homme d'une grande sagesse qui habite un palais couvert de bougainvilliers sur les hauteurs de la ville et qui est un véritable visionnaire même s'il est aveugle. Quand on arrivera à Sheffield, on sera en sécurité, et tous nos ennuis seront finis. »

Je ne me rappelle pas ce qu'il a dit d'autre car je me suis endormie au creux de ses bras.

Quand nous nous sommes réveillés le lendemain matin, la place était couverte de pigeons et le Chien était assis au pied d'Andriy, la queue battante.

~

Il les revoit avec une telle précision, les fontaines. Était-ce à Yalta ou à Sheffield ? Et les bougainvilliers qui dévalaient les murs avec tant d'abandon, ces cascades de rouge et de violet ruisselant sur les pierres. Il avait demandé à son père comment ça s'appelait. Ça devait être à Yalta. Autrefois, du temps de l'Union soviétique, quand un mineur était vraiment quelqu'un, et un représentant de syndicat minier quelqu'un qui compte, il y avait un sanatorium réservé aux mineurs et à leurs familles à Yalta. Il devait bien y avoir l'équivalent à Sheffield. Toutes les constructions étaient en pierre blanche et elles brillaient au soleil. C'était bien.

Et puis tu lui as parlé du dirigeant aveugle, Vloonki, de son discours pacifique, de l'accueil chaleureux qui vous attend à Sheffield. Mais tu ne crois pas que le moment serait venu de lui parler de Vagvaga Riskegipd ?

Parce que, cette fois, elle veut t'accompagner. C'est une fille bien, issue d'un bon milieu, et elle a l'air de bien t'aimer. Et même si elle a des idées idiotes et du mal à se décider, tu ne dois pas lui donner de faux espoirs si tu as l'intention de l'abandonner une fois à Sheffield. Il faut trancher, dans un sens ou dans l'autre. Peut-être qu'il est temps de tenter ta chance avec cette fille et d'oublier Vagvaga Riskegipd, les *Angliski rosi* et les Ferrari rouges – c'est probablement idiot, de toute façon. Terminé, point final.

Et ne te tracasse pas au sujet de Vulk, de Vitaly et du type au billet de vingt. Tu n'appartiens pas à la même catégorie. Parce que tu es celui qui la protégera et lui offrira le bonheur de ton amour. Tôt ou tard – et ça ne saurait tarder, à voir la manière dont elle regarde autour d'elle en souriant à tous les hommes qu'elle croise – un homme viendra la prendre et la garder pour lui. Et ça pourrait bien être toi, Andriy Palenko.

Four Gables

Nous voilà donc, au bord de la North Circular Road, en route pour Sheffield. Devant nous, un énorme déluge de métal – un double déluge, en fait – se déversait dans les deux sens, des vagues et des vagues de voitures noires, bleues, argent, blanches qui étincelaient au soleil, dans un flot aussi interminable qu'un fleuve se jetant dans la mer. À mon avis, il y a trop de voitures en Angleterre. Andriy suivait les voitures du regard, comme ensorcelé, tournant la tête dans un sens, puis dans l'autre. À un moment, il s'est écrié : « Regarde, Irina, tu as vu la Ferrari ?

– Mmm. Oui. Fabuleuse », j'ai répondu, même si je trouvais qu'à part leurs couleurs elles se ressemblaient toutes. Avec les hommes, c'est important de partager leurs intérêts.

Pauvre mamma, elle a bien essayé de partager l'intérêt de pappa pour la politique, allant jusqu'à devenir ultra-orangiste et scander le nom d'Iouchtchenko sur la place.

Mais, de toute évidence, pappa avait davantage à partager avec Svitlana Surokha.

« L'esclavage commence quand le cœur perd espoir, avait dit pappa. L'espoir est le premier pas vers la liberté. »

Et mamma avait répondu : « J'espère en ce cas que tu apprendras un jour à faire la vaisselle. » Vous voyez ? Mamma ne peut s'en prendre qu'à elle-même. Elle aurait dû faire plus d'efforts pour plaire à mon pauvre pappa. Je vais peut-être devoir passer mon temps au bord de la route à crier dès que passe une Ferrari.

« Qu'est-ce qu'elles ont de si spécial, les Ferrari ? »

Il a pris l'air très sérieux et plissé le front. « Tu vois, je crois qu'au bout du compte c'est une question de technique. Il y a des gens qui disent que c'est le design, mais je dirais que c'est la qualité exceptionnelle du moteur V12. La boîte de vitesses transversale. La lubrification par carter sec.

– Hmmhmm », j'ai répondu.

Je préfère de loin quand il parle de Sheffield.

Il était encore tôt, mais le soleil tapait et l'air empestait l'huile brûlée et l'asphalte chaud. Malgré le torrent de voitures, il a fallu une heure avant qu'il y en ait une qui s'arrête pour nous prendre en stop. Le conducteur était un vieux monsieur quasiment chauve avec des lunettes à verres épais. Sa voiture était également très vieille, avec des taches de rouille sur les portières. Les coussins des sièges étaient de simples carrés de mousse couverts de housses en tricot effilochées. J'ai vu la déception se peindre sur le visage d'Andriy.

On n'a pas tardé à s'apercevoir qu'il conduisait très bizarrement. Il n'arrêtait pas de changer de file, doublant des deux côtés. Quand il accélérait, sa voiture grinçait et vibrait comme si les roues se détachaient. Andriy était agrippé des deux mains à sa ceinture de sécurité. Même le Chien avait l'air inquiet. Parfois, quand on dépassait une voiture, le vieux monsieur klaxonnait – tut ! tut ! tut ! Et il criait : « Encore un fritz descendu en flammes ! »

« Pourquoi crie-t-il sur ces voitures ? ai-je chuchoté en ukrainien à Andriy.

– Voitures allemandes, m'a-t-il expliqué à voix basse. Volkswagen. BMW. »

À mon avis, on devrait lui confisquer son permis de conduire.

Le monsieur nous a demandé d'où on venait, et quand je lui ai dit d'Ukraine, il m'a répondu que les Ukrainiens étaient des gens bien et de grands alliés, et il m'a serré la main comme si j'avais personnellement gagné la guerre, tandis que la voiture zigzaguait au milieu de la route. Puis il a dépassé une Toyota et il s'est mis à klaxonner en lançant « Saleté de Jaunes ! », ce qui était d'autant plus étrange que la voiture était rouge.

« Je me demande ce qu'il fera quand il dépassera une Ferrari », j'ai murmuré à Andriy, mais il m'a répondu que c'était impossible.

Puis, sans crier gare, il a pris une bretelle de sortie, contourné un rond-point à toute allure, bifurqué à gauche, et subitement on s'est retrouvés sur des petites routes de campagne.

« C'est bien la route de Sheffield ? j'ai demandé.

– Oui, oui. Près de Luton. C'est sur votre chemin. »

Devant nous, une vieille Polo Volkswagen bleue roulait très lentement.

Notre conducteur l'a serrée de près et s'est mis à klaxonner en faisant des appels de phares. La voiture de devant a continué comme si de rien n'était. Notre conducteur a enfoncé la pédale d'accélérateur et déboîté pour la dépasser. Andriy et moi, on retenait notre souffle. La route était bien trop sinueuse pour qu'on puisse voir ce qui arrivait. On avait juste commencé à dépasser la Polo quand une grosse voiture grise a surgi au détour d'un virage, fonçant droit sur nous. Il a freiné. Puis il a changé d'avis et accéléré. Il s'est rabattu brusquement devant la Polo en lui coupant la route. Il y a eu un double crissement de freins. La Polo a braqué pour éviter la collision et deux de ses roues ont glissé dans le fossé. La voiture grise a dérapé de l'autre côté de la voie. Notre conducteur a poursuivi son chemin.

« Je l'ai eu ! » a-t-il lancé d'un air satisfait.

Je me suis retournée pour jeter un œil à Andriy. Il était devenu blême.

« Il faut sortir de là, a-t-il marmonné.

– Excusez-moi, arrêtez-vous ! j'ai crié au conducteur. J'ai besoin d'aller aux toilettes. C'est urgent. »

Le conducteur s'est arrêté. D'un bond, Andriy et le Chien sont sortis de l'arrière, je me suis précipitée dehors et nous avons couru en sens inverse jusqu'à ce que la voiture soit hors de vue. Puis nous nous sommes assis au bord de la route, le temps de ne plus trembler et de reprendre notre souffle.

On était donc échoués sur cette petite route qui ne menait nulle part et où ne passait pas la moindre voiture. Andriy a dit qu'il valait mieux retourner sur l'autoroute et on s'est mis à marcher en se disant qu'on ferait du stop si on voyait une voiture. Mais on n'en a vu aucune.

On avait dû faire près d'un kilomètre quand on est tombés sur la Volkswagen bleue qu'on avait doublée et qui avait toujours les deux roues coincées dans le fossé, et la conductrice, une jeune femme noire qui se tenait à côté, l'air préoccupé.

« Vous avez besoin d'aide, madame ? » a demandé Andriy.

Il était si galant, on aurait dit Mr Brown. Tant mieux, me suis-je dit, on va avoir droit à un étalage de musculature virile dûment bronzée. Et ça n'a pas raté. La jeune femme s'est mise au volant, il s'est posté devant la voiture, puis il a poussé en faisant gonfler ses muscles comme… comme quelque chose de très gonflé. Et peu à peu la voiture est remontée sur la route. Mmm. Je vois mal Mr Brown faire ça.

La jeune femme nous a proposé de monter avec elle. Elle nous a dit qu'elle allait à Peterborough, dans la mauvaise direction, mais j'ai tout de même accepté parce que je n'avais pas envie de rejoindre l'autoroute à pied. Elle nous a proposé de nous déposer sur la A1, une grande route qui mène vers le nord. Ça m'allait. Andriy et le Chien se sont de nouveau installés à l'arrière, et moi devant, à côté d'elle. Elle avait un joli nez retroussé et des cheveux coiffés en tresses serrées soigneusement alignées sur la tête comme de minuscules rangées de légumes dans un potager. J'étais curieuse de pouvoir les toucher, mais je ne voulais pas la blesser. Elle s'appelait Yateka et travaillait comme infirmière stagiaire dans une maison de retraite.

En entendant ça, Andriy est devenu surexcité. « Vous n'avez pas un frère qui s'appelle Emanuel ? »

On lui a expliqué que notre ami du Malawi avait une sœur infirmière mais qu'il avait perdu contact avec elle.

« Il y a plein d'infirmières africaines en Angleterre, a-t-elle ri. Et je viens de Zambie, pas du Malawi, le pays voisin. » Puis en voyant l'air déçu d'Andriy, elle a ajouté : « Mais il y a une infirmière malawite là où je travaille. Peut-être qu'elle sait quelque chose, les Malawites ont tendance à rester ensemble. »

On a donc convenu de l'accompagner jusqu'à Peterborough pour rencontrer cette infirmière malawite. Comme on roulait lentement – à mon avis, les femmes sont bien meilleures conductrices que les hommes –, on a eu amplement le temps de discuter, ce qui tombait bien parce que Yateka était très bavarde. En fait, elle n'était pas vraiment stagiaire, car elle avait dirigé un dispensaire en Zambie pendant six ans, mais pour travailler en Angleterre elle devait suivre un stage d'adaptation spécial. Elle a expliqué qu'il y avait un nouveau règlement en Angleterre qui interdisait au ministère de la Santé de recruter des infirmières d'Afrique, ce qui l'obligeait à effectuer son stage d'adaptation dans le privé.

« C'est bien pour l'Afrique, mais pas pour nous, les infirmières, a-t-elle dit, parce qu'en tant que stagiaire je ne gagne que le salaire minimum et pas un salaire normal d'infirmière. Et puis il y a les déductions. Impôts. Nourriture. Logement. Uniforme. Coût de formation. Frais d'agence. À la fin de la semaine, il ne me reste plus rien.

– Je connais ces déductions, ai-je dit. On est des cueilleurs de fraises. Logement, nourriture, transport, tout est déduit de nos salaires. Je ne m'attendais pas à une telle avarice en Angleterre.

– Le pire, c'est les frais d'agence, a dit Yateka. J'ai payé neuf cents livres pour organiser ce stage.

– Neuf cents ! s'est exclamé Andriy à l'arrière. C'est plus que ce qu'on paie pour faux permis de travail ! C'est bande de suceurs de sang !

– Nightingale Human Solutions. Ce sont de vrais vautours.

– Mais ça vaut la peine ? ai-je demandé.

– Quand je serai dans le service public, je pourrai gagner cinquante fois plus en Angleterre qu'en Zambie. C'est un problème pour l'Afrique, parce que toutes les infirmières veulent venir en Angleterre et il n'y a pas assez d'infirmières pour s'occuper de tous les malades chez nous.

– C'est pareil pour nous. Salaire d'un cueilleur de fraises en Angleterre est plus élevé que salaire d'un professeur ou d'une infirmière en Ukraine. » Andriy a froncé les sourcils d'un air très réfléchi, genre intellectuel, ce qui est très sexy chez un homme. « Cette économie globale, c'est sérieux. »

Vous voyez ? Il est très intelligent, même s'il n'est pas cultivé.

« Vous venez d'Ukraine ?

– Oui, bien sûr. Vous connaissez des Ukrainiens ? » ai-je demandé.

Yateka nous a dit qu'un des pensionnaires de sa maison de retraite était un vieil Ukrainien dont les drôles de manies étaient très embarrassantes.

« J'aimerais que vous lui parliez. Peut-être qu'il écoutera si on lui parle en ukrainien.

– Bien sûr, ai-je répondu. Nous serions ravis de lui parler. »

J'étais curieuse de voir ces drôles de manies ukrainiennes.

~

Et voilà que ça recommence. Il voulait aller à Sheffield et il se retrouve coincé là. Il en veut vaguement à Irina et Yateka, mais également à lui-même. Pourquoi n'a-t-il pas simplement refusé ?

La maison de retraite de Four Gables est une grande demeure grise qui se dresse à l'écart de la route derrière un rideau de lugubres conifères, non loin de Peterborough. Yateka se gare sur le parking et les conduit à l'intérieur. D'emblée, Andriy est frappé par l'odeur – une odeur douceâtre, animale. Dès qu'ils ouvrent la porte, elle lui éclate en plein visage comme un souffle de mauvaise haleine. Une demi-douzaine de vieilles dames à divers stades de décrépitude sont installées dans des fauteuils alignés le long du mur, somnolant la bouche ouverte ou le regard fixe. « Attendez ici, leur dit Yateka. je vais chercher Blessing. » Ils s'assoient sur un banc capitonné et attendent. L'air est étouffant, renfermé. Irina échange une curieuse conversation avec une vieille dame assise à côté d'elle qui la prend pour sa nièce. Le Chien s'éloigne dans le couloir, flairant la piste de l'étrange odeur, puis il disparaît. Au bout d'un moment, Andriy se lève et part à sa recherche.

« Psst ! » Un bras décharné lui fait signe par une porte ouverte. « Par ici. »

Il entre dans une chambre minuscule. Cette odeur – on dirait l'odeur du clapier installé sur leur balcon à Donetsk. Au beau milieu de la chambre, le Chien est assis au milieu de la pièce sur un tapis aux pieds d'une très vieille dame qui lui donne des biscuits au chocolat provenant d'une boîte en métal.

« Bonjour, jeune homme. Entrez. Je suis Mrs Gayle. Vous vous appelez ?

– Andriy Palenko.

– Polonais ?

– Non, ukrainien.

– C'est épatant ! J'ai un faible pour les hommes ukrainiens. Asseyez-vous. Prenez un biscuit.

– Merci, Mrs Gayle. » Andriy engouffre le biscuit d'un coup et tousse en s'étouffant sur des miettes coincées dans la gorge – il n'a rien mangé depuis le pain de la veille.

« Prenez-en un autre.

– Merci. »

Il s'assied dans un fauteuil, avant de s'apercevoir qu'il s'agit en fait d'une chaise percée munie d'un couvercle matelassé. L'odeur de clapier est omniprésente.

« Prenez-en deux. »

Elle bat des paupières. À moins que ce ne soit un clin d'œil. Elle a de petits yeux larmoyants, enfoncés dans des orbites ridées. Ses mains squelettiques ressemblent à des griffes. Serai-je comme ça un jour ? se demande Andriy. C'est inimaginable.

Il revoit la chambre de sa grand-mère chez lui, encombrée de monceaux de vêtements moisis qui s'entassaient du sol au plafond, réduisant chaque jour davantage l'espace pour s'asseoir. C'était triste de voir sa vie se dérober peu à peu. Comme elle ne contrôlait plus sa vessie, la puanteur y était si forte qu'ils supportaient à peine d'y entrer. Sa mère avait beau laver, récurer, répandre de la poudre, l'odeur de clapier devenait chaque jour plus envahissante, jusqu'au jour où sa grand-mère était morte, ne laissant que l'odeur derrière elle. Un peu comme l'odeur de la chambre de Mrs Gayle. Il commence à s'interroger sur la chaise percée où il est assis. Qu'y a-t-il sous le couvercle ?

« C'est ma fille qui m'a mise là après la mort de mon mari, vous savez. Elle dit que je sens. Et dans votre pays, jeune homme, qu'advient-il des personnes âgées ?

– Vous savez, le plus souvent elles vivent avec famille, mais des fois elles vont dans monastère. Les dames orthodoxes apprécient beaucoup monastère réservé aux femmes.

– Hmm ! Un monastère réservé aux femmes, voilà qui me paraît fort plaisant. » Mrs Gayle grignote son biscuit du bout de ses dernières dents. « De la compagnie. Un toit. Pas de directrice pour vous donner des ordres. Et aucun homme pour vous préoccuper l'esprit, si ce n'est le Seigneur Jésus… » Elle fouille dans son sac et en sort un paquet de cigarettes. « … qui est certainement moins exigeant qu'un mari. Et boit certainement moins. » Elle se remet à fourrager dans son sac. « Vous auriez du feu ?

– Non, je suis désolé. Je ne pas…

– Vous trouverez une boîte d'allumettes dans le local de l'homme à tout faire. Au fond du couloir, en bas de l'escalier et à gauche. »

Elle donne un autre biscuit au Chien qui fait le beau pour l'attraper. Andriy ne l'avait jamais vu faire ça. Il fait très chaud dans la chambre et l'odeur est suffocante. Il ne se sent pas très bien.

« Allez. » Elle le pousse du bout de sa canne. « Ne traînez pas. L'homme à tout faire n'est pas là pour le moment. »

Le local en question est une caverne pleine d'un ramassis de vieux bouts de bois, de meubles attendant d'être réparés, d'appareils défunts, de mystérieuses pièces de machine et d'un assortiment d'outils intéressants rangés dans une étagère posée contre un mur. Andriy s'arrête sur le seuil. Aucun signe de l'homme à tout faire. Sur une table, à l'entrée, il aperçoit un paquet de tabac, une grosse pipe courbe et une boîte d'allumettes. Il hésite. Puis il prend les allumettes, les glisse dans sa poche et remonte l'escalier.

Sur la porte du couloir, il y a un panneau « Défense de fumer ».

« Mrs Gayle, excusez-moi. Vous êtes au courant de interdiction de fumer ?

– Ah ! On dirait ma fille ! Elle passe son temps à essayer de m'empêcher de fumer. Je suis bien obligée de fumer ici – la puanteur est insupportable. Vous avez les allumettes ? »

Il hésite. Elle le pousse du bout de sa canne.

« Allez, jeune homme. Il faut bien que les vieilles dames s'amusent un peu. »

Il lui tend les allumettes. Elle allume sa cigarette et se met aussitôt à tousser.

« Ma fille m'a mise ici parce que je suis communiste, vous savez. » Teuh teuh teuh. « Oui, j'ai été incarcérée en raison de mes opinions politiques.

– Non ! » Est-ce possible ? Se peut-il que des choses pareilles arrivent en Angleterre ?

« Oui. Elle est mariée à un agent de change. Un obscur rejeton de l'aristocratie. Un infâme bonhomme. Maintenant je suis ici, tandis qu'eux vivent dans ma maison. » Elle est prise d'un tic à l'œil gauche.

« Comment c'est possible ?

– Je voulais en faire don à l'Internationale ouvrière, mais ils me l'ont prise. Ils m'ont fait signer un papier. Prétendu à l'assistante sociale que j'étais folle. » Elle est si agitée qu'elle sort une autre cigarette du paquet, l'allume et tire une bouffée alors que la première se consume toujours dans le cendrier. « Est-ce que j'ai l'air d'une folle ?

– Non, très pas folle, Mrs Gayle.

– Mais ce qu'ils ne savent pas, c'est que je vais rentrer chez moi. Je me remarie et je rentre chez moi. » Elle pouffe de rire. « Vous êtes marié, jeune homme ? » Son œil se remet à tiquer. À moins que ce ne soit un clin d'œil. Andriy est pris de panique. Il fait non de la tête. Elle tire avidement sur sa cigarette, tousse une ou deux fois et reprend : « Oui, Mr Mayevskyj dans la chambre 9. Le monsieur ukrainien. Vous l'avez rencontré ? »

La chambre est totalement envahie par la fumée. Ça doit se sentir dans le couloir. S'ils se font prendre, ils risquent d'avoir des ennuis. Andriy tend la main pour écraser le mégot qui fume dans le cendrier, mais elle s'en empare en un éclair et le colle à ses lèvres, avec l'autre.

« Non, jeune homme. » Elle baisse la voix et sur le ton de la confidence lui chuchote en tirant simultanément sur les deux cigarettes : « Il a une libido incroyable pour un homme de quatre-vingt-douze ans, vous savez. Oui, ils ne sont pas encore au courant, mais nous allons nous marier et nous allons nous installer chez moi.

– Ça sera agréable surprise pour votre fille.

– Une surprise, c'est certain. Agréable, je ne sais pas.»

~

Pendant que j'attendais que Yateka et Andriy reviennent, j'ai entendu quelqu'un appeler à l'aide. C'était le vieux monsieur de la chambre 9. Il avait laissé tomber son sonotone derrière son fauteuil, et je l'ai aidé à le trouver. Il s'est avéré que c'était le pensionnaire ukrainien dont Yateka nous avait parlé. Il a remis son sonotone et nous avons longuement évoqué l'Ukraine, comment c'était de son temps, ce que le pays était devenu. Puis il a toussoté et s'est embarqué dans un grand discours sur les défaillances des ascenseurs hydrauliques et divers autres problèmes techniques, puis, soudain, il m'a pris par la main en me disant que j'avais une silhouette de rêve et m'a demandé si je voulais l'épouser.

J'ai répondu sur le ton de la plaisanterie que je ne pouvais pas l'épouser car j'étais de l'avis de Tolstoï qui estimait qu'une femme devait partager les centres d'intérêt de son mari, et que je ne pourrais jamais m'intéresser aux systèmes hydrauliques. «Oy oy! s'est-il exclamé en se frappant le front. J'ai aussi d'autres centres d'intérêt. Aimez-vous l'art, la philosophie, la poésie ou encore les tracteurs?» Avant même que je n'aie eu le temps de répondre, il s'est mis à me réciter un obscur poème de Maïakovski où il était question d'amour et de destinée, mais au bout de quelques vers il a eu un trou de mémoire et s'est emporté en réclamant ses livres. Du coup, je suis allée chercher Yateka.

Yateka a calmé Mr Mayevskyj et lui a apporté une tasse de thé. Puis elle en a également préparé pour nous et on l'a bu dans le jardin. C'est curieux, à Kiev je ne connaissais aucun Africain, mais en Angleterre c'est la deuxième fois que je me lie d'amitié avec quelqu'un venu d'Afrique. Quand je lui ai parlé de la demande en mariage de Mr Mayevskyj, elle m'a pris la main en éclatant de rire.

« Quand je te disais qu'il était excentrique ! Pauvre homme. Psychologiquement, il est devenu instable depuis qu'on lui a confisqué sa boîte de vitesses.

– Sa boîte de vitesses ?

– Il avait une boîte de vitesses dans sa chambre. Il ne t'en a pas parlé ? Il disait que c'était une relique de sa chère moto.

– Pourquoi la lui avoir confisquée ?

– La directrice trouvait que ce n'était pas hygiénique d'avoir une boîte de vitesses dans la chambre.

– En quoi ça n'est pas hygiénique ?

– Je ne sais pas. Mais on ne discute pas les ordres de la directrice. Tu ne la connais pas.

– Je ne vois pas ce qu'il y a de mal à avoir une boîte de vitesses. Moi, je la lui aurais laissée. »

Yateka a pouffé de rire. « Tu serais une parfaite épouse pour lui. Tu devrais peut-être accepter de te marier. Ça le rendrait très heureux. Et dans quelques années tu aurais un passeport britannique et un héritage.

– Toutes les Ukrainiennes ne veulent pas épouser des vieux messieurs pour leur argent, tu sais. » En fait, je me disais que ces stéréotypes sur les Ukrainiennes ne nous aident pas. D'où peut bien venir cette idée ?

« Et pourquoi pas ? Dans mon pays, si une fille peut faire un bon mariage avec un vieux monsieur riche, c'est bon pour la famille. Tout le monde est content. De nos jours, les filles peuvent attraper le sida, une vraie tragédie dans mon pays. Mais ce ne sera pas un problème avec Mr Mayevskyj, s'est-elle empressée d'ajouter. Le seul problème, ce sont ses deux filles. Elles ne sont vraiment pas gentilles. Elles sont déjà intervenues trois fois pour l'empêcher de se marier.

– C'est vrai ? Il a déjà eu trois fiancées ?

– Elles s'inquiètent peut-être pour l'héritage.

– Il a un héritage ?

– Il m'a dit qu'il était millionnaire. » Elle avait une lueur énigmatique dans les yeux. « Et il a écrit un livre célèbre. Une histoire des tracteurs. »

Je voulais bien croire qu'il avait écrit une histoire des tracteurs. Mais je dois dire qu'il n'avait pas la tête d'un millionnaire. Ni l'odeur.

« Mais tu as peut-être déjà un amant. » Elle m'a fait un clin d'œil.

« Peut-être, ai-je répondu en haussant nonchalamment les épaules.

– Si vous voulez, vous pouvez rester ici, tous les deux. Il y a une mansarde libre sous les toits qu'on ne peut pas utiliser pour les pensionnaires pour des raisons de sécurité. Il y a des années qu'elle est vide. »

Elle m'a fixée de son regard pétillant. Je me suis sentie rougir. Les mansardes ont un côté très romantique.

~

Finalement, l'infirmière malawite n'est pas la sœur d'Emanuel, même si Andriy trouve qu'elle lui ressemble un peu : toute petite, frêle, le visage rond et l'air radieux. Elle s'appelle Blessing.

« Je suis désolée de vous décevoir. » Elle lui lance un sourire éblouissant qui lui rappelle également Emanuel.

Ils sont dans la salle des infirmières où Yateka et Blessing font la pause pour le thé.

« Vous savez, ma cousine était dans une maison de retraite de Londres qui a été fermée à cause d'un scandale – le propriétaire détournait l'argent des pensionnaires. Il y avait d'autres infirmières du Malawi. Elles ont toutes perdu leur travail. L'agence leur en a retrouvé, mais elles ont dû repayer des frais. Nightingale Human Solutions. »

Yateka plisse le nez. C'est un petit nez rond aussi luisant qu'un bout de bois ciré. Un très joli nez, en fait.

« Voulez-vous que je demande à ma cousine ? dit Blessing.

– Je veux bien. Je donne numéro téléphone où loge Emanuel. Peut-être vous aidez frère et sœur à être réunis. » Il note l'adresse et le numéro de téléphone de la maison de Richmond sur un bout de papier et le tend à Blessing.

Une nouvelle pensée agréable lui effleure la conscience. Il a entendu dire que les femmes noires étaient incroyablement sexy, mais n'a jamais eu l'occasion de le vérifier par lui-même. C'est peut-être l'occasion ou jamais ? Cette petite infirmière modèle coupé a un sourire ravissant. Et l'autre, Yateka, vous avez vu un peu cette démarche, le galbe de ses jolies jambes accentué par ces grosses chaussures à lacets d'infirmière, le balancement de sa croupe dans son uniforme légèrement trop moulant. Il faut admettre que les femmes en uniforme ont quelque chose d'incroyablement sexy.

Arrête ! Arrête tes idioties, Andriy Palenko ! Tu es assis à côté d'une adorable Ukrainienne haut de gamme et tu te laisses aller à penser à d'autres femmes. Quand la route bifurquera, où que tu ailles, tu devras choisir. Adieu, Yateka l'Africaine. Adieu, Vagvaga Riskegipd.

Adieu et bon vent ? Ou au revoir et à un de ces jours ? Qu'est-ce qui te prend, Andriy Palenko ? Quand on dit adieu, on dit adieu. Point final. Et pourtant ce n'est pas le désir qui rend ce dernier adieu si pénible, mais la curiosité. Ne jamais savoir où t'aurait mené cette autre route. Ne jamais savoir ce qu'il y a sous cet uniforme amidonné bien moulant, ne jamais savoir si ce baiser d'autrefois hante toujours sa mémoire comme il hante la tienne. Ne jamais savoir comment se seraient passées les retrouvailles.

La voix d'Irina le sort brusquement de sa rêverie. Elle parle de quelque chose d'incroyablement intéressant.

« Il n'y a qu'une chose à faire, dit-elle. Il faut rendre sa boîte de vitesses à Mr Mayevskyj.

– Sa boîte de vitesses ?

– Yateka m'a dit qu'avant il avait une boîte de vitesses dans sa chambre. Une relique d'une vieille moto qu'il adorait. Mais la directrice l'a trouvée et la lui a confisquée.

– Et depuis, renchérit Yateka, il est devenu instable.

– Il y a de quoi devenir instable.

– Je me dis que s'il retrouvait sa boîte de vitesses, il se comporterait plus normalement.

– Tu as raison, Irina. »

Les femmes, il faut parfois leur laisser croire qu'elles ont raison.

~

JE SUIS UN CHIEN JE SUIS UN CHIEN TRISTE MON HOMME EST AMOUREUX DE CETTE FEMELLE PLUS BÊTE QU'UN MOUTON IL A LA VOIX ÉPAISSE ET DOUCE SA PISSE EST TROUBLE IL PUE LES HORMONES D'AMOUR ELLE PUE LES HORMONES D'AMOUR BIENTÔT ILS VONT S'ACCOUPLER IL N'AURA PLUS D'AMOUR POUR LE CHIEN JE SUIS UN CHIEN TRISTE JE SUIS UN CHIEN

~

« Bill, l'homme à tout faire, devrait savoir où est la boîte de vitesses, dit Yateka. Puisque la directrice lui a demandé de la prendre.

– En bas de l'escalier au bout du couloir et à gauche », dit Blessing.

Bill est de retour dans le local du sous-sol, plongé dans un journal ouvert. C'est un petit monsieur chauve et trapu à la moustache bien taillée. Il lève la tête en voyant Andriy entrer.

« Elles m'ont encore piqué mes foutues allumettes, ces vieilles carnes. On peut pas leur faire confiance. Bande de fichus incendiaires. Mais vous êtes qui, au fait ?

– Je cherche boîte de vitesses de Mr Mayevskyj. Il la réclame. »

Bill prend ça comme un reproche.

« C'est pas moi qui ai eu l'idée. Je fais juste ce que la directrice me dit. »

Alors même que sa bouche cherche une expression de contrariété adéquate, son regard tombe sur le Chien.

« C'est votre chien ?

– Oui, mon chien. Le Chien.

– J'en avais un comme ça. Un bâtard. Je l'appelais Spango. Un bon ratier. »

Bill se renverse dans son fauteuil et tend à Andriy le journal qu'il lisait.

« Qu'est-ce que vous en pensez ? »

Une jeune femme blonde aux seins nus sourit devant l'objectif. Andriy regarde la photo. Le sous-sol est mal éclairé. En fait, elle ressemble beaucoup à sa dernière petite amie, Lida Zakanovka. Se pourrait-il que ce soit elle ? Il l'examine de plus près. Est-elle en Angleterre ? Est-ce qu'elle avait un grain de beauté comme ça sur l'épaule gauche ?

« Pas mal, hein ? Mieux que la régulière. Vous auriez dû voir la paire de nichons de la semaine dernière. Magnifique. » Bill pousse un grognement sympathique. « Gardez-le si vous voulez. J'ai fini. Vous pouvez m'amener votre chien quand vous voulez.

– Merci. » Andriy plie la revue sous son bras. Il faudra qu'il regarde à la lumière du jour.

« Il boit du thé, votre chien ? Spango adorait le thé. Tiens, mon gars… »

Bill prend un mug avec un fond de thé au lait froid et le verse dans un bol pour le Chien. Le Chien bat la queue et commence à laper bruyamment. Andriy le regarde, ébahi. Il se rend compte qu'il ne sait quasiment rien de ce chien. D'abord il fait le beau pour avoir des biscuits au chocolat. Et voilà que maintenant il boit du thé froid à grandes lampées, l'air extatique. Mais d'où vient cet animal ? Comment se fait-il qu'il soit mystérieusement apparu au milieu de la nuit ? Que fuyait-il ? Pourquoi les a-t-il choisis, eux ?

Pendant ce temps, Bill fouille aux quatre coins du local et revient avec un petit paquet lourd emballé dans un linge huilé à l'intérieur d'un sac en plastique.

« Ça doit être ça. Elle m'a dit de la jeter. Mais on peut pas, hein ? Ne lui dites pas où vous l'avez trouvée.

– Merci. Le Chien aime votre thé. »

En remontant avec la boîte de vitesses, il ne trouve personne dans la salle des infirmières, alors il prend une chaise et attend. Il y a autre chose qui le turlupine maintenant. Ce grain de beauté – Lida Zakanovka avait-elle un grain de beauté là ? Il déplie le journal pour regarder de plus près. Hmm. On dirait vraiment Lida. Par la sainte relique ! Que fait-elle en Angleterre ? La salle des infirmières est mieux éclairée et cette fois il voit parfaitement. Non, cette fille a l'air mieux roulée. Sa Lida était plutôt un modèle cabriolet. Et dire qu'il a perdu quatre ans avec elle ! Quel imbécile. Heureusement qu'elle n'est jamais tombée enceinte. La fille de la photo est un vrai canon. Des jolies rondeurs. Pas trop mince. Mais est-ce que c'est Lida ?

« Qu'est-ce que tu regardes ? »

Andriy sursaute. Yateka se tient à côté de lui. Elle a dû entrer sans faire de bruit avec ses chaussures d'infirmière à semelles très très souples. Elle fronce les sourcils. Andriy se lève d'un bond et replie le journal à toute vitesse. Est-ce qu'elle a vu ? Évidemment. C'est mal tombé.

« J'ai boîte de vitesses. » Il esquisse un sourire pitoyable.

« Tu l'as déjà ? » Elle a le visage sévère. Son uniforme est si empesé qu'on dirait presque qu'il se fissure. Il sent le rouge lui monter aux joues.

« Tu veux que j'apporte Mr Mayevskyj ?

– Mieux vaut attendre demain. C'est presque l'heure du coucher. S'il est trop excité à l'heure du coucher, il devient coquin.

– Coquet ? »

Son visage se détend. Son sourire réapparaît. « Tu sais, cet Ukrainien, il passe son temps à se chercher une femme. Mrs Gayle, Miss Tollington, Mrs Jarvis. Elles m'ont toutes dit qu'il les avait demandées en mariage. Et maintenant… » Yateka se renverse sur ses talons en riant aux éclats, à tel point qu'elle manque de tomber et se raccroche à la porte pour ne pas perdre son équilibre. « Et maintenant Irina.

– Irina ?

– C'est un bon mariage pour elle : passeport britannique. Et il a un héritage.

– C'est pas possible. »

Yateka sourit. « En amour, tout est possible. »

Sur ce, une sonnette d'appel retentit et Yateka prend son sac et disparaît en silence sur ses semelles souples.

~

Au milieu des parterres de roses, il y avait une allée de gravier qui menait à une pelouse située en contrebas, soigneusement dissimulée derrière des lauriers plantés en cercle autour de quelques bancs et d'un vieux cadran solaire.

« Vous pouvez attendre ici avec Andriy, a dit Yateka. Je finis à sept heures. Et après je vous montrerai la chambre libre. »

Il faisait encore bon, mais le ciel était couvert de nuages menaçants et le jardin était désert. On sentait l'orage arriver, les feuilles des lauriers se repliaient sous la chaleur. Le Chien est apparu de nulle part et s'est mis à trottiner à côté de nous en lâchant des pets infects. Qu'est-ce qu'il avait mangé ? Il ne pouvait pas nous laisser un peu tranquilles, non ?

Andriy s'est assis sur un banc et je me suis mise à côté de lui. Il avait l'air de très mauvaise humeur. Je me demandais si j'avais fait quelque chose qui le contrariait. Ce n'est pas séduisant, un homme de mauvaise humeur.

« Je veux discuter d'un problème avec toi, a-t-il dit. Un problème d'amour. Ça concerne les rapports entre homme et femme. »

Ah, enfin, me suis-je dit, et mon cœur s'est mis à battre plus vite. Puis il a dit : « Cette vieille fripouille de Mayevskyj a demandé trois vieilles dames en mariage, et elles ont toutes accepté. » Il m'a lancé un regard noir en plissant les yeux. « Et voilà que j'apprends qu'il en est à sa quatrième demande. Et que toi aussi, Irina, tu as succombé à son charme. Est-ce que c'est vrai ? »

Qu'est-ce que cette coquine de Yateka avait été lui raconter ? J'ai haussé les épaules d'un air nonchalant.

« Tu ne peux pas passer ton temps à sourire comme ça au premier venu. »

Ça m'a énervée. De quel droit se permet-il de me faire la morale ?

« Je souris à qui je veux. »

Alors d'un ton grossier il m'a lancé : « Si tu continues comme ça, tu vas te retrouver à faire du massage intégral à vingt livres aux clients de mobilfon de Vitaly. »

J'étais choquée. Pourquoi me disait-il des horreurs pareilles ? J'ai cru qu'il plaisantait, mais en fait il parlait sérieusement.

« Vitaly est mort, ai-je dit.

– Non, le monde est plein de Vitaly. C'est juste que tu ne les vois pas.

– Mais de quoi parles-tu ?

– Ces hommes à qui tu souris – il y en a qui ne sont pas des gens convenables. »

Ah, il m'en veut encore pour le billet de vingt, me suis-je dit.

« Mr Mayevskyj n'est pas bien méchant.

– C'est une vraie crapule. » Il a froncé les sourcils. « Tu vas l'épouser ?

– Ça me regarde. C'est à moi de décider de ce que je veux faire de ma vie. Je n'ai pas besoin que tu me fasses la morale.

– Tu es aveugle, Irina. Tu ne vois pas ce qui se passe dans le monde où on est.

– Par exemple ? Qu'est-ce que je ne vois pas ?

– Ce monde du mobilfon tout autour de toi. Tous ces affairistes qui achètent et vendent des âmes humaines. Même la tienne, Irina. Même toi, ils t'achètent et te vendent.

– Personne ne m'achète ou ne me vend. J'ai choisi toute seule de venir à l'Ouest. »

Je me suis dit que s'il continuait comme ça, le grand soir ne serait pas pour aujourd'hui.

« L'Ouest n'y change rien. Cette Révolution orange que tu aimes tant – qu'est-ce que tu crois que c'était sinon une opération de promotion à la Vitaly ? Qui a payé tous ces drapeaux et ces bannières orange, et la musique sur la place, hein, à ton avis ? »

Mais qu'est-ce qui lui prenait ? Je croyais qu'on allait se promener dans le jardin, échanger une conversation romantique peut-être, j'aurais bien aimé, et voilà qu'il se lançait dans des discours politiques. C'était peut-être ce qui s'était passé entre pappa et Svitlana Surokha. Non, dans leur cas c'était probablement l'inverse – d'abord la politique, puis l'amour. Il voulait polémiquer ? Eh bien, qu'à cela ne tienne.

« Puisqu'on en est à parler de ça, soyons honnêtes, Andriy. Personne n'a payé mon père et ma mère pour être là. S'ils sont venus, c'est parce qu'ils voulaient que l'Ukraine soit libérée de la Russie. Que nous ayons notre démocratie à nous – et non dirigée par le Kremlin.

– Échanger la mainmise du Kremlin contre celle des États-Unis.

– C'est de la propagande russe, Andriy. Pourquoi as-tu tellement peur de la vérité ? Même si le gouvernement ne change pas, l'important, c'est que nous, le peuple, nous avons changé. Maintenant ils seront tous obligés de tenir compte de nous. Pour une fois dans la vie, une nation mène un combat historique pour la liberté et on a le choix soit d'y participer, soit de rester sur la touche. » Est-ce que ça venait d'un des discours de pappa ou de Svitlana Surokha ?

« À quoi bon la liberté si on n'a ni gaz ni pétrole ?

– Avec la liberté, on peut peut-être rejoindre l'Union européenne.

– On ne les intéresse pas. À part pour la possibilité de développement commercial qu'on représente. »

Il me faisait la leçon avec son accent ridicule du Donbass comme si c'était moi qui étais abrutie.

« Et qui a payé pour les cars qui vous ont amenés du Donbass, à ton avis ? Hein ?

– Tout ça, c'est la propagande des médias occidentaux. Tu es naïve, tu avales tout ce que te raconte le premier roi du mobilfon venu. Vous pensiez être les acteurs, mais vous n'étiez que les figurants.

– Mais tu n'es pas arrivé à pied ? Hein, toi le mineur du Donbass ?

– Ah, je reconnais bien là la voix de la collégienne bourgeoise ! » Son ton était devenu cassant, sarcastique.

« Je ne suis pas une collégienne ! »

Je ne sais pas ce qui m'a pris à ce moment-là. J'avais juste envie de le frapper. De balancer un coup de poing dans sa figure d'imbécile heureux. Avec cette espèce de sourire de suffisance ridicule – qu'est-ce qu'il avait à sourire comme ça ? Je voulais lui ôter ce sourire des lèvres. C'était plus fort que moi – je me suis jetée sur lui en brandissant le poing. Mais il m'a saisi le poignet. Il ne voulait pas le lâcher. Puis il m'a tirée vers lui et m'a prise dans ses bras, et la seconde d'après il m'embrassait sur la bouche, avec les lèvres d'abord, puis la langue. Il me serrait si fort contre lui que j'en avais le souffle coupé et le cœur qui battait des ailes comme un oiseau dans la tempête. Et le ciel et les nuages tournoyaient autour de ma tête, si bien que je ne savais plus où j'étais. Mais mon cœur, lui, savait que c'est là que je voulais être.

~

C'est la nuit. Le ciel s'est dégagé et par le triangle de la fenêtre de toiture, juste au-dessus du grand lit en fer, Andriy distingue Orion le chasseur qui brille au sud, avec sa ceinture ornée de joyaux et son poignard, et non loin la resplendissante Sirius. Couché par terre au pied du lit, son fidèle Chien dort en reniflant dans son sommeil, presque aussi resplendissant.

Irina est dans la salle de bains au bout du couloir. Elle prend une douche. Ça fait une demi-heure qu'elle y est. Que fait-elle ?

Jusque-là, tout va bien. C'est satisfaisant. Tu es passé sans heurts de seconde en troisième, et maintenant, il te suffit d'accélérer un peu et d'enclencher la quatrième sans te mettre brusquement en marche arrière. Non, Andriy Palenko, c'est plus que satisfaisant, c'est fantastique. Ce n'est pas une Zaz, cette fille, Irina – elle te fond dans la main comme un flocon de neige, toute en grâce et en douceur, et brusquement la voilà qui t'embrase comme un feu, si bien que tu ignores si tu es glacé ou brûlant ; tu as seulement conscience que tu en veux davantage. Et même si elle ne le sait pas encore, son corps, lui, sait qu'il t'appartient ; tu le sens, et elle aussi. Comme un jardin qui attend la pluie.

Et même si tu vois bien qu'il y aura encore beaucoup de désaccords à régler – parce que cette fille, cette Irinochka, elle est encore jeune et elle croit tout savoir, elle a eu une existence bourgeoise très protégée, elle a peu d'expérience et beaucoup à apprendre, et, soyons francs, elle raconte pas mal d'idioties –, ça ne fait rien, tu n'es pas pressé, tu as une éternité pour la rééduquer. Et elle a beau être aussi entêtée qu'insaisissable, elle ne manque pas d'intelligence. Bien au contraire. Elle commence déjà à s'intéresser aux Ferrari et tu as vu un peu comme elle a résolu la question de la boîte de vitesses. Oui, tu as vraiment fait le bon choix.

Andriy contemple les étoiles par la fenêtre. Pourquoi met-elle tout ce temps ? Il repense aux événements de la journée, et, sans raison particulière, se dit : la chambre 26, celle de Mrs Gayle, est en dessous de celle-ci – deux étages plus bas. Est-elle encore en train de fumer ?

Il croit sentir une légère odeur de fumée qui monte d'en dessous. Les allumettes – quel est le mot que l'homme à tout faire a employé ? –, il n'aurait jamais dû lui laisser les allumettes. Y a-t-il une issue de secours dans le grenier ? Si cette chambre devait prendre feu dans la nuit, combien de survivants y aurait-il au matin ?

Sur ce, la porte s'ouvre. Irina entre dans la chambre à pas feutrés, pieds nus. Elle n'a rien sur elle, si ce n'est une serviette entortillée en turban sur les cheveux et une autre, petite, enroulée autour d'elle. Une toute petite serviette. Elle s'avance vers lui. L'eau chaude a donné des couleurs à ses bras et ses jambes, et ses joues sont empourprées. Elle sent merveilleusement bon. Il murmure son nom.

« Irinochka ! »

Elle sourit timidement. Il sourit à son tour. Il lui tend les bras. Il a l'impression d'être envahi par une douce chaleur. Attendez, il y a une partie de son corps qui n'est pas du tout envahie – la partie virile. Toute chaleur semble avoir disparu de ce côté-là. Comment ça se fait ? Que t'arrive-t-il, Palenko ?

À cet instant, le Chien se réveille en flairant autour de lui. Il pousse un grondement, un long grondement sourd. Il renifle à nouveau et se met à aboyer furieusement.

~

JE SUIS UN CHIEN JE SUIS UN BON CHIEN JE FLAIRE JE SENS LA FUMÉE LA FUMÉE D'HOMME LA FUMÉE DE FEU JE SENS LE PAPIER EN FEU LA LAINE LE CAOUTCHOUC LE TISSU EN FEU UNE MAUVAISE ODEUR DE FEU UN BRUIT DE FEU CRAC CRAC J'ABOIE WOUF WOUF J'ABOIE À MON HOMME WOUF WOUF WOUF MON HOMME COURT VERS LE FEU AU SECOURS AU SECOURS AU FEU IL CRIE BON CHIEN IL DIT JE SUIS UN BON CHIEN J'ABOIE IL CRIE ÇA SE MET À SONNER PARTOUT TOUT LE MONDE COURT TOUTES LES PORTES S'OUVRENT TOUS LES VIEUX SE METTENT À COURIR IL Y EN A QUI PISSENT PARTOUT ÇA SENT LA PISSE DE VIEUX LA FUMÉE LE FEU ET LA PISSE DE VIEUX TOUS LES VIEUX SONT DANS LE JARDIN BLA BLA BLA UNE GROSSE ROULOTTE ROUGE ARRIVE PIN PON PIN PON LA ROULOTTE EST PLEINE D'EAU LA ROULOTTE PISSE SUR LE FEU SSHHHHHH LE FEU EST PARTI LES VIEUX RIENT MON HOMME RIT BON CHIEN IL DIT JE SUIS UN BON CHIEN JE SUIS UN CHIEN

~

Mrs Gayle a été expulsée de la maison de retraite. La porte de sa chambre est grande ouverte et en jetant un œil à l'intérieur, Andriy voit que tout est noirci par la fumée. Le petit tapis où le Chien a mangé ses biscuits au chocolat hier est totalement calciné, et même la bordure de ses couvertures a été roussie. Elle a vraiment eu de la chance d'en réchapper. Bon chien.

La chambre de Mr Mayevskyj est un peu plus loin dans le couloir. C'est une petite pièce en désordre, jonchée de livres et de papiers et imprégnée des mêmes relents de clapier et de désodorisant. Parfois l'odeur de clapier semble dominer, à d'autres moments c'est celle du désodorisant qui l'emporte. Et à présent la vague odeur de fumée vient y ajouter son sinistre parfum.

« Ah, mon chéri ! » s'écrie Mr Mayevskyj.

Andriy croit tout d'abord qu'il s'adresse à lui, mais le vieux monsieur a le regard fixé sur la boîte de vitesses qu'il a dans les mains.

« Cette boîte de vitesses vient de ma Francis Barnett 1937. Mon premier amour.

– Mais pas le dernier, Mister Mayevskyj. » Andriy essaie de prendre un ton sévère. « J'ai entendu dire que vous avez fait de nombreuses conquêtes parmi les dames de Four Gables.

– Eh oui, c'est inéluctable », répond le vieux monsieur avec un sourire radieux. Il lève la main d'un geste résigné.

Il est complètement chauve, complètement édenté et sa peau flasque est sillonnée de rides. Il est dans un fauteuil roulant et son urine s'écoule goutte à goutte dans une poche en plastique placée le long de sa jambe. Voilà donc son rival en amour. Et pourtant Andriy sent le magnétisme qui se dégage de toute son énergie indomptée.

« Quel plaisir de parler en ukrainien ! » Il se penche avec fougue dans son fauteuil roulant. « Ah, quelle belle langue, qui exprime avec une même aisance la poésie et la science ! Vous êtes du Donbass, jeune homme, à en croire votre accent ? Et vous avez fait tout ce chemin pour me rendre ma boîte de vitesses ? Je me demande comment elle a bien pu atterrir là-bas – ces escrocs d'Africains ont dû la voler et l'échanger contre de la vodka. » Il poursuit sur sa lancée sans laisser Andriy placer un mot. « Et il y a aussi une petite nouvelle, Irina, qui vient d'Ukraina. C'est ma dernière flamme. Quelle beauté ! Quelle silhouette ! Une Ukrainienne de type très cultivé, soit dit en passant. Vous l'avez rencontrée ?

– Oui. Elle est en effet très cultivée, mais…

– Arrêtez ! » Le vieux monsieur lève une main noueuse. « Je sais ce que vous allez dire. Elle est trop jeune pour moi. Mais voilà comment je vois les choses. Il est rare de trouver la sagesse et la beauté chez un même individu. Mais, dans le couple, c'est une combinaison possible.

– Vous pensez au mariage ?

– Naturellement. Je crois que c'est inéluctable. »

Inéluctable ? Qu'est-ce qu'Irina a été lui dire ? Peut-être n'est-elle pas aussi innocente qu'elle en a l'air ? Ce sourire – à qui d'autre encore a-t-elle souri comme ça ? Tu es vraiment un imbécile, Andriy Palenko, comment as-tu pu croire que ce sourire t'était réservé ?

« Mais vous avez déjà demandé en mariage Mrs Gayle et deux autres dames. Et elles ont toutes accepté.

– Ah… » Il agite les mains en l'air en souriant de toutes ses gencives. « Ce n'étaient que des passades.

– Mister Mayevskyj, ce n'est pas digne d'un gentleman de demander autant de femmes en mariage. »

Mr Mayevskyj hausse les épaules avec un petit sourire si suffisant qu'Andriy est pris d'une soudaine envie de balancer un coup de poing dans le nez de ce vieux gâteux. Calme-toi, Palenko. Sois un homme.

« Les femmes sont de faibles créatures et elles cèdent facilement à la tentation, Mister Mayevskyj. Ce n'est pas digne d'un gentleman de profiter de leur faiblesse.

– Voyez-vous, dans la situation où nous sommes, ces pauvres sottes n'ont personne d'autre à aimer. » Le vieillard a toujours son petit sourire. « À part vous désormais, bien sûr. À ce propos, jeune homme, j'ai également entendu certaines rumeurs qui vont dans ce sens.

– Des rumeurs sur moi ? » Un tremblement de panique gagne sa poitrine.

« Une certaine dame prétend qu'un mystérieux visiteur ukrainien l'a demandée en mariage. Cette même Mrs Gayle d'ailleurs. Ma précédente fiancée. Elle a fêté ça hier avec une bouteille de whisky. Elle a déjà annoncé la nouvelle à sa famille. »

Le tremblement s'intensifie. Il se sent cerné par l'odeur de clapier.

« C'est totalement faux.

– Ce serait un bon mariage pour vous. Passeport. Permis de travail. Héritage. Grande maison, poursuit le vieillard avec enthousiasme. Il n'y a que la famille qui risque de poser un problème. C'est comme la mienne. Les enfants qui viennent fourrer leur nez dans les histoires d'amour des parents. »

Par ma barbe ! Voilà qui serait une issue originale à cette aventure – j'épouse Mrs Gayle, Mr Mayevskyj épouse Irina et nous vivrons tous heureux à Peterborough, point final.

« Mr Mayevskyj, s'il y a eu un malentendu sur mes intentions, je vais faire de mon mieux pour clarifier les choses avec l'intéressée. Et vous devez en faire de même. Vous devez dire à ces vieilles dames que vous n'avez pas l'intention de vous marier. Si vous refusez, je reprends la boîte de vitesses.

– Ma chère Francis Barnett. Nous avons partagé tant de bons moments. » Il avance la lèvre inférieure comme un enfant sur le point de pleurer. C'est si mal que ça d'avoir envie d'aimer ?

– Mr Mayevskyj, vous êtes vieux. Vous feriez mieux d'aimer votre boîte de vitesses et de laisser les dames à leurs folies. »

Le vieillard contemple la boîte de vitesses.

« Peut-être ai-je été un peu léger dans mes affections. »

Andriy sort des mouchoirs d'une boîte placée à côté du lit, nettoie les résidus de graisse de la boîte de vitesses et la pose sur la table de chevet.

« Maintenant, vous devez me promettre de dire à ces dames que vous avez fait vœu de chasteté et d'arrêter de parler de mariage. La question suivante, c'est où cacher la boîte de vitesses pour éviter que la directrice retombe dessus et vous la confisque de nouveau. »

Mr Mayevskyj se tapote le nez. « Cette directrice est du type à fourrer son nez partout. Si elle aperçoit la moindre trace de cette boîte de vitesses, elle sera automatiquement confisquée. Laissez-moi réfléchir. Dans le tiroir du bas (il baisse la voix et lui montre un vieux meuble délabré en aggloméré) je range mes sous-vêtements spécialement adaptés. Mais puisque je n'ai pas le droit de les mettre, personne ne regarde jamais dedans. Peut-être que si vous la glissez tout au fond, bien cachée, je pourrai la sortir de temps en temps pour lui parler. »

Andriy ouvre le tiroir. Il y trouve un amas de coton grisâtre et d'élastiques cousus avec du fil à bouton noir, des bouts de caoutchouc mousse rose et un rouleau de tube en plastique transparent fixé à un pot de yaourt vide. Intéressant. Andriy remballe la boîte de vitesses dans son tissu huilé et la fourre dans un coin.

En refermant la porte, il entend un crissement de pneus dans l'allée de gravier. Il lève le store. Une énorme voiture noire s'est garée sous la fenêtre. Une élégante blonde méchée au visage chevalin descend côté passager. Et du côté du conducteur émerge un grand brun qui a tout l'air – Andriy ne trouve pas d'autre façon de le décrire – d'un obscur rejeton de l'aristocratie.

« Au revoir, Mr Mayevskyj. Je vous souhaite une longue vie et beaucoup de bonheur avec votre boîte de vitesses.

Et maintenant il est temps pour moi de retourner très vite dans le Donbass. »

~

J'ai hâte qu'il pleuve. Les gens sont en nage, ils ronchonnent. On sent l'électricité dans l'air. Je la sens même en moi. Un bon orage dissipera la chaleur et la tension. Yateka a disparu. Andriy est allé rendre sa boîte de vitesses à Mr Mayevskyj. Je l'attends dans la salle à manger. J'aimerais bien ouvrir la porte-fenêtre qui donne sur le jardin de roses, mais elle est fermée au cas où un pensionnaire essaierait de s'échapper. Au-delà des parterres de fleurs se trouve la petite allée de gravier qui mène à notre jardin secret.

Il m'y a embrassée deux fois, hier. La première fois était merveilleuse, un enchantement, et j'avais du mal à croire que c'était vrai. La seconde fois, c'était du solide, comme la terre, et tous mes doutes avaient disparu. Oui, c'est vraiment le bon. Je sens encore la marque de ses mains sur moi, chaudes et vigoureuses, comme si je lui appartenais déjà. Et cette sensation de fondre jusqu'au plus profond de mon corps. Hier soir, j'ai bien cru que c'était le grand soir. Jusqu'à l'intervention de ce chien pénible. Enfin, c'est tout de même bien qu'il ait pu tous nous sauver de l'incendie. Mais combien de temps encore va-t-il falloir que j'attende ? J'espère que c'est pour bientôt.

Qui aurait cru que je ferais tout ce chemin pour perdre ma virginité non pas avec un Anglais romantique à chapeau melon, mais avec un mineur du Donbass ? Il y en a des quantités d'où je viens, mais ce qui est étrange, c'est qu'en Ukraine on ne se serait probablement jamais rencontrés. On appartient à deux mondes différents, moi au milieu progressiste de la Révolution orange qui a le regard tourné vers l'Ouest, lui à l'univers fruste de l'Est industriel bleu et blanc, ce vieux monde soviétique délabré dont nous essayons de nous détacher. Et même si on s'était rencontrés, qu'est-ce qu'on aurait eu à se dire – une fille de professeur et un fils de mineur ? Le fait de nous retrouver ensemble en Angleterre nous rend plus égaux. On dirait que c'est le destin qui nous a rapprochés. Comme Natacha et Pierre – ils se connaissaient depuis des années, mais il leur a fallu traverser la guerre et la paix pour se redécouvrir et comprendre qu'ils étaient faits l'un pour l'autre.

J'admets qu'il y a des choses qui me font un peu peur. Est-ce que ça fera mal ? Est-ce que je saurai quoi faire ? M'aimera-t-il toujours après ? Est-ce que je tomberai enceinte ? Il ne faut pas te laisser bloquer par ces peurs. Et puis il y a autre chose qui m'inquiète, une appréhension si vague que j'ai du mal à mettre des mots dessus et pourtant, d'une certaine façon, c'est ce qui me terrifie le plus : serai-je la même après ?

« À quoi tu rêves ? »

C'était Yateka. Elle était arrivée derrière moi sur la pointe des pieds et avait posé les mains sur mes yeux. J'avais reconnu sa voix, mais j'ai dit : « Andriy ?

– Ah ah ! » Elle a ôté ses mains en riant. « Tu rêves de ce coquin.

– Il n'est pas coquin, Yateka. C'est le meilleur homme au monde. »

Elle m'a regardée bizarrement.

« Tu crois ?

– Je le trouve merveilleux. C'est un vrai gentleman, attentionné, courageux. Cette façon qu'il a eue de sauver tout le monde de l'incendie – c'est tout lui, tu sais. Le seul problème, c'est son chien, mais peut-être qu'il finira par le donner. Tu sais ce que je préfère en lui ? J'aime sa manière de dire : "Tu as raison, Irina." Il n'y a pas beaucoup d'hommes qui en sont capables.

– Irina, je crois que le millionnaire ukrainien serait mieux pour toi. Il y a quelque chose chez Andriy…

– Quoi ? »

De nouveau, elle m'a regardé bizarrement.

« Qu'est-ce qu'il y a, Yateka ? »

Puis elle a ri. « Je crois que les hommes ukrainiens sont comme les hommes de Zambie. »

Que voulait-elle dire par là ?

« Tu as un petit ami qui t'attend en Zambie ? lui ai-je demandé. Qu'est-ce que tu feras quand tu auras terminé ton stage ?

– Tu sais, il ne me reste plus que trois semaines de cet esclavage. Après, si la directrice me fait un bon rapport, je pourrai travailler dans les hôpitaux publics et bien gagner ma vie. Et je pourrai avoir un vrai poste d'infirmière au lieu de nettoyer les toilettes pour un salaire de misère. Mon rêve est de me former pour être infirmière en bloc opératoire ou en soins intensifs. Et je serai libre – libre de Four Gables, libre de la directrice, libre de Nightingale

Human Solutions. » Elle m'a pressé légèrement la main. « Alors, ne t'en fais pas pour moi. Et bonne chance avec ton millionnaire ! »

Avant que j'aie pu protester, nous avons été surprises par des cris dans l'allée, et quelques instants plus tard Andriy est arrivé en courant, les yeux hagards et le nez en sang.

« Andriy ! Qu'est-ce qui s'est passé ? » Je l'ai pris dans mes bras – mon guerrier blessé.

« Il faut que je parte d'ici tout de suite. Tu veux venir avec moi ?

– Bien sûr, mais pourquoi ?

– Il y a un énorme malentendu. Va chercher tes affaires. Je t'expliquerai après. »

J'ai serré Yateka contre moi.

« Au revoir. Merci d'avoir été si gentille.

– Je suis sûre que vous reviendrez », a-t-elle dit.

Nous voilà donc de retour au bord de la Great North Road, Andriy, moi et le Chien. Comme d'habitude, un flot de voitures interminable défilait devant nous sans qu'aucune ne s'arrête. Heureusement, il ne pleuvait pas encore. Andriy semblait toujours aussi agité, alors je lui ai serré gentiment la main.

« Qu'est-ce qui s'est passé ? Pourquoi a-t-on dû partir aussi vite ?

– C'était un énorme malentendu.

– Quel malentendu ?

– Rien. C'est fini maintenant.

– Tu m'as dit que tu me le dirais. Tu me l'avais promis.

– La vieille dame, Mrs Gayle. Elle a dit que je l'avais demandée en mariage. Puis elle l'a annoncé à sa fille et son gendre, et leur a dit qu'ils devaient quitter sa maison parce qu'elle revenait chez elle. Et puis elle a fêté ça au whisky.

– Tu m'as reproché de trop sourire aux vieux messieurs et maintenant tu fais exactement la même chose.

– Ça n'a rien à voir.

– Et pourquoi ça ?

– C'était un malentendu.

– Je ne vois pas en quoi c'est différent. Tu as bien dû l'encourager d'une manière ou d'une autre.

– Il n'y a pas de quoi rire, Irina. Ces gens sont horribles, quels barbares ! Tu n'imagines pas ce qu'ils m'ont dit. »

On aurait dit qu'un orage se déchaînait sur son visage.

Heureusement, juste à ce moment-là une voiture s'est arrêtée – en fait, ce n'était pas une voiture, mais un minibus ou même un bus. En fait, c'était un bus transformé en camping-car.

« Salut. Où est-ce que vous allez ?

– Nous allons seulement à Sheffield, a répondu Andriy avec emphase.

– Super. Montez. C'est ma direction. »

Le conducteur était un jeune homme qui avait à peu près l'âge d'Andriy. Il avait de petites lunettes rondes, des touffes de petits poils roux au menton qui avaient visiblement du mal à pousser en barbe et des cheveux roux rassemblés en queue-de-cheval – une épaisse queue-de-cheval bouclée et non… À mon avis, les hommes ne devraient pas porter les cheveux longs. Les cheveux d'Andriy ne sont pas trop longs. Ni trop courts.

« Moi, c'est Rock. »

S'il y avait bien quelqu'un qui n'avait rien d'un roc, c'était lui. Il me faisait penser à un petit escargot voyageant dans sa maison de coquille. On s'est présentés et heureusement qu'on s'est bien entendus, parce que le camping-car avançait précisément à la vitesse d'un escargot et le voyage allait manifestement être long.

Nine Ladies

Ce sera un miracle si on arrive à Sheffield, se dit Andriy. Le vieux bus doit avoir au moins cinquante ans, à voir sa transmission préhistorique, ses quatre vitesses seulement, plus la marche arrière, et son long levier de vitesses comme sur les anciennes Volga. Le moteur vrombit comme un essaim d'abeilles et quand il accélère – le maximum est de quarante kilomètres-heure –, toute la carrosserie est secouée de tremblements et de vibrations. Même en Ukraine, avant d'entreprendre un long voyage dans un véhicule de ce genre, on ferait venir un prêtre pour lui demander une ou deux bénédictions.

Et ce n'est pas tout – le moteur a une drôle d'odeur. Une odeur pas déplaisante d'ailleurs. C'est curieux, elle lui fait penser au petit restaurant du coin de la rue Rebetov. Pommes de terre sautées. Irina lève la tête en reniflant l'air.

« Fish and chip ? dit-elle.

– Presque, dit Rock. En fait, il marche à l'huile de friture usagée. Je l'ai converti moi-même. Ça brûle l'excès de résidus de la société de consommation. C'est pas vraiment légal, parce qu'on paie pas de taxes dessus. Mais, comme dit Jimmy Binbag, les frites de la colère sont plus sages que le vinaigre du savoir. »

Elle est devant, à côté de lui, agrippée aux bords du siège à deux places. Andriy surprend son regard.

« Tu crois que tous les conducteurs anglais sont fous ? chuchote-t-elle en ukrainien.

– Apparemment, lui murmure-t-il. Au moins, celui-là n'est pas un fou de vitesse. »

« Et vous venez d'où, tous les deux ? » Rock redescend mollement à une vitesse de croisière de trente kilomètres-heure et pose les avant-bras sur le volant pour se rouler une cigarette.

« De Ukraine. Tu connais ?

– Oui. » Il s'interrompt pour lécher le papier. « On avait des Ukrainiens à Barnsley. Des mineurs.

– Mon père était mineur, dit Andriy.

– Pas possible ! fait Rock. Le mien aussi. Avant sa mort.

– Il est mort dans accident ?

– Non. Pneumoconiose. Les poumons noirs.

– Le mien est mort dans accident. Plafond écroulé.

– Putain, il s'est écroulé. Quelle tragédie ! Désolé, mon pote.

– Tu toujours mineur ? demande Andriy.

– Non. Ils ont fermé tous les puits par chez nous. Toute façon, mon père disait que j'étais trop faible. Il disait que je ferais mieux de faire des études. À quoi ça sert, l'éducation, à Barnsley ? j'y disais. Je suis quand même allé au collège et j'ai fait des études d'ingénieur mécanique. Et puis je m'suis dit que la mécanique, ça faisait bien partie du problème, non ? Alors j'ai décidé de faire ça à la place.

Les avant-bras toujours posés sur le volant, il gratte une allumette et allume sa cigarette. Des volutes de fumée douceâtre envahissent le bus. « Et toi, t'es toujours mineur ?

– J'étais. Avant accident de mon père. Maintenant, je peux plus redescendre. Je peux pas travailler au fond. Alors j'ai pas le travail. Je viens Angleterre pour cueillir les fraises.

– Tout ça, c'est de la merde. Comme dit Jimmy Binbag, quand on vide les waters du capitalisme, toute la merde retombe sur ceux d'en dessous. »

Il tire une longue bouffée de cigarette et avale la fumée. Puis il passe la cigarette à Andriy. Andriy refuse d'un signe de tête.

« Mon père disait : quand mineur descend au fond, la mort peut rendre visite. Quand mineur fume, la mort est invitée.

– Eh ben ! J'parie que ça t'a refroidi ! Mais je croyais qu'ils avaient fermé toutes les mines en Ukraine.

– Beaucoup été fermées. Mais on a rouvert.

– T'as rouvert les mines ?

– Les mineurs. Avec les mains.

– Mais c'était pas un peu dangereux ?

– Bien sûr. Et illégal aussi. On travaillait dans les veines un mètre de haut. Chaleur trente-sept degrés. Cent pour cent humidité. Pas la ventilatsya. Pas le vikhod de sécurité. Pas l'outil électrique. Juste avec pic à la main on redescend au fond pour tailler charbon. Et puis on vend pour l'argent. Tu sais, en cet moment il y a pas autre travail. On doit vivre.

– Putain de merde. »

Le vrombissement lénifiant de l'essaim d'abeilles se poursuit, imperturbable. Quelques gouttes de pluie giclent sur le pare-brise. Irina pousse un soupir et tressaille, sa tête lourde sur son épaule. Elle dort. Elle n'a rien entendu. Un jour, il lui racontera tout : le beau matin de printemps, le trou béant comme une plaie par lequel il s'était enfoncé sous terre, l'obscurité étouffante qui les avait avalés, les premiers frémissements, puis le long grondement de l'explosion. Le tremblement. Les blocs de roche s'éboulant du plafond. Les cris, les hurlements. Puis le silence. La poussière noire. Il lève le bras et l'enlace, plaquant sa tête contre son torse. Ses cheveux ruissellent sur lui comme des banderoles de soie noire.

Derrière les sièges avant, un rideau fait avec un vieux drap a été tendu en travers du bus. Il est entrouvert et Andriy distingue l'arrière, où tous les sièges ont été retirés, à l'exception de quatre installés autour d'une table carrée de fortune. Dans un coin se trouve un petit meuble de rangement avec un réchaud à gaz posé dessus et un tas de cartons remplis d'un fouillis de vêtements, de provisions et de casseroles.

Le reste du bus est occupé par un matelas de grand lit couvert de draps grisâtres tout fripés.

« Tu transformer le bus toi seul ?

– Oui. C'était pas difficile.

– J'aimerais bien faire comme ça. Trouver vieux bus. Transformer. Voyager autour du monde. »

Irina accepterait-elle de l'accompagner dans un tel voyage ? Et le Chien ? Ce dernier ronfle sur le matelas à l'arrière du bus en pétant avec sa vigueur habituelle au côté du chien de Rock qui renifle et soupire plus délicatement.

« J'suis pas sûr qu'Alice réussirait à faire le tour du monde.

– C'est ta copine, Alice ?

– Non, Alice, c'est le bus. Ma copine s'appelle Thunder. »

Hmm. Tonnerre. Intéressant comme prénom pour une femme. Très sexy.

« Elle aussi mineur ?

– Non. Y a pas de femmes mineurs par ici. Mais si elle était à la mine, elle serait championne.

– Si tu pas mineur ou ingénieur, quel travail tu fais ?

– Moi ? » Rock tire une longue bouffée de cigarette et ajuste les petites lunettes rondes qui sont de travers. « Je suis une espèce de guerrier, on va dire.

– Espèce de guerrier ? C'est ton travail ?

– Non, pas un travail. Plutôt une vocation. Un guerrier de la terre. Qui défend la terre des horribles griffes de la cupidité des multinationales. » Il pouffe de rire.

« Hmm. C'est original.

– Oui, tu vois, y a un cercle de pierres dans les montagnes. Vieux de trois mille ans. Et y a un salopard qui veut ouvrir une carrière juste à côté. Alors nous, les guerriers, on a monté un camp là-bas, dans les arbres. Ils peuvent pas faire exploser la carrière sans couper les arbres. Et là, ils peuvent pas couper les arbres (il se remet à pouffer de rire) parce qu'on est là à défendre le patrimoine britannique séculaire des tentacules de la mondialisation, pour reprendre l'expression immortelle de Jimmy. »

Ce Jimmy a l'air intéressant.

« Mais pourquoi creuser carrière dans lieu historique comme ça ?

– La cupidité, mon pote. La simple cupidité. Tout ça, c'est pour exporter. Y a un boum de la construction aux

États-Unis. Ils veulent transformer de la boue en or. Jimmy dit que c'est les ennemis de l'intérieur. »

À présent, il est très agité et jette des regards anxieux autour de lui.

« En Ukraine c'était pareil, dit Andriy d'un ton apaisant. Tout a été vendu. Maintenant, il n'y a plus rien.

– C'est en Ukraine qu'y a eu toutes ces manifestations ? Une histoire d'élections ? Les bannières orange, tout ça ? » Il avait repris un ton plus calme, presque rêveur.

« Ça aussi, c'était cupidité. Petit nombre hommes d'affaires détenir tous les capitaux publics. Et maintenant ils vont vendre à Ouest.

– Tu racontes n'importe quoi, Andriy ! »

Elle se frotte les yeux, droite comme un piquet.

« Je croyais que tu dormais.

– Comment veux-tu que je dorme quand j'entends des idioties pareilles ?

– Ce ne sont pas des idioties. Tu ne sais rien de ce qu'on vit dans l'Est. »

Ils sont repassés à l'ukrainien et ont haussé le ton. Rock les observe avec un sourire bienveillant, penché sur le volant. Le bus roule avec une lenteur incroyable, à peine dix kilomètres-heure.

« Je sais ce qui est bon pour l'Ukraine, Andriy (elle le frappe d'un doigt), et ce n'est certainement pas la domination russe. »

Qu'est-ce qui lui prend ? Bon, cette fois il est temps de commencer la rééducation.

« Ce n'est pas de la domination, c'est de l'intégration économique, Irina. Intégration de la production, intégration du marché. » Il parle lentement en détachant ses mots. Une jeune fille comme elle, avec tout un tas de trucs de fille dans la tête, est-elle capable de comprendre de tels concepts ? « L'économie de l'Ukraine et l'économie de la Russie ne faisaient qu'un. Sans l'industrie russe, l'industrie ukrainienne s'est effondrée.

– La Russie a dépouillé l'Ukraine sous les tsars, sous le communisme et maintenant avec l'intégration économique. C'est la même chose, il n'y a que le nom qui ait changé. Au moins, avec Iouchtchenko, on peut construire notre propre économie indépendante. »

Elle a pris un ton moralisateur agaçant qui n'est pas du tout séduisant chez une femme. Elle devrait s'en tenir aux sujets féminins et s'abstenir de fourrer son joli nez dans la politique.

« Ceux qui ont dépouillé l'Ukraine sont essentiellement nos compatriotes ukrainiens. Kravchouk, Kouchma, ta chère Timochenko – tous milliardaires. Tu sais, quand ils ont fermé les mines de charbon du Donbass, l'Europe a versé de l'argent pour aider les mineurs, pour que de nouvelles industries remplacent les anciennes. Et qu'est-ce qui s'est passé ? Tout l'argent est allé dans la poche des hauts fonctionnaires. Les nouveaux hauts fonctionnaires ukrainiens, pas les russes. Les rois du mobilfon. Les mines ont été vendues, vidées de toutes les machines, fermées. Aucune autre industrie ne les a remplacées. Les mineurs étaient si désespérés qu'ils sont retournés au fond pour chercher du charbon. Essaie un peu d'imaginer dans quelles conditions. Essaie un peu d'imaginer ça une seconde, Irina !

– Pas besoin de crier.

– Désolé. » Elle a raison. À quoi bon crier, ça ne le ramènera pas. « Mon père est mort dans une de ces mines.

– Oh, Andriy ! » Elle met la main sur sa bouche. « Mais pourquoi ne me l'as-tu pas dit avant ? Je suis désolée, tellement désolée. »

Elle a les larmes aux yeux et l'air si peiné qu'il la prend dans ses bras pour la consoler. La prochaine fois, il faudra qu'il s'y prenne plus doucement pour la rééduquer.

« Ce n'est pas de ta faute. Ne pleure pas. Tu ne l'as pas tué de tes propres mains. »

Elle soupire et enfouit le visage contre lui. Il caresse les ailes d'oiseau brunes de sa chevelure qui se déploie contre son torse.

Minute – qu'est-ce qui se passe là ? Le bus a tellement ralenti qu'il est presque à l'arrêt et il s'égare peu à peu en travers de la route. Rock est avachi sur le volant et continue à glousser légèrement en poussant des soupirs. Andriy se penche, saisit le volant et s'efforce de redresser la trajectoire tout en donnant un grand coup de coude à Rock. Rock secoue la tête, cligne des yeux, sourit, remonte ses lunettes qui sont presque tombées de son nez et reprend le contrôle du volant.

« Pas d'souci, mon gars. Faut que j'roupille un coup. »

Il sort à la première station-service, gare le bus, se couche sur le volant et s'endort profondément dans les quelques minutes qui suivent. Irina part à la recherche des toilettes. Andriy reste dans le bus en écoutant les ronflements de Rock mêlés à ceux des chiens. Il sent l'impatience monter en lui comme la vapeur dans un cylindre. Arriveront-ils un jour à Sheffield ?

« Qu'est-ce qu'il a ? lui chuchote Irina en s'installant sur le siège à côté de lui, la mine éclatante et reposée.

– C'est la fatigue de la conduite. Ce vieux bus, il n'a pas de direction assistée. »

Il a sa petite idée sur la cigarette, mais il ne veut pas l'inquiéter.

Rock émerge une demi-heure plus tard, se gratte la tête, s'ébroue comme un chien et part aussitôt en quête de quelque chose à manger. Quand il descend du bus, Andriy s'aperçoit qu'il est tout petit – à le voir s'éloigner d'un pas sautillant vers l'aire de service avec son pantalon large couleur de terre, il ressemble à un elfe tout bouclé. Quelques minutes plus tard, il revient avec une bouteille d'eau, une orange, un pain de mie en tranches et quatre barres chocolatées. Andriy s'apprête à sortir de l'argent de sa poche, mais Rock refuse d'un signe de tête.

« Pas d'souci. Je les ai libérés. »

Il pèle méthodiquement l'orange en partageant les quartiers un par un avec eux. Puis il coupe les barres chocolatées et recommence. Ensuite, il compte soigneusement les tranches de pain. Il n'a pas l'air pressé d'arriver où que ce soit. Derrière les petites lunettes rondes, ses yeux ont rougi.

« Je peux conduire, si tu veux, propose Andriy.

– Pas d'souci », dit Rock.

Une demi-heure plus tard, quand ils ont fini de manger, il remplit le réservoir avec un bidon qu'il sort du compartiment à bagages, tend les clés du bus à Andriy et va s'installer à l'arrière à quatre pattes.

« Bouge-toi, Maryjane », dit-il en s'allongeant entre les chiens. Ils ne tardent pas à ronfler tous les trois en chœur avec le vrombissement monotone du moteur. Sur le siège passager, Irina s'est également assoupie.

Derrière le volant, Andriy s'efforce de se concentrer sur la route. Une chose est sûre, il avait raison au sujet de la direction – ce vieux bus est encore pire que la Land Rover. Le changement de vitesse est un vrai cauchemar. Une fois sur la route, heureusement, il n'a guère besoin de changer de vitesse ou de direction, à vrai dire il n'a pas grand-chose à faire, si ce n'est rester là à regarder les kilomètres défiler lentement.

La pluie promise ne s'est pas matérialisée et il fait toujours aussi chaud et lourd. On est en fin d'après-midi à présent et la circulation est plus dense. Ça ne change rien pour lui – leur véhicule est de loin le plus lent. C'est étonnant qu'ils n'aient pas l'air d'approcher de Sheffield, se dit-il. Ils auraient déjà dû voir un panneau indiquant la ville, à l'heure qu'il est. Sur la gauche, il y a un panneau pour Leeds. C'est bien au nord, non ? Puis un autre qui indique York. Bon, au moins ils sont dans la bonne direction. Mais il croyait que Sheffield était censée être dans le sud du Yorkshire. Où est-elle passée ?

Irina se réveille et lui touche la main.

« On est bientôt arrivés ?

– Je crois.

– Parle-moi encore de Sheffield.

– Tu vois, Sheffield est la première ville d'Angleterre à avoir été déclarée république socialiste et Vloonki, son dirigeant, est connu dans le monde entier pour sa politique progressiste.

– Et en quoi elle consiste, cette politique progressiste ? demande-t-elle d'un ton légèrement soupçonneux. Ça va me plaire, à ton avis ?

– Ce qui va te plaire, en tout cas, c'est les bougainvilliers. »

Il se penche vers elle pour l'embrasser en bloquant le volant avec le genou droit.

~

Andriy est sans aucun doute très beau et très viril, mais j'aimerais qu'il soit un peu moins fruste de temps en temps. Comment ai-je pu tomber amoureuse d'un homme obsédé par des conceptions datant de l'ère soviétique ? J'espère qu'ici, à l'Ouest, il pourra se débarrasser de certaines de ses idées fausses, mais pour ce qui est de Sheffield, je suis un peu dubitative. Est-ce que ça va être un de ces paradis communistes des travailleurs du style Yalta ou Sotchi, avec sanatoriums et bains de boue collectifs partout ? On verra.

Rock a dormi pendant des heures. En se réveillant, il était stupéfait qu'on ait fait autant de route.

« T'aurais dû prendre l'A57. On est bien trop au nord. Y va falloir faire demi-tour.

– Tu ne m'avais pas dit », a répondu Andriy d'un ton grincheux. C'est un de ses défauts, j'ai remarqué. Il a tendance à être grincheux. Ça doit être parce qu'il est tellement impatient d'arriver à Sheffield.

Rock a pris l'air vague et désolé. « C'est cette saleté », a-t-il dit en fixant l'arrière du camion, alors que, franchement, je ne vois pas en quoi le Chien pourrait être tenu pour responsable.

Quoi qu'il en soit, Rock a repris le volant et on a fait demi-tour et on est repartis en sens inverse. C'était la tombée de la nuit. De temps à autre, une voiture ou un camion passait dans un grondement sur la quatre-voies en fonçant pleins phares dans le crépuscule. Ça devait faire une heure qu'on roulait doucement vers le sud. Rock conduisait les deux mains posées sur le volant, silencieux, le regard fixé devant lui. Il n'y avait presque plus de circulation. Une fois ou deux, nous avons été doublés par un véhicule dont les phares arrière se sont peu à peu réduits à deux têtes d'épingle avant de disparaître dans l'obscurité.

Puis, soudain, il s'est arrêté sur une aire de repos et a annoncé : « J'crois bien qu'on va y arriver ce soir, les gars. On va roupiller un peu et on reprendra la route demain matin. »

Andriy n'a rien dit, mais je savais qu'il était en train de réfléchir. Il avait son air orageux.

« Vous pouvez prendre le lit, tous les deux – je dormirai sur la banquette. Maryjane ! Viens ! »

Maryjane a bondi à l'avant, suivie par le Chien. Rock a mis deux sièges bout à bout. Il a ôté son tee-shirt et son jean, les a lancés dans un carton au milieu de la vaisselle, puis il a glissé son corps pâle et chétif dans un sac de couchage kaki, comme une larve rampant dans son cocon.

Andriy est sorti et m'a aidée à descendre du bus. Nous étions sur une aire de repos abritée de la route par une haie. Il y avait un autre camping-car aux volets fermés, avec un panneau qui disait thé – snack. La nuit était encore chaude et humide, le ciel nuageux, sans une étoile. J'ai respiré à pleins poumons, je me suis étiré les membres et je les ai sentis se détendre peu à peu. Nous avions passé des heures assis. Je me suis aventurée derrière un buisson pour arroser l'herbe et j'ai entendu Andriy en faire de même non loin de là, ses pas qui s'éloignaient en trébuchant dans le noir, puis le chuintement de la pisse qui pénétrait dans le sol.

Quand il est revenu dans l'obscurité, il m'a prise dans ses bras et m'a plaquée contre le bus. Je le sentais tout dur contre moi, je sentais son souffle chaud et pressant dans mon cou. Je ne sais pas pourquoi je me suis mise à trembler. Alors il m'a serrée contre lui jusqu'à ce que je ne bouge plus.

« Nous sommes les deux moitiés d'un même pays, Irina. » Il avait la voix basse, véhémente. « On doit apprendre à s'aimer, toi et moi. »

Personne ne m'a jamais rien dit d'aussi merveilleux.

Il m'a embrassé les cheveux, puis la bouche. J'ai senti des flammes me parcourir le corps et cette impression de fondre jusqu'à ne plus pouvoir refuser. Mais, en fait, j'ai refusé. Parce que la première nuit ça doit être parfait. On ne peut pas faire ça sur ce matelas dégoûtant où le Chien et Maryjane se sont léché les parties. Ni au bord de la route comme une prostituée sous un porche. Vous imaginez, vous, Natacha et Pierre consommer leur amour contre un bus ?

« Pas maintenant, Andriy. Pas ici. Pas comme ça. »

Il m'a répondu quelque chose de désagréable, puis il s'est excusé d'avoir été désagréable et je me suis excusée pour ce que je lui avais dit, alors il m'a dit qu'il allait se promener, je lui ai dit que je venais avec lui, mais il m'a répondu qu'il préférait être tout seul. J'ai attendu à côté du bus qu'il revienne en me demandant ce que je pouvais bien lui dire pour qu'il ne m'en veuille pas. Devais-je lui dire que je l'aimais ?

Quand on s'est enfin mis au lit, les draps étaient gris et poisseux, imprégnés d'une odeur de chien en sueur. Je ne pouvais pas me déshabiller. Andriy a cru que c'était par pudeur – il est tellement gentleman –, mais, en fait, c'est parce que je ne voulais pas sentir ces draps moites et froids collés contre ma peau. Je suis restée dans ses bras toute la nuit, la tête calée entre son menton et son épaule. Il n'a même pas fait attention aux draps.

Le lendemain matin, au réveil, je me suis aperçue que j'avais les pieds et les mains couverts de boutons rouges. Andriy aussi. Rock était déjà debout et faisait bouillir de l'eau, accroupi devant le réchaud à gaz. Il n'avait sur lui qu'un simple slip grisâtre qui pendouillait comme le pagne d'un vieux prophète de l'Ancien Testament.

« Vous voulez un thé ? » a-t-il lancé.

Il parlait en fumant une cigarette roulée suspendue à ses lèvres. Il avait le corps tout pâle et filiforme, dépourvu de la moindre musculature virile mais couvert de taches de rousseur et de piqûres de puce. Si seulement il pouvait s'habiller !

Pour le petit déjeuner, on a mangé le reste du pain d'hier et des pommes ratatinées qui traînaient au fond d'un carton. Rock a servi un thé lavasse qu'il a sucré avec du miel en pot. Andriy s'est penché pour me murmurer à l'oreille : « Tu es douce comme le miel. »

Au même moment, une boucle brune est retombée sur son front, et pour une raison inexplicable j'ai senti gonfler en moi une bulle d'amour scintillante, non seulement pour Andriy, mais aussi pour Rock, pour le Chien et Maryjane, pour le vieux bus puant, même pour les piqûres de puce et le slip aux airs de pagne, et pour la fraîcheur de ce beau matin de printemps.

Il était encore très tôt. Dehors, le paysage était adouci par une brume qui recouvrait les étendues désertes des champs et s'accrochait aux contours des arbres et des buissons. Les oiseaux s'éveillaient déjà et gazouillaient allégrement. Le Chien et Maryjane couraient dans tous les sens en se roulant par terre et en jouant. Rock a sifflé et ils sont arrivés au galop, les yeux brillants et la langue pendante. Ils se sont installés sur le matelas et nous à l'avant. Puis Rock a démarré, déchirant le silence ouaté, et nous sommes repartis.

~

À un moment ou à un autre, la veille au soir, ils ont dû quitter la Great North Road pour bifurquer vers l'ouest. Ils se trouvent maintenant sur une petite route qui serpente dans un paysage agricole anonyme de grands champs parsemés de plantes inconnues et de petits hameaux de maisons en briques rouges. Mais ce qui surprend Andriy, c'est la circulation qu'il y a déjà sur la route, cette multitude de gens au volant de leur camion, de leur fourgonnette ou de leur voiture, qui s'empressent d'aller travailler. Ils sont doublés par un gros 4 × 4 noir. On dirait… Non, il doit bien y avoir des dizaines de véhicules comme ça sur les routes. Il jette un œil à Irina. Elle est de nouveau au milieu, sa main chaude glissée sous la sienne. Elle a les yeux fermés. Elle n'a rien remarqué.

Un minibus les dépasse dans une longue ligne droite et il compte une demi-douzaine d'hommes entassés sur les banquettes, des bruns au teint basané qui défilent sous leurs yeux dans la brume, avec la tête maussade de ceux qui se sont levés à l'aube, certains la cigarette aux lèvres.

« Qui c'est, ces hommes ? » demande-t-il à Rock.

Rock hausse les épaules. « Des travailleurs immigrés. Des fragments de la main-d'œuvre mondialisée, comme dit Jimmy Binbag.

– Qui c'est…

– C'est les immigrants qui font tourner le pays. Ils font tous les sales boulots.

– Comme nous.

– Ouais, comme vous, dit Rock. Z'avez entendu parler de cet accident dans le Kent ? Un minibus plein de cueilleurs de fraises. Six morts.

– Dans le Kent ? » Irina se redresse brusquement, les yeux écarquillés.

« Des pauvres types exploités. Des larbins des multinationales anonymes. Pas moi. J'ai assez donné. Maintenant, je suis un guerrier. » Il remonte ses lunettes qui ont glissé sur son nez. « Si seulement mon père me voyait. Lui qui disait que j'étais trop faible pour la mine.

– Mais tu défends les pierres et pas les gens, dit Andriy. Pourquoi ?

– Le charbon, la pierre, la terre – c'est notre patrimoine, non ?

– C'est quoi, patrimane ?

– C'est ce que tu reçois de ton père et ta mère. Les dons qui se transmettent de génération en génération.

– Comme les slips », chuchote Irina en ukrainien.

Si j'étais un guerrier, se dit Andriy, je ne défendrais pas des vieux cailloux, mais des êtres de chair et de sang. Dans le Donbass aussi, les rois du mobilfon ont pris le pouvoir, les gens ne sont plus que des marchandises jetables qui voient leurs précieuses vies gaspillées dans des accidents qu'on aurait pu éviter, des maladies qu'on aurait pu prévenir, et qui noient leur détresse dans la vodka. C'est tout l'avenir que son pays a à lui offrir – n'être qu'un pion sacrifiable. Et ça, il n'est pas prêt à l'accepter.

« À quoi tu penses ? lui demande doucement Irina.

– Tu es tellement précieuse, ma petite Ukrainienne. »

Ces paroles lui laissent dans la bouche une étrange impression de solidité, comme des carrés de sucre entiers. Il n'a pas l'habitude de parler ainsi aux femmes.

Ils roulent toujours en direction de l'ouest. Ils traversent une ville affreusement embouteillée, reprennent une quatre-voies, puis empruntent une petite route bordée de champs verts ondoyants qui n'ont cependant pas la beauté lumineuse des paysages du Kent.

« Avant, il n'y avait que des mines par ici, dit Rock. Pendant la grève, ils ont bloqué toutes les routes pour interdire aux piquets de grève du Yorkshire l'accès à la région de Notthingham. Notts la Jaune, on l'appelait à l'époque. Un vrai champ de bataille. Mon père a été arrêté à Hucknall. Tout ça, c'est du passé maintenant. » Il soupire. « Pas de sacs-poubelles dans la poubelle de l'histoire, comme disait Jimmy.

– C'est qui ?…

– L'autoroute est un peu plus loin, l'interrompt Rock. Une fois qu'on l'aura passée, on sera presque arrivés. »

Au-delà des champs, à quelques kilomètres de là, ils aperçoivent une gigantesque route taillée dans le paysage, plus large encore que la Great North Road et encombrée d'un flot de voitures et de camions qui avancent lentement, collés les uns aux autres comme des perles sur un fil.

Après l'autoroute, la route rétrécit et se met à grimper. Les maisons ne sont plus en briques, mais en pierres grises, et les villages deviennent de plus en plus petits et éloignés les uns des autres. En montant, ils découvrent peu à peu un paysage différent de lande sauvage, peuplée de sombres rochers abrupts, de bosquets de bouleaux et de conifères, et d'immenses collines érodées par les vents.

Le ciel est lourd, l'horizon couvert de nuages orageux. Rock roule presque uniquement en première, penché sur le volant, car la route est si étroite que si un véhicule vient dans l'autre sens, il faudra que l'un des deux recule pour laisser passer l'autre.

« J'aime ce paysage, dit Irina. C'est comme ça que j'imaginais l'Angleterre. Comme dans *Les Hauts de Hurlevent*.

– Peak District, dit Rock. On est presque arrivés. »

Sur une petite route escarpée bordée de forêts, Rock bifurque à gauche dans un chemin de terre qui mène à un bosquet de bouleaux argentés. En contrebas, au milieu des arbres, est garé un autre bus. Quand ils approchent, deux chiens surgissent des bois et se précipitent vers eux en aboyant. Maryjane dresse l'oreille et se met aussi à aboyer, aussitôt imitée par le Chien. Puis trois personnes apparaissent derrière les chiens. Andriy les examine avec curiosité – ce sont des hommes ou des femmes ?

~

Quand il s'est aperçu qu'on avait atteint notre destination, Andriy était furieux. Il croyait sans doute qu'on n'allait pas tarder à arriver à Sheffield. Rock avait vaguement promis de nous déposer à Sheffield le lendemain. Ou le surlendemain. Pour être honnête, je n'étais pas vraiment pressée d'aller à Sheffield et j'étais curieuse d'en savoir plus sur ce campement. Peut-être y avait-il une tente ou une petite caravane romantique perchée sur une colline où nous pourrions passer la nuit.

Mais il n'y avait qu'un tas de vieux véhicules en bordure d'un bois, dont certains étaient calés sur des briques, et en guise de tente il n'y avait que des bâches installées sur des branches basses. Puis j'ai levé la tête et mes yeux se sont écarquillés. Là-haut, au milieu des feuilles, s'étirait une toile d'araignée de cordes bleues tendues d'arbre en arbre comme des passerelles dans le ciel et des abris en toile accrochés aux branches.

Rock est descendu d'un bond du bus et s'est mis à courir vers les trois individus – ce devait être ses compagnons d'armes – qui venaient à notre rencontre. Il les a embrassés et nous a présentés. Ils avaient tous les mêmes vêtements couleur de terre. À mon avis, ils n'avaient pas l'allure de véritables guerriers. Le plus petit, qui s'appelait Windhover, avait le crâne complètement rasé. Les deux plus grands avaient les mêmes queues de rat tortillées que Toby McKenzie, si ce n'est que l'un d'entre eux les avait attachées en arrière. Ils s'appelaient Heather et Birch. Bruyère et Bouleau. Décidément, ils avaient tous des noms ridicules par ici. À mon avis, on ne devrait pas donner des noms de choses aux gens, mais des noms de personnes. Autrement, comment savoir si ce sont des hommes ou des femmes ?

Heather est le nom anglais de la bruyère, si populaire en Écosse, mais c'est aussi un prénom de femme, or ce guerrier-là m'a tout l'air d'un homme, à en juger du moins par la pilosité qu'il a sur le visage. Malgré son prénom féminin, il est plutôt trapu et musclé, avec une grosse barbe brune qui semble avoir été taillée aux ciseaux à ongles – c'est peut-être la mode chez les guerriers. Pour les deux autres, j'étais moins sûre. Le guerrier Birch était relativement grand, mais il donnait une impression d'évanescence, avec sa voix douce et son air confus. Le guerrier Windhover, lui, était plus petit, mais il paraissait plus féroce malgré son absence de cheveux et de poils, excepté sur les sourcils qui dessinaient deux arcs bruns expressifs au-dessus de ses yeux d'un bleu marine lumineux tranchant sur la pâleur de son visage osseux. En rejoignant le campement avec eux, j'ai remarqué que Windhover et Birch se tenaient la main, donc l'un d'eux devait être un homme et l'autre une femme – mais qui était qui ?

À ma grande surprise, j'ai aperçu une corde à linge suspendue entre une caravane et un arbre, exactement comme dans notre champ de fraises, et sur cette corde trois slips de guerrier grisâtres, informes et trempés. Ce qui m'a amusée, car pour être honnête, à les voir, ces guerriers n'avaient pas l'air du genre à se soucier de la lessive.

Dans une clairière au milieu des arbres, il y avait un feu qui couvait sous une bouilloire noircie suspendue au-dessus, et tout autour quelques bûches posées en guise de sièges. Ils nous ont invités à nous asseoir et Heather nous a servi un thé lavasse grisâtre au goût de fumée dans des tasses ébréchées tout aussi grisâtres et imprégnées de fumée. Puis Birch a plongé une louche dans une marmite et nous a distribué une espèce de pâtée également grisâtre avec le même goût de fumée, qui m'a fait penser aux slips des guerriers. Si on les faisait bouillir et qu'on les écrasait un peu, ils auraient cet aspect et ce goût-là.

Ils discutaient entre eux. Rock leur racontait sa visite à Cambridge et ils lui posaient des questions sur des laboratoires, mais je n'y prêtais pas vraiment attention, car j'avais remarqué quelque chose dans les arbres. Là-haut, au milieu des feuilles, il y avait une caravane – une petite caravane ronde peinte en vert qui était perchée au creux de la fourche d'un énorme hêtre, fixée par une corde bleue et munie d'une échelle de corde pour y monter.

« Regarde, Andriy, ai-je dit.

– Oui, c'est la caravane des visiteurs. Vous pouvez dormir là-haut si vous voulez », a dit Rock.

Andriy m'a lancé un tel regard qu'une douce chaleur a envahi mon cœur et mon cœur s'est mis à battre à tout rompre, car je savais que ce serait pour ce soir.

~

Windhover, la femme chauve, a des sourcils absolument ravissants – avec cette façon qu'ils ont de se lever avec étonnement, de se recourber d'un air suggestif, de se froncer de mécontentement ou de s'arquer en signe de plaisir ou de surprise. Les sourcils d'une femme peuvent être incroyablement séduisants, se dit Andriy. Tandis qu'elle parle avec Birch, ses sourcils montent et descendent en cadence. Tout à l'heure, il les a vues main dans la main et les a même surprises à se pencher pour échanger un baiser discret. C'est très excitant, pour un homme, de voir deux femmes s'embrasser. Ont-elles fait exprès ? C'est la première fois qu'il rencontre des femmes homosexes, mais il a entendu dire qu'elles étaient incroyablement sexy. Il n'avait jamais eu l'occasion de le vérifier par lui-même. Il paraît que leur tempérament passionné, contrarié par l'absence d'un homme digne de ce nom, se replie et se fixe sur une personne du même genre. Mais, à ce qu'on dit, si jamais un homme suffisamment viril apparaît sur la scène, la fougue qui se déchaîne alors est d'une intensité indescriptible. Une fois que ces femmes homosexes se déchaînent, il n'y a pas moyen de les arrêter. L'homme doit garder son sang-froid ou il risque de se noyer dans le torrent de leur passion. En plus, il paraît que la femme homosexe éprouvera une telle reconnaissance pour l'homme qui l'aura délivrée de cette fixation stérile qu'elle lui prouvera sa gratitude par une stupéfiante démonstration d'abandon sexuel et autre qu'il a du mal à imaginer.

À l'idée de cette pauvre femme aux si beaux yeux et aux sourcils si séduisants, de son mystérieux corps pâle enveloppé sous toutes ses couches de vêtements ternes qui se languit de l'amour d'un brave homme, Andriy est empli d'une extrême… pitié. Naturellement, il est totalement dévoué à Irina et à leur avenir ensemble, mais il se demande tout de même si son amie verrait une objection à ce qu'il délivre par pure bonté cette pauvre créature emprisonnée dans sa passion contrariée.

Arrête de faire l'idiot, Andriy Palenko.

~

Après le repas, Rock a dit : « Allez. Il est temps de faire connaissance avec les Dames. »

Escortés par une petite bande de chiens, on l'a suivi le long du chemin de terre, puis on a traversé la route et pris un sentier escarpé qui grimpait dans la forêt d'en face. À mi-hauteur, je me suis retournée pour regarder le campement, mais sous les feuillages la caravane verte et les vieilles bâches décolorées étaient à peine visibles. On n'apercevait qu'un filet de fumée qui pointait entre les feuilles. Le guerrier Heather qui nous avait accompagnés nous a montré un affleurement de roche rose.

« C'est le grès qu'ils veulent extraire, a-t-il dit. Jolie couleur, hein ? Le permis d'exploitation date de 1952. Et maintenant ils veulent rouvrir la carrière. Mais on les en a empêchés.

– Vous l'avez empêché ? Avec votre campement ? s'est étonné Andriy.

– Oui. On les a forcés à nous poursuivre en justice. Ils ont perdu. On devrait faire la fête, mais en fait c'est plutôt triste, parce que c'est la fin du campement. Parmi nous, il y en a qui vivent ici depuis cinq ans. Pas vrai, Rocky ? » Il avait une voix et une manière de s'exprimer très cultivées, contrairement à Rocky qui avait un accent populaire régional.

« Oui, a acquiescé Rocky qui marchait en tête et s'était arrêté pour nous attendre. « Vachement triste. Ça fait trois ans que je vis ici. Et maintenant je vais devoir retomber dans l'esclavage salarial. Gagner. Dépenser. Acheter des conneries. Me livrer aux griffes immondes du matérialisme. » Il a rallumé la cigarette accrochée à ses lèvres. « Y en a qui sont déjà partis à Sheffield et Leeds. Thunder, Torrent, Sparrowhawk, Midge. Y bossent dans des centres d'appels. Le bagne à l'ère de l'information, comme dit Jimmy.

– Ne t'inquiète pas. Il n'y a pas de risque que tu atterrisses dans un centre d'appels. »

Au sommet, nous avons débouché sur un vaste plateau rocheux couvert de bruyère.

« *Calluna vulgaris*, a dit Heather. Éricacée. Ma plante préférée. Sentez-moi ça. »

Je me suis penchée pour en cueillir un brin, mais il m'a arrêtée.

« Elle est protégée. Il faut la sentir sur place. »

Je me suis baissée et j'ai respiré à fond. Elle avait un parfum d'été et de miel. Je comprenais qu'il ait choisi la bruyère comme nom de combat. Les fleurs violettes étaient si minuscules que de loin on aurait simplement dit une brume qui recouvrait le haut des collines.

Au bout d'un sentier sablonneux qui traversait un petit bosquet de frênes, de hêtres et de bouleaux, on a débouché dans une clairière d'herbe d'une quinzaine de mètres de large. Au milieu se trouvait un cercle de neuf pierres.

Je les ai trouvées légèrement décevantes. Je m'attendais à quelque chose de plus grand, de plus structuré, comme Stonehenge. Ces pierres-là étaient de travers et de taille inégale, comme des mauvaises dents. Elles ne ressemblaient pas du tout à des dames. Quand on a vu la basilique Sainte-Sophie ou le monastère de Lavra au coucher du soleil, ou même certains monuments anglais, on ne peut pas trouver le moindre intérêt à ces pierres. Mais, sur ce, Heather a dit : « Âge de fer. Elles ont trois mille cinq cents ans. Ce sont les précurseurs de nos grandes cathédrales. »

C'est probablement très intéressant.

« On peut écouter les esprits ici », a dit Rock. Il s'est jeté sur le dos au milieu du cercle, bras et jambes écartés. « Des fois, quand je reste immobile, j'entends Jimmy Binbag qui parle. Venez vous allonger et écoutez. »

On s'est allongés tous les quatre en croix, la tête au milieu, les bras et les jambes écartés, en se frôlant les uns les autres. Je m'attendais à ce qu'il y en ait un qui se mette à psalmodier un truc bizarre, mais tout le monde s'est tu, alors je me suis contentée de contempler le ciel en écoutant le bruissement du vent dans l'herbe. Les nuages lourds, d'un violet annonciateur de pluie, étaient transpercés ici et là de brusques rayons de soleil qui lançaient des éclats d'or et d'argent comme des messagers du ciel. Je sentais la présence des autres, là, tout près de moi, *lui* à ma droite et Heather à ma gauche, le silence des pierres. Puis peu à peu, dans le silence, j'ai commencé à sentir la présence de tous ces gens qui étaient venus contempler le ciel et ces mêmes rochers. J'avais l'impression d'entendre résonner dans ma tête l'écho de leurs pas et de leurs voix, non pas un tumulte de cris et de précipitation, mais le va-et-vient et le brouhaha de la vie de tous les jours, telle que les hommes la vivent sur cette terre depuis le commencement des temps.

Ça me rappelait mon enfance, quand mon lit était installé dans le salon de notre petit deux-pièces et que chaque soir je m'endormais au son de la voix de mes parents qui allaient et venaient sur la pointe des pieds pour ne pas me réveiller.

~

À l'intérieur du cercle, le silence donne le frisson. Il flotte en suspens comme cet immense calme qui envahit la cathédrale quand tout le monde se tait à la fin des prières. Si on reste immobile, on entend le vent qui soupire dans l'herbe comme des voix qui murmurent à l'oreille. Andriy écoute. C'est vraiment un bruit étrange, on dirait des chuchotements. Dans quelle langue parlent-elles ? À entendre les sifflantes, il croit tout d'abord que c'est du polonais – oui, ce sont Yola, Tomasz et Marta qui discutent à voix basse. Ils sont rentrés à Zdroj. Marta prépare un festin. C'est l'anniversaire de quelqu'un – un enfant. Ils boivent du vin, Tomasz remplit les verres et propose un toast à… Andriy tend l'oreille… un toast en leur honneur, à Irina et lui, à leur futur bonheur. Des larmes lui montent aux yeux. Et dans le fond quelqu'un pouffe de rire en chuchotant… non pas en polonais, cette fois, mais en… est-ce du chinois ? Brusquement, le rire se tait et se change en sanglots. Puis les sanglots redoublent et maintenant il voit les mineurs de l'accident essayant désespérément de s'extraire de la masse de roche écroulée, tendant les mains vers lui, le tirant à eux, le suppliant. Parmi eux, il y a son père dans son horrible linceul de poussière noire, aussi informe qu'un fantôme. Il sait qu'il doit courir, se sauver, mais il est cloué au sol. Il ne peut pas bouger. Ses membres sont changés en plomb, mais il a le cœur qui bat de plus en plus vite. Et à l'instant même où il semble sur le point d'être submergé par la panique, les sanglots se changent en musique, une voix, une voix d'homme grave et douce qui chante la paix et le réconfort, en une promesse d'éternité qui apaise la douleur et la rage qui tourmentent son âme. Emanuel chante pour lui.

Il se réveille en sursaut – Blessing a-t-elle pensé à appeler ?

~

Peut-être était-ce un rêve, car au bout d'un moment je me suis rendu compte que les bruits de pas étaient en fait des gouttes de pluie et que le bruit de voix n'était autre qu'Andriy qui disait : « Réveille-toi, Irina. On rentre. Il pleut. »

Les autres avaient déjà installé un grand auvent de toile entre les arbres, et dessous il y avait de la fumée qui s'élevait d'un feu. Heather pelait des pommes de terre et Rock touillait quelque chose dans une marmite.

« Vous avez besoin d'aide ? » ai-je demandé.

Rock m'a passé la cuillère en bois. Puis il a disparu.

« Je vais chercher plus de bois sec, a dit Andriy avant de disparaître à son tour.

– Où sont passés les autres gens du campement ? » ai-je demandé à Heather.

Il m'a expliqué que certains étaient dans le Sud, à un festival de musique, et d'autres, comme la petite amie de Rock, avaient trouvé des postes en intérim dans les villes voisines pour gagner un peu d'argent. Malheureusement, depuis qu'ils avaient gagné en justice, le soutien des villageois du coin avait faibli et bientôt ils seraient peut-être obligés de fermer le campement.

« Où irez-vous ? » ai-je dit.

Il a haussé les épaules. « Y a toujours un endroit où aller. Des routes. Des aéroports. Des centrales électriques. La terre est constamment menacée. »

Si seulement on pouvait avoir de nouvelles routes, de nouveaux aéroports, de nouvelles centrales électriques en Ukraine, me suis-je dit, mais j'ai gardé ça pour moi. Nous avons écouté la pluie qui tambourinait sur la toile et le bois qui craquait dans le feu. Quelque part, quelqu'un jouait de la guitare.

« Tu aimes faire la cuisine ? » Heather a jeté une poignée de carottes coupées dans la marmite. Il avait des ongles si longs qu'on aurait dit des griffes et ils étaient noirs de crasse.

« Pas vraiment, ai-je répondu.

– Moi non plus, a-t-il dit. Mais j'aime bien manger. Quand on vivait dans le Renfrewshire, mes parents avaient une cuisinière qui s'appelait Agatha. Elle faisait plus d'un mètre quatre-vingts et elle jurait comme un charretier, mais elle était très douée pour la pâtisserie. Un jour, le four a explosé alors qu'elle était en train de faire cuire une série de tartes, elle a été transportée d'urgence à l'hôpital, où elle est morte une semaine plus tard de brûlures au troisième degré. Il y a de quoi vous dégoûter de faire la cuisine, hein ?

– C'est sûr ! »

Malgré toute la gravité de cette histoire, je me suis mise à rire en me demandant si elle était vraie. Je me demandais aussi comment un homme qui parlait d'un ton si cultivé et avait grandi dans une maison où il y avait une cuisinière pouvait supporter de vivre dans un pareil endroit, de manger une nourriture aussi infecte et d'avoir les ongles aussi répugnants. Je me demandais s'il avait une petite amie, si elle vivait ici, dans le campement, ce qu'elle pensait de ses ongles. Je me demandais s'il me trouvait séduisante, car contrairement à d'autres hommes Rock et lui ne me dévisageaient pas, ne flirtaient jamais, ne faisaient pas la moindre remarque personnelle, et je me sentais parfaitement à l'aise en leur compagnie. Peut-être n'étaient-ils attirés que par les femmes de leur espèce.

~

De toute évidence, la femme aux beaux sourcils a jeté son dévolu sur toi, Palenko – mais faut-il pour autant aborder l'étape suivante ? Vous avez parlé du temps. Vous avez parlé des pierres. Faut-il passer en première et te lancer ?

Ou y a-t-il un moment où tu te dis : OK, j'ai rencontré la femme que j'aime. Ça suffit. Terminé. Point final.

Andriy engouffre l'espèce de pâtée, croquant les carottes presque crues en jetant un coup d'œil de temps à autre aux sourcils. La pluie tambourine par intermittence sur la bâche tendue au-dessus du cercle de visages environné par des tourbillons de fumée. Windhover est assise à côté de Birch, de l'autre côté du feu. À présent, elle a les sourcils froncés d'un air contemplatif. Quels beaux sourcils ! Elle ingurgite la bouillasse à toute vitesse avec un plaisir manifeste.

En fait, à part les sourcils, elle n'est pas si séduisante que ça, se dit-il. Sous son emmaillotage couleur de boue, son corps a l'air massif, informe – il n'a rien d'un corps de femme. À moins que ?... Non, il ne peut tout de même pas se tromper là-dessus. Windhover ne lui rend pas son regard.

« C'est très bon, Heather, dit-elle en ignorant complètement Andriy. Qu'est-ce que c'est ?

– Un goulasch de lentilles aux carottes. » Heather a l'air content. « Ç'aurait été mieux avec du paprika. »

~

Au dîner, il y avait la même bouillie insipide qu'on nous avait servie lors du précédent repas, si ce n'est que cette fois il y avait des bouts de carotte dedans. Ce qui est également désagréable avec ce régime de bouillie, c'est que ça donne des flatulences. Quand Heather a voulu me resservir, j'ai décliné son offre, tout en m'efforçant d'avoir l'air enthousiaste pour ne pas le blesser. OK, ce n'est pas Mr Brown, mais il est tout de même très gentil.

Après le repas Rock a débarrassé nos bols et les a remplis du reste de goulasch – ils appellent ça goulasch ! de toute évidence, ils n'en ont jamais mangé ! –, puis il les a distribués aux chiens qui ont tout léché. À mon avis, les dispositions hygiéniques de ce campement laissent à désirer et je me demande pourquoi les autorités ne l'ont pas fermé. Il n'y a qu'un petit ruisseau pour se laver et une simple feuillée pas assez profonde, abritée par un rideau de branchages, avec un bout de bois perché au-dessus des immondes nuzhniks putrides des précédents dîners de guerriers. Quelqu'un a griffonné un panneau disant « Attention aux éclaboussures ! ».

La nuit commençait à tomber et il faisait froid et humide. J'ai pris les bols et je suis allée rincer les traces de langue des chiens (les autres ont eu l'air étonné – pour eux, manifestement, ils étaient parfaitement propres), puis je me suis lavée des pieds à la tête avec le savon parfumé de Mrs McKenzie, parce que je savais que ce soir, ce serait le grand soir. Puis j'ai escaladé l'échelle de corde pour monter dans la caravane perchée.

La porte n'était pas fermée. La caravane était bien plus petite que celle des femmes dans notre champ de fraises et elle était arrondie comme un œuf. À l'intérieur, il y avait juste la place d'une banquette dépliée. Je ne réussissais pas à voir si les draps étaient à peu près propres et je me disais qu'il valait mieux ne pas regarder de trop près. Au moins, l'avantage d'être dans un arbre, c'est que les chiens ne peuvent pas monter. Dans un pot à confiture posé sur un petit meuble à côté du lit, un bouquet de fleurs séchées donnait à la caravane une agréable odeur poudrée. Des restes de bougies étaient enfoncés dans des bouteilles et il y avait même une boîte d'allumettes. J'ai allumé une bougie et aussitôt une lueur vacillante s'est répandue dans la petite coque. Au-delà du cercle de lumière, je voyais par la fenêtre les feuilles se balancer et trembler dans le crépuscule. Des nuages d'orage s'étaient amassés au sommet des collines. Au-dessous, j'entendais les voix de guerriers qui discutaient entre eux et quelqu'un qui grattait une guitare. Je me suis allongée sur le lit et j'ai attendu.

Pour une raison ou pour une autre, je me suis surprise à penser à mes parents. Ma mère s'était-elle allongée ainsi en attendant mon père le soir de leurs noces ? Est-ce que ça avait été romantique ? Est-ce que ça lui avait fait mal la première fois ? Était-elle tombée enceinte ? Oui. La graine qui avait été semée en elle cette nuit-là n'était autre que moi. Ils m'avaient protégée sous les branches entrelacées de leur amour, me prodiguant tous leurs soins jusqu'à ce que la graine devienne cet arbre capable de se défendre – Irinochka. Avait-il continué à l'aimer, après ? Oui, mais pas très longtemps. Temporairement. Provisoirement. Jusqu'à l'arrivée de Svitlana Surokha. Pour la première fois je me surprenais à en vouloir à mes parents. Ne pouvaient-ils donc pas rester ensemble encore un peu, m'abriter sous la tonnelle de leur amour le temps que je connaisse mes premières expériences amoureuses ?

Je me suis mise à imaginer une nouvelle histoire. Une histoire de passion, le récit d'un amour durable entre deux êtres qui viennent d'horizons différents mais se trouvent réunis par le destin après bien des détours. L'héroïne serait vierge. Le héros aurait de beaux bras musclés et bronzés.

En bas, les voix sont devenues plus animées et la guitare s'est tue. La discussion était ponctuée d'éclats de rire. Brusquement, la caravane a oscillé d'une manière terrifiante. Je me suis redressée sur le lit en tremblant. Ça y est, me suis-je dit, c'est ce soir entre tous les soirs que la caravane va tomber de l'arbre. Puis je me suis rendu compte que le balancement venait de quelqu'un qui tirait sur l'échelle de corde en grimpant. Mon cœur s'est mis à cogner dans ma poitrine. L'instant d'après, Andriy ouvrait la porte. Il avait un sourire anxieux sur le visage et un bouquet de bruyère à la main.

«Je suis allé les cueillir pour toi, Irina.» Il s'est assis au bord du lit et m'a tendu la bruyère en fixant sur moi son regard intense. «Tu es aussi belle que l'arbre vert en mai.»

J'ai enfoui le visage dans la bruyère, qui avait encore son parfum de miel et d'été, car je ne voulais pas qu'il me voie sourire. Sur l'échelle de l'amour, ça donnait un trois sur dix.

Puis il s'est allongé à côté de moi sur le lit et a commencé à me caresser doucement la joue. Je me suis sentie fondre quand il m'a prise dans ses bras en m'embrassant avec sa bouche et sa langue, et en me caressant partout sans cesser de murmurer mon nom. Mmm. Sept sur dix, peut-être. La lueur de la bougie projetait une seule ombre de nos deux corps, qui s'estompait et resurgissait tour à tour, vacillant sur le plafond de la caravane. Quand il m'a touchée plus bas, j'ai éprouvé une sensation si intense que j'ai poussé un cri. Bon, d'accord, à partir de là j'ai arrêté de noter. Je ne le revois pas me déshabiller, mais nos vêtements ont mystérieusement glissé et nous nous sommes retrouvés nus sur le lit, peau contre peau. La bougie s'est éteinte et l'obscurité grandissante de la voûte de feuillages s'est refermée sur nous.

Soudain, le vent a frémi dans les branches et brusquement l'orage a éclaté, annoncé par le roulement de tambour de la pluie sur le toit, suivi de coups de tonnerre et d'une féerie d'éclairs qui fusaient tout autour de nous comme si le ciel était le théâtre d'un immense spectacle de son et lumière. Notre petite caravane roulait et tanguait sur sa mer de feuillages. La pluie martelait la mince coque d'aluminium et de temps à autre une lame de lumière entaillait la nuit. J'avais peur que la foudre s'abatte sur notre arbre et que tout s'enflamme.

« N'aie pas peur, Irinochka », m'a dit Andriy en me serrant contre lui.

Et nous nous sommes donnés l'un à l'autre au milieu de l'orage.

Oui, c'était très romantique. Oui, ça m'a fait un peu mal, mais j'éprouvais une telle intensité d'émotions que je n'ai véritablement ressenti la douleur qu'après coup. Oui, j'avais peur de tomber enceinte, mais il a sorti de sa poche une chose caoutchouteuse et rose parfumée à la fraise. Là, ce n'était pas très romantique, j'avoue, mais c'était attentionné, ce qui est en soi une preuve d'amour. Oui, il m'aime encore, car le lendemain matin il a descendu l'échelle de corde pour aller chercher du pain et du thé, et on a passé la moitié de la matinée au lit à parler de l'avenir, des voyages que nous ferions après Sheffield et de tous nos projets. Et puis on a refait l'amour.

Non, je ne suis pas la même qu'hier.

~

JE SUIS UN CHIEN JE COURS JE COURS AVEC MARYJANE JE SUIS AMOUREUX C'EST UNE CHIENNE MARRON RAPIDE ET MINCE ELLE SENT BON LES HORMONES D'AMOUR DES CHIENNES JE FLAIRE ELLE FLAIRE TOUS LES CHIENS LUI COURENT APRÈS MAIS ELLE COURT AVEC MOI NOUS COURONS DANS L'ORAGE ET LA PLUIE NOUS COURONS AU CLAIR DE LUNE NOUS COURONS DANS LES OMBRES JE LUI DONNE MES CHIOTS JE SUIS AMOUREUX JE COURS JE COURS JE SUIS UN CHIEN

~

Le lendemain matin, avant de partir, Andriy et Rock grimpent dans le hêtre pour refixer la caravane. Une des cordes de tente a lâché dans la nuit et la caravane penche d'un côté, l'essieu coincé entre deux branches.

« Ça peut être de la chance ou de la malchance, ça dépend des points de vue, dit Rock.

– De la chance », répond Andriy.

Le temps qu'ils prennent la route, c'est le début de l'après-midi. Le profil impénétrable, les yeux ensommeillés, Irina a retrouvé la place du milieu à l'avant du bus qui serpente sur de petites routes, traversant des villages de pierres grises. Il passe son bras autour d'elle et elle se rapproche et vient se coller à lui. Ses cheveux détachés sont en désordre. Il les dégage doucement de son visage et contemple son sourire. Cette fille – c'est quelque chose.

Andriy Palenko, on peut dire qu'il a une sacrée veine, le petit mineur du Donbass.

« Alors, qu'est-ce qui vous amène à Sheffield ? » demande Rock.

Le soleil est haut dans le ciel, une légère brume s'élève au-dessus des collines après la pluie.

« Sheffield ? Jumelée avec Donetsk. Ma ville. Est très beau, je crois ?

– Sheffield ? On peut dire ça. Si on aime les installations sidérurgiques. Mais on peut aussi dire l'inverse.

– Il y a toujours mines de charbon ?

– Non, tout ça a changé. Avant il y avait des crassiers partout, maintenant il n'y a plus que la crasse. » Rock remonte ses lunettes sur son nez. « Barnsley était jumelée avec une autre ville d'Ukraine. Gorlovka.

– Je allé là-bas. Aussi dans la région du Donbass. Pas beau.

– Barnsley n'est pas franchement réputée pour sa beauté.

– Je allé à Sheffield une fois. Et je rencontré Vloonki, qui est réputé pour la sagesse et le bon cœur. Quand on arrive à Sheffield, on va lui demander l'aide.

– Vloonki ?

– Le dirigeant. Il est aveugle, mais il voit tout.

– Ah ! Tu veux dire Blunkett ! » Rock bondit sur le siège et perd ses lunettes qui rebondissent sur le tableau de bord.

Quand il se baisse pour les rattraper, le volant vire brusquement et le bus fait une embardée, s'écarte de la route et heurte une grosse pierre. « Salaud de Blunkett !

– Pourquoi salaud ?

– Un traître à sa classe. Il a vendu notre droit d'aînesse pour une fille à papa, pour reprendre l'expression immortelle de Jimmy. »

Vendu quoi ? Qui est ce Jimmy ? Avant même qu'Andriy ait le temps de lui poser la question, Rock s'écrie : « Et voilà ! »

Cela fait quelques kilomètres qu'ils roulent sur une route en lacet qui grimpe au milieu d'un paysage sauvage de fougères, de tourbe et de rochers plus sombre que le plateau sablonneux couvert de bruyère des Nine Ladies. Au sommet de la montée, la route s'aplanit, et au moment où elle s'apprête à redescendre, ils découvrent à leurs pieds une ville qui s'étend dans la vallée, un ensemble étincelant au soleil de bâtiments agglutinés au centre qui se changent peu à peu en une multitude décousue de nouveaux lotissements hideux dispersés sur les collines environnantes.

« C'est Sheffield ? » demande froidement Irina.

Le cœur d'Andriy se serre tant il est déçu. Sheffield n'est absolument pas sur une colline.

Pas plus qu'il n'y a de bougainvilliers. À mesure qu'ils se rapprochent du centre, les abords verdoyants de la ville laissent rapidement place à des alignements de maisons mitoyennes en briques. Rock s'engage dans une petite rue où beaucoup d'habitations couvertes de panneaux « À vendre », les rideaux tirés, les jardins pleins de détritus et de mauvaises herbes, sont visiblement abandonnées. Comment Vloonki a-t-il pu laisser cette ville partir ainsi à l'abandon ? Il flotte une vague odeur de pollution sidérurgique qui lui fait penser à sa ville.

« Impossible de se garer en ville. On va marcher. Je dois retrouver Thunder au Ha Ha. »

Ils suivent Rock le long d'un passage souterrain couvert d'urine qui mène au centre-ville. L'orage a chassé les nuages et le beau temps est revenu. La rue est plus propre et la circulation a été interdite pour rendre le quartier plus agréable. Une foule animée se bouscule sur les trottoirs et il y a plein de magasins et d'étals de marché, et même quelques élégants immeubles neufs. Ce n'est toujours pas comme dans son souvenir, mais c'est déjà mieux que sa première impression. Andriy retrouve le moral. Des fontaines – oui, il y a des fontaines ! Et une place avec un jardin peuplé de cascades donnant sur une grande bâtisse gothique qui lui dit vaguement quelque chose, et une citadelle de verre et d'acier qui aurait dû être un palais mais n'est malheureusement qu'un hôtel. Il prend la main d'Irina en entrelaçant ses doigts. Elle lui sourit et tend la main : « Regarde ! »

Dans la fontaine, une horde d'enfants miséreux en simple culotte court dans l'eau en s'éclaboussant. Exactement comme à Donetsk.

~

JE SUIS UN CHIEN JE SUIS UN CHIEN MOUILLÉ JE COURS JE JOUE DANS L'EAU WOUF SPLASH JE COURS DANS L'EAU C'EST UN RÊVE D'AVANT QUAND J'ÉTAIS CHIOT ICI IL Y A DES ENFANTS DES ENFANTS MOUILLÉS ILS JOUENT AVEC MOI WOUF SPLASH JE COURS JE SUIS CONTENT ILS ME TOUCHENT AVEC DE PETITES MAINS MOUILLÉES BON CHIEN ILS DISENT JE SUIS UN BON CHIEN MON HOMME REGARDE JE COURS VERS MON HOMME JE M'ÉBROUE EN L'ÉCLABOUSSANT JE M'ÉBROUE JE M'ÉBROUE VA T'EN CHIEN MOUILLÉ DIT MON HOMME JE COURS JE JOUE JE SUIS CONTENT JE COURS JE JOUE JE SUIS UN CHIEN MOUILLÉ JE SUIS UN CHIEN

~

Sur la place, il y a un café en terrasse avec des tables en plein soleil. Une fille immense aux cheveux blonds coupés court se précipite vers eux et prend Rock dans ses bras. Il a le nez qui arrive à peine à hauteur de ses seins petits et fermes tout juste couverts par les bretelles d'un débardeur orange décoloré. Elle aussi a un chien sur les talons.

« J'ai deux-trois trucs à faire, dit Rock. Je dois me livrer aux griffes immondes de la p'tite dame. Je vous retrouve ici à six heures. »

Irina annonce de son côté qu'elle va jeter un œil aux boutiques. Andriy la regarde disparaître dans la foule, suivie du Chien qui trotte derrière elle, tout mouillé après avoir joué dans la fontaine. Puis il sort son portefeuille et en retire un bout de papier. Il faut qu'il trouve un téléphone.

~

Je repensais à Natacha dans *Guerre et Paix*, à ce moment où Pierre et elle laissent éclater leur amour, où il est submergé par la beauté et la passion de Natacha tandis qu'elle s'imprègne de son intelligence et de sa force, et où les deux amants affrontent le monde du haut de leur amour éclatant. Quand on le lit, je vous assure qu'on a les larmes aux yeux, à moins d'avoir un cœur de pierre. Lorsqu'elle a enfin trouvé l'homme de sa vie, la passion se dissout peu à peu dans la routine de l'amour et elle devient une bonne mère de famille tout entière dévouée à ses quatre enfants, qui ne s'intéresse plus qu'à sa maison et sa famille. Je me demande si ça nous arrivera aussi, à Andriy et moi. J'en vois déjà les premiers signes. Aujourd'hui, par exemple, j'ai remarqué qu'Andriy avait besoin d'un nouveau slip. Le sien ne va pas tarder à être dans le même état que ceux des guerriers. Ce n'est pas très séduisant chez un homme.

C'est avec cette idée en tête que je suis partie chercher la rue pleine de magasins et d'étals de marché où nous étions passés tout à l'heure, car j'avais remarqué qu'ils vendaient ce genre d'articles – des slips sexy dans des couleurs intéressantes et pas ces espèces de machins verdâtres trop larges qu'on voit partout en Ukraine. Et aussi des tout petits slips de femme en dentelle. Je me disais que si je retrouvais cette rue, je pouvais jeter un coup d'œil. Mais j'ai dû me tromper de chemin, car j'étais dans un secteur qui ne me disait rien, un quartier d'affaires visiblement, avec des immeubles de bureaux en briques, et seulement quelques cafés et de rares magasins qui ne vendaient pas de vêtements mais des produits ménagers, des fournitures et des équipements de bureau, plein de trucs inutiles comme ça. J'ai dû marcher près d'une demi-heure en m'égarant de plus en plus. Le Chien mouillé m'escortait, courant devant ou s'attardant en arrière, disparaissant de temps à autre dans une ruelle, avec sa manie dégoûtante de renifler les réverbères couverts de pisse.

Il faisait encore chaud, mais les ombres s'étiraient sur les trottoirs. Les rues étaient désertes et comme elles étaient à sens unique, les quelques voitures qui passaient roulaient vite. Le Chien s'était encore volatilisé et j'étais seule. J'essayais de comprendre à quel moment je m'étais trompée et de trouver quelqu'un qui puisse me renseigner quand j'ai remarqué qu'une grosse voiture grise avait ralenti à ma hauteur et que son conducteur me regardait fixement en disant quelque chose. Je l'ai ignoré et il s'est éloigné. Une blonde fumait une cigarette au coin de la rue. Elle portait un short en satin ridicule et des bottes à hauts talons. Au moment où je me précipitais vers elle pour lui demander mon chemin, la voiture s'est arrêtée devant elle et l'homme a baissé sa vitre. Ils ont échangé quelques mots et elle est montée dans sa voiture. Hmm. De toute évidence, il valait mieux que je ne traîne pas dans le coin. Du coup, j'ai rebroussé chemin en accélérant le pas, quand j'ai vu une autre jeune femme en talons aiguilles arriver d'un pas nonchalant en sens inverse. Sa tête me disait quelque chose. J'ai écarquillé les yeux. C'était Lena. Elle m'a reconnue au même instant.

« Salut, Lena, ai-je dit en ukrainien en lui prenant la main. Qu'est-ce que tu fais là ?

– À ton avis ?

– J'ai entendu parler de l'accident. Le minibus. Ça m'a bouleversée. C'était dans ta ferme ?

– Je ne sais pas de quoi tu parles », a-t-elle répondu.

De près, elle avait l'air encore plus jeune. Elle s'était laissé pousser un peu les cheveux et poudré le visage d'une poudre si claire qu'on aurait dit un masque, et elle portait une touche de rouge à lèvres écarlate qui accentuait sa moue enfantine. Il bavait sur les bords comme si elle venait d'embrasser quelqu'un. Ses collants noirs et ses chaussures à hauts talons avaient l'air grotesque sur ses jambes maigrichonnes. On aurait dit une petite fille qui avait mis les vêtements de sa mère et joué avec son maquillage. À part ses yeux. Ses yeux n'avaient rien d'enfantin.

« Comment vont les autres ? Tasya ? Oksana ?

– Je ne sais pas. »

Elle s'était arrêtée, les yeux figés droit devant elle, pardessus mon épaule. Je me suis retournée et j'ai suivi son regard. Elle regardait en direction d'un immeuble de bureaux devant lequel étaient garées plusieurs voitures. Tout au bout, à moitié dissimulé par une fourgonnette blanche, j'ai aperçu un énorme 4 × 4 noir rutilant. J'avais dû passer juste devant.

J'ai été prise d'une peur panique. Mon cœur s'est mis à cogner dans ma poitrine. Boum. Boum. Cours, cours, criait mon cœur qui battait la chamade, mais j'avais les pieds cloués au sol. J'ai regardé Lena, mais elle avait les yeux complètement éteints.

~

Il y a une cabine téléphonique au bout de la place, à côté du café. Andriy cherche de la monnaie dans ses poches, glisse deux pièces dans la fente et fait le numéro noté sur le bout de papier. Il y a une série de déclics suivis par une longue tonalité. Qu'est-ce que ça veut dire ? Il refait le numéro. La même tonalité vide. Il attend un long moment, mais rien ne se passe. Un silence. Il s'y attendait à moitié. Il soupire. Voilà, c'est fini. Son voyage s'achève. Vagvaga Riskegipd. Un silence. Tant pis.

Une femme entre deux âges est installée à une petite table ronde à la terrasse du café. Il lui montre le bout de papier.

« Oh, c'est un ancien numéro. Il faut faire 0114 au lieu de 0742. Mais vous n'en avez pas besoin puisque vous êtes à Sheffield. Il suffit de rajouter un 2 devant le numéro principal. »

Il pêche un crayon au fond de sa poche et elle le lui écrit.

Il réessaie avec le nouveau numéro. Cette fois, ça sonne. Au bout de plusieurs sonneries, une femme décroche.

« Allô ? » Elle a le même accent régional prononcé que Rock.

« Vagvaga ? » Il a du mal à maîtriser l'excitation qui s'est emparée de sa voix. « Vagvaga Riskegipd ? Vagvaga ? »

Il y a un silence. Puis à l'autre bout du fil il entend : « Allez vous faire foutre. » Il y a un déclic, suivi de la tonalité d'appel. Il est incroyablement frustré. Si proche et cependant si lointaine. Était-ce sa voix au téléphone ? Il ne se rappelle pas qu'elle lui ait dit quoi que ce soit ce soir-là. Quel âge peut-elle bien avoir maintenant ? La voix qui lui a répondu était éraillée, essoufflée, comme celle d'une vieille dame. Il décide d'attendre quelques minutes et de refaire une tentative.

Quand il retourne sur la place, il aperçoit la dame de tout à l'heure attablée devant un café. Elle est cette fois en compagnie d'une amie, au milieu d'un amas de sacs de shopping posés par terre. Sur un coup de tête, il l'aborde de nouveau en lui tendant son bout de papier.

« Ça n'a pas marché ? » Elle lui sourit.

« Quel est ce nom ? » lui demande-t-il.

Elle le regarde d'un drôle d'air.

« Barbara Pickering. Qu'est-ce que vous aviez lu ? »

Il fixe le bout de papier. Ah. Du haut de ses vingt-cinq ans, il voit ce que ses yeux de petit garçon de sept ans n'avaient pas vu : des caractères romains.

« Qu'est-ce que c'être : allez vous faire foutre ? »

Elle le regarde de nouveau bizarrement.

« Ça suffit. Allez vous faire foutre, OK ? » Sur ce, elle lui tourne le dos et reprend sa conversation avec son amie.

Il avait également l'intention de lui demander de la monnaie, mais maintenant c'est impossible. Il retourne à la cabine téléphonique et met une pièce d'une livre dans la fente.

« Allô ? répond la même voix.

– Barbara ?» Bar – baaa – rrraaa. La Barbare. Sauvage. Indomptée. Quel prénom sexy.

« Elle n'est pas là. » La voix hésite. « C'est vous qui avez appelé tout à l'heure ?

– Mon nom Andriy Palenko. Je viens de Ukraine. Donetsk. Ville jumelée avec Sheffield.

– Oh, je vous avais pris pour un cinglé. Barbara n'habite plus ici depuis des années. Elle est à Gleadless maintenant. Je suis sa maman.

– Je rencontrée il y a très très longtemps. Je venais première fois Sheffield avec mon père pour délégation de mineurs ukrainiens.

– Au grand raout qu'il y avait eu à l'hôtel de ville avec les Ukrainiens ? J'y étais, moi aussi. C'était une sacrée soirée !» Il entend un gloussement à l'autre bout du fil. « Le maire avait pas lésiné sur la vodka !

– Est-ce qu'elle vit toujours à Sheffield ?» demande Andriy. Puis il lâche la question qui le taraude depuis qu'il est arrivé en Angleterre – depuis qu'il sait que c'est une question qui se pose : « Elle mariée ?

– Oh oui. Elle a deux adorables petits garçons. Jason et Jimmy. Quatre et six ans. Vous voulez son nouveau numéro ?

– Oui. Oui, bien sûr. »

Il sort son bout de crayon. Elle lui dicte lentement le numéro, en s'arrêtant après chaque chiffre. Andriy écoute, mais il ne le note pas.

~

J'ai tourné les talons pour m'enfuir en courant, mais Lena me bloquait le chemin. Elle avait un horrible sourire barbouillé de rouge.

« Attention, a-t-elle dit. Il est armé. »

J'avais du mal à croire qu'en Angleterre une chose pareille puisse arriver comme ça en plein jour, au beau milieu d'une rue ordinaire. Au moment même où je regardais, la portière du 4 × 4 s'est ouverte et Vulk est descendu en me souriant de ses dents jaunes, les bras tendus vers moi. Je n'ai pas vu d'arme. S'il en avait une, elle était cachée dans sa poche. Fallait-il que je m'enfuie en courant en risquant le tout pour le tout ? Dans la lumière rasante du soleil, sa silhouette noire éclairée en contre-jour ressemblait à une apparition – un cauchemar rondouillard et souriant. J'étais paralysée par la panique. Lentement, il a commencé à remonter la rue. Son ombre glissait devant lui sur le trottoir, massive, tranchante. Derrière moi, j'entendais Lena marmonner quelque chose. Si je me mettais à courir, essaierait-elle de m'arrêter ?

Il approchait. « Petite fleurrr chérie. » Il avait ôté sa veste et sa chemise était tachée d'auréoles de transpiration sous les bras. J'avais l'impression qu'il était hors d'haleine, mais en fait je me suis rendu compte qu'il murmurait « amourrr, amourrr, amourrr ».

J'ai reculé en me heurtant à Lena et c'est alors qu'il a sorti son revolver. Je me suis arrêtée, pétrifiée. Il était gris et si petit qu'il avait l'air inoffensif. Il ne le braquait pas sur moi, mais se contentait de jouer avec en le faisant tourner autour de son doigt sans me quitter du regard.

Puis j'ai remarqué quelque chose au bout de la rue, derrière Vulk – des gens, de l'agitation. Soudain, j'ai vu le Chien galoper vers nous en prenant appui sur ses quatre pattes à la fois, et quelques mètres plus loin Andriy, le visage rouge, essoufflé.

~

Le Chien aboie furieusement. Andriy lui crie de se taire, mais il saute, lui gratte la manche, gémissant, secouant la tête comme un fou. Andriy ramasse leur sac et le suit dans la rue.

Il est quatre heures et demie. Les trottoirs sont encombrés de piétons qui profitent de la dernière heure avant la fermeture pour faire leurs courses. Le Chien fonce en tête à travers la foule, se faufilant entre les jambes des gens, s'arrêtant pour l'attendre en aboyant avec acharnement. À présent Andriy a le cœur qui cogne dans la poitrine, car il se rend compte que le Chien cherche désespérément à l'entraîner quelque part et qu'Irina est partie depuis plus d'une heure. Le Chien traverse une avenue au milieu des voitures et s'engage dans une ruelle bordée de grands immeubles en briques. La foule a disparu et ils se trouvent dans un paisible quartier d'affaires vers le sud-ouest de la ville.

En tournant encore une fois à droite, ils débouchent au bas d'une longue rue en pente bordée d'ateliers et de bureaux anonymes. De leur côté de la rue, le trottoir est en plein soleil alors que l'autre est déjà plongé dans l'ombre. Trois silhouettes se découpent à une centaine de mètres environ devant eux. Tout en courant, Andriy jauge la situation d'un seul coup d'œil. Au premier plan, le dos tourné, il y a Vulk. Il remonte lentement la rue en se dandinant avec les pieds légèrement écartés comme ces gens qui ont trop de ventre. Son corps massif occupe tout le trottoir. Il a enlevé sa veste et porte une chemise bleu marine soigneusement rentrée sous la ceinture de son pantalon. Sa queue-de-cheval retombe entre ses épaules. Dans la main droite, il tient un revolver qu'il fait tourner nonchalamment autour de son doigt. À quelques mètres de là, face à eux, se trouve Irina, immobile, la bouche ouverte dans un cri muet. Derrière elle, également face à eux, se trouve Lena, avec des bas noirs et de ridicules chaussures à hauts talons. Sa bouche est balafrée de rouge. Son visage est inexpressif, totalement vacant.

« Arrêtez ! hurle Andriy. Arrêtez ! » Il cherche le revolver au fond du sac. Où est-il passé ?

Vulk se retourne. Il voit le Chien et Andriy courir vers lui, à cinq mètres environ.

« Trop tard, petit, ricane-t-il. Je l'ai. Retourne. » Il lève son revolver.

Andriy s'immobilise. Dans cette seconde d'hésitation, le Chien grogne en montrant les crocs et se jette en avant. Il a tellement pris de vitesse dans sa course folle qu'à l'instant où il rassemble toutes ses forces pour ce dernier bond il donne l'impression de décoller, propulsant comme un missile sa lourde masse de muscles droit sur Vulk – droit sur le revolver. Vulk appuie sur la détente. Le Chien pousse un hurlement, un long hurlement déchirant. Le sang jaillit de son poitrail en une pluie écarlate et il est parcouru d'un frémissement, puis retombe avec un tel élan qu'il s'écrase sur Vulk, qui part à la renverse en venant percuter la tête sur le trottoir, s'écroulant sous le poids de l'énorme chien ensanglanté qui gémit, agonisant. Le revolver glisse de sa main et ricoche sur les dalles.

Irina a pris la fuite en se précipitant dans un passage entre deux immeubles de bureaux. Andriy se jette sur le revolver, mais avant qu'il puisse s'en emparer Lena s'avance et pose le pied dessus. Elle se penche, le ramasse et le braque sur Andriy.

« Va-t'en. »

Il ne discute pas. Il court. Au moment où il pénètre dans le même passage obscur, il entend un unique coup de feu derrière lui.

~

Je reverrai toujours le Chien en ce dernier instant, volant dans le ciel comme un ange justicier, austère, noir, les crocs étincelant comme des épées. Je l'ai regardé dans les yeux avant qu'il meure. Ils étaient profonds, d'un brun velouté, insondables. Je n'avais jamais remarqué avant comme ils étaient beaux ; même les anges justiciers ont de la pitié dans le regard. Après ça, j'ai oublié cette façon qu'il avait de pisser partout, de tout renifler, de manger n'importe comment, et je me suis rappelé uniquement le regard qu'il m'a lancé au moment où il a pris son envol. Je me demande souvent ce qu'il pensait. Savait-il qu'il allait mourir ?

Andriy était si bouleversé qu'il voulait retourner le voir, mais j'ai refusé. J'ai dit qu'il était mort et qu'on ne pouvait rien faire pour le ramener. Tout ce que je voulais, c'était partir d'ici aussi vite que possible.

Quelques minutes plus tard, nous avons entendu le hurlement des sirènes et un éclat de gyrophares au bout de la ruelle. Derrière des poubelles, nous avons trouvé une entrée qui donnait sur un parking débouchant sur une rue voisine et nous sommes partis dans la direction opposée sans nous presser, mais en nous efforçant de marcher normalement, comme un jeune couple qui se promène. Andriy avait passé son bras autour de mon épaule et je m'appuyais contre lui. On tremblait tous les deux. Je me rendais compte qu'Andriy avait dû avoir peur, lui aussi. C'était bizarre, parce qu'on croit toujours que les hommes ne connaissent pas la peur – et pourquoi n'auraient-ils jamais peur ?

On a tourné en rond pendant plus d'une heure. Sheffield ne ressemblait pas du tout à la description qu'Andriy m'en avait faite, palais, bougainvilliers et tout le reste. Il n'y avait pas non plus de sanatoriums ouvriers et de bains de boue collectifs. C'était une ville très ordinaire. Les magasins avaient fermé et les gens rentraient chez eux. Les rues étaient embouteillées. Et peut-être qu'il y avait un mort qui gisait dans une rue voisine. Ç'aurait pu être moi.

« Où allons-nous ? ai-je demandé à Andriy.

– Je ne sais pas. Où veux-tu aller ?

– Je ne sais pas. »

Je n'arrêtais pas de penser à ce dernier coup de feu. Ça m'obsédait.

La plupart du temps, on évitait les grandes avenues et on prenait de petites rues désertes où la température était toujours aussi étouffante. La chaleur se dégageait des briques comme un four qui refroidit. On a marché je ne sais pas combien de temps, jusqu'à ce qu'on cesse de trembler et qu'on commence à avoir faim et mal aux pieds. Nous avons fini par retrouver le café. Évidemment, Rock n'y était pas. On avait plus de deux heures de retard.

Les gens qui faisaient leurs courses l'après-midi étaient partis et la place s'était remplie de jeunes qui mangeaient, buvaient, fumaient, discutaient dans un tel vacarme de couverts et de rires perçants que j'en avais les oreilles qui tintaient et je commençais à avoir le tournis. En fait, j'étais affamée. On a mangé quelque chose, je ne sais plus quoi au juste, si ce n'est que c'était le moins cher sur le menu. Avec mon jean couvert de taches de fraise et le pantalon ukrainien d'Andriy, on avait l'air miteux. La fille qui nous a servis était biélorusse.

« Vous cherchez du travail ? a-t-elle demandé. Ils embauchent en permanence. Il n'y a que des Européens de l'Est par ici.

– Je ne sais pas, ai-je répondu.

– Non, a dit Andriy.

– On n'a pas encore décidé », ai-je dit.

Elle nous a apporté deux parts de glace en nous disant que c'était gratuit.

« Est-ce qu'il y a un téléphone ? ai-je demandé à Andriy. Je veux appeler ma mère. »

À l'instant où elle a dit « Allô ? Irinochka ? », j'ai fondu en larmes et j'ai dû faire semblant d'éternuer parce que je ne voulais pas qu'elle me demande pourquoi je pleurais. Ça n'aurait fait que l'inquiéter. Je voulais seulement entendre sa voix, comme quand je faisais des cauchemars, petite, et qu'elle me disait que tout allait bien. Parfois, on a juste besoin d'une histoire réconfortante. Alors, en continuant à renifler, je lui ai dit que tout allait bien si ce n'est que j'avais attrapé un rhume et que le Chien avait eu un accident, et elle a voulu savoir pourquoi je ne m'habillais pas plus chaudement, de quel chien il s'agissait, quel genre d'accident, pourquoi j'avais quitté cette famille si gentille, alors j'ai été obligée d'inventer un autre tas de mensonges pour lui faire plaisir. Pourquoi fallait-il qu'elle pose toutes ces questions ?

« Maintenant, Irinochka, j'ai quelque chose à te demander. »

J'ai cru qu'elle allait me demander avec qui j'étais ou quand je rentrais à la maison, et je m'apprêtais à inventer une autre histoire lorsqu'elle a dit : « Est-ce que tu serais très contrariée si je trouvais un nouveau petit ami ?

– Bien sûr que non, mamma. L'essentiel, c'est que ça te rende heureuse. »

Mamma! Mon cœur a fait un soubresaut dans ma poitrine comme un gros poisson mouillé.

Bien sûr que j'étais contrariée. Contrariée et furieuse. On a à peine le dos tourné que les parents font des quantités de bêtises!

« C'est génial, mamma. Qui c'est?

– Tu sais, je t'ai parlé de ce gentil couple âgé qui a emménagé en bas. Et ils ont un fils…

– Mais je croyais…

– Oui, nous sommes amoureux. »

D'abord mon père et maintenant ma mère!

Quand j'ai raccroché, je me suis aperçue que j'avais les mains tremblantes. Dans ma poitrine, le poisson s'agitait dans tous les sens. Comment mes parents avaient-ils pu me faire ça, à moi, leur petite Irinochka? Dehors, sur la place, la nuit était tombée, mais il faisait encore bon. Andriy m'attendait en regardant la fontaine, accoudé à la balustrade, la silhouette souple et musclée malgré son affreux pantalon, une boucle brune retombant en point d'interrogation sur le front. Il m'a souri. Le simple fait de le regarder remplissait mon corps d'allégresse.

Est-ce qu'on allait s'aimer toujours, Andriy et moi? L'amour semble si insaisissable, si imprévisible – et non un roc sur lequel on peut bâtir sa vie. Je voulais que ce soit parfait, comme Natacha et Pierre, mais c'est peut-être une tout autre histoire. Comment l'amour peut-il être parfait si les gens ne le sont pas ? Regardez mon père et ma mère – leur amour n'avait pas duré, mais il avait suffi un certain temps, suffi à la petite Irinochka, à la fillette que j'étais. Évidemment, quand on est petit, on veut croire que ses parents sont parfaits – mais pourquoi le seraient-ils ?

« Comment va ta mère ? a demandé Andriy.

– Ça va. » J'ai souri. C'est vrai, il n'était pas parfait. Il avait ce drôle d'accent du Donbass, il avait mauvais caractère et croyait tout savoir alors qu'il était rongé par des idées dépassées. Mais par ailleurs il était bon, attentionné, courtois et courageux, et cela me suffisait. « Tu sais, Andriy, j'ai découvert quelque chose. Mes parents n'ont plus besoin de moi. »

On est restés côte à côte accoudés à la balustrade à regarder la fontaine et je me suis mise à réfléchir à l'histoire que j'écrirais quand je serais de retour à Kiev. Ce serait une grande histoire d'amour et non pas un petit roman frivole à l'eau de rose. Il se déroulerait dans le tumulte de la Révolution orange. L'héroïne serait une intrépide militante de la liberté et le héros appartiendrait à l'autre camp, l'Est soviétique. Mais l'amour qu'il éprouverait pour l'héroïne lui ouvrirait les yeux et il finirait par comprendre le véritable destin de son pays. Il serait beau, plein de fougue, avec des bras musclés et bronzés ; en fait, il ressemblerait beaucoup à Andriy. Une chose est sûre, ce ne serait pas un mineur. Peut-être aurait-il un chien.

Au café, quelqu'un a débouché une bouteille de champagne et un tourbillon de bruits et de rires a envahi la place silencieuse.

« Andriy », ai-je dit. Il m'a regardée. Son regard était triste. Une ombre s'était abattue sur son visage. « Tu penses au Chien ? »

Il a hoché la tête.

« Ne sois pas triste. Je suis là maintenant. »

J'ai enroulé sa boucle brune autour de mon doigt et je l'ai attiré à moi pour qu'il m'embrasse. Il fallait que l'histoire se termine bien.

~

Tu as survécu à bien des aventures et tu es arrivé à destination. Tu as échappé plusieurs fois à la mort et fait la conquête d'une belle Ukrainienne haut de gamme. Alors pourquoi donc ton cœur gronde-t-il comme une vieille Zaz, Andriy Palenko ? Qu'est-ce que tu as ?

Il écoute les jeunes qui boivent au café à quelques mètres de là – ils vivent dans un autre monde. Peut-être pourrait-il rester à Sheffield avec Irina et se trouver du travail, peut-être même suivrait-il des études d'ingénieur. Il s'achèterait un mobilfon, non pas pour faire des affaires, mais pour parler à ses amis, et le week-end ils iraient dans un bar comme celui-là pour boire et s'amuser. Mais il n'appartiendrait jamais à leur monde. Il lui faudrait effacer trop de souvenirs.

Elle croit qu'il a de la peine pour le Chien et lui caresse les cheveux en lui murmurant à l'oreille des mots tendres. C'est vrai que le Chien lui manquera, jamais il ne retrouvera un chien aussi extraordinaire que lui. Mais il n'y a pas que le Chien. La fin du voyage a quelque chose de triste. Car ce n'est qu'en arrivant à destination que l'on découvre qu'en fait la route ne s'achève pas là.

« Allez, Andriy ! Ne sois pas triste ! »

Elle lui fait signe. Il la suit sur la place. D'un bond, elle descend au bas des marches, où l'eau coule en cascade par des conduits de pierre et jaillit de dizaines de bouches pareilles à des geysers. Ils sont seuls, à part un couple qui s'embrasse sur un banc. Elle lui prend les mains et les enroule autour de son dos en se collant à lui.

« Même s'il était exceptionnel, Andriy, ce n'était qu'un chien. »

Il la serre contre lui. Il sent la chaleur de son corps souple contre le sien.

« Rock et ses guerriers ont consacré leur vie à sauver des pierres, Irina. On peut dire que ce ne sont que des pierres, mais c'est ce qu'elles représentent. Comme dirait Jimmy, des victimes du capitalisme mondial.

– Le Chien est une victime du capitalisme mondial ?

– Ne sois pas ridicule. Tu sais très bien ce que je veux dire. » Elle est si frivole parfois que c'en est agaçant. « Mon père est mort…

– Mais tu es toujours vivant, Andriy. Pourquoi tu n'y penses pas de temps en temps ?

– Mais j'y pense. Et je me demande pourquoi c'est moi qui suis en vie et pas lui.

– Tu ne l'as pas tué, Andriy. Tu crois vraiment qu'il voudrait que tu sois toujours malheureux et que tu passes ton temps à ruminer le passé ? L'avenir sera différent. »

Il secoue la tête.

« Andriy…

– Quoi ?

– … ton slip ressemble à celui des guerriers. » Elle pouffe de rire.

« Et alors ? Tu es tellement fascinée par les détails superficiels.

– Ce n'est pas vrai. » Elle plonge les mains dans la fontaine et l'asperge d'une vague qui éclabousse sa chemise.

« Si, c'est vrai. » Il l'asperge à son tour, en lui trempant les cheveux.

« Et toi, tu parles comme un mineur du Donbass. » Elle lui jette des poignées d'eau à la figure. « Par ma barbe ! Par le cul du diable !

– Et alors ? Tu voudrais que j'en aie honte ? » Il s'essuie les yeux. « Là, on dirait une collégienne bourgeoise !

– Et alors ? » Elle le pousse et l'envoie trébucher sous un jet d'eau. Elle a les yeux brillants. L'eau ruisselle sur ses joues. Il ne peut pas s'empêcher de sourire.

« Dans ce cas (il souffle en crachant de l'eau par les narines) il va falloir que je te rééduque. » Il la saisit par le poignet et l'attire à lui.

« Jamais ! » Elle se jette en avant pour le pousser de nouveau, glisse sur les pierres mouillées et se retrouve dans la fontaine. Elle l'attrape pour reprendre son équilibre, et il dérape à son tour et s'affale sur elle dans une gerbe d'eau.

« Je vais commencer dès maintenant. » Il la plaque au fond du bassin en la couvrant de baisers. « Espèce de collégienne bourgeoise !

– Espèce de mineur du Donbass ! » Elle parvient à se dégager et le coince entre ses genoux. « Avec tes idées qui remontent à l'ère soviétique.

– Espèce de rêveuse avec ton ruban orange !

– Tu crois tout savoir. Eh bien, c'est faux. » Elle lui balance ses cheveux mouillés à la figure. Ses vêtements trempés moulent ses formes. S'il ne garde pas son sang-froid, elle va finir par le noyer, cette fille.

« Montre-moi quelque chose que je ne connais pas.

– Tiens ! » Elle le plaque contre les pierres à califourchon sur lui et lui enfonce la langue dans la bouche. Il suffoque. Elle a une force étonnante et elle lui glisse entre les doigts, aussi insaisissable qu'une sirène. Il y a de l'eau partout, dans ses yeux, dans son nez, jaillissant du sol en torrents étincelants.

Et tandis qu'ils luttent ainsi dans les jets d'eau bouillonnants, un chien noir à la silhouette indistincte surgit de nulle part, un beau chien adulte qui court dans l'écume en aboyant et en jouant avec eux. Au-dessus de leur tête, les étoiles dansent sur le plancher couleur d'encre du ciel.

Mais que l'eau est froide !

~

Cher Andree

Je t'écris pour te remplir de mes nouvelles car aujourd'hui par la grâce de Dieu j'ai reçu un téléphone de ma sœur qui avec ton aide a découvert mon emplacement. Et j'espère fervemment qu'un jour mon ami tu retourneras dans ce lieu qui s'appelle Richmond qui n'est pas loin des beautés de Croydon où je t'attends avec les battements de mon cœur et aussi la magnifique Irina car j'espère que vous deux vous êtes maintenant unis par les Saints Sacrements du mariage.

Ma sœur était pleine des questionnements sur ma vie dans la demeure de Toby Makenzi et ses parents dissipés et elle s'est réjouie d'apprendre que tout s'est terminé bénéfiquement et que nous avons le bonheur de recevoir des manifestes quotidiens de sa Bonté. Et j'ai renoncé à ma curiosité coupable pour les chenals et je me suis tourné vers les rivières car je suis devenu un Pêcheur d'hommes.

Chaque jour à la tombée du soir le Pa et moi nous descendons sur la rivière en emportant avec nous la canne et le seau rouge des Mozambicains et nous passons deux heures ou plus en contemplation devant les lentes eaux mouvantes de la Tamise. Et quelquefois le soir quand la rivière s'assombrit dans son mystère le pouvoir de l'Amour est si immense que je remémore d'ouvrir mon cœur et de chanter. Car le coucher du soleil sur ces eaux est magnifique à contempler avec sa teinture bleu-violet et ses délicieux petits nuageons rosés (mais pas aussi magnifiques que les couchers de soleil de Zomba) et je suis confondu d'admiration devant son art. Et à travers le mystère de nos longues conversions sur les berges de la rivière le Pa lui-même a entrepris de marcher sur les pas du Seigneur et a arrêté de boire du whisky et de blasphémer.

Et quelquefois il est advenu que les poissons viennent sur notre canne à pêche. Et maintenant la magnifique Ma qui a préparé de si nombreux festins de poisson pour nous a commencé à renoncer à ses précédentes habitudes impies de végétarienne et à la pratique du yogourt et elle entre aussi dans le Royaume de la Joie. Quelquefois à la tombée du soir elle nous accompagne à la rivière qui s'assombrit pour se joindre à notre contemplation. Ce bon mzungu Toby Makenzi pour l'amitié duquel j'étais venu dans ce pays est aussi devenu un disciple de la rivière. Et je prie fervemment que bientôt l'opiacé tombera de son cœur et que lui aussi fera la connaissance de l'Amour.

Remerciements

J'aimerais remercier toutes les personnes qui ont contribué à l'écriture de ce livre. Je citerai tout d'abord mes deux principales sources de références : le rapport de Nick Clark, *Gone West. Ukrainians at Work in the UK* (TUC 2004), sur les conditions de travail des Ukrainiens au Royaume-Uni, et l'ouvrage de Felicity Lawrence sur l'industrie alimentaire, *Not on the Label. What Really Goes into the Food on Your Plate* (Penguin, 2004). Ces études approfondies m'ont servi de point de départ, toutefois les éventuelles inexactitudes sont entièrement de mon fait.

Nombreux sont ceux à m'avoir fourni des informations détaillées sur différents sujets, parmi lesquels Ben Benest, Cathy Dean et Kate Fenton (les chiens), Charles Gaskain (les fraises), Joyce D'Silva de l'association de protection des animaux de la ferme Compassion in World Farming et Dick Churcher (les poulets), Dave Feickert (les mines de charbon et les syndicats), Sonia Lewycka (le Malawi), et Simon Pickvance de l'organisation de prévention de la santé au travail, Sheffield Occupational Health Project.

Je dois également remercier mon agent Bill Hamilton et tous ses collaborateurs de A.M. Heath pour leurs encouragements et leurs conseils avisés, Juliet Annan et Scott Moyers pour ses précieux commentaires, et la merveilleuse équipe de Penguin.

Merci également à la famille O'Brien, qui m'a emmenée cueillir des fraises, et à Bob et Doris Spencer de Gara Bridge, qui nous ont permis de séjourner dans les deux caravanes, ainsi qu'à Jos Kingston, qui m'a présenté Paddy, dont je me suis inspirée pour le Chien.

Enfin, je tiens à remercier Beatrice Monti Della Corte de la fondation Santa Maddalena, grâce à qui j'ai eu la chance de pouvoir travailler dans un merveilleux havre de paix, et Judith et Pasquale Rosato, qui ont su m'apporter toute leur générosité et leur gentillesse dans un moment critique et sans lesquels ce livre n'aurait jamais vu le jour.

Table des matières

DÉJÀ PARUS CHEZ ALTO

Nicolas DICKNER
Nikolski

Clint HUTZULAK
Point mort

Tom GILLING
Miles et Isabel
ou La belle envolée

Serge LAMOTHE
Le Procès de Kafka
(théâtre)

Thomas WHARTON
Un jardin de papier

Patrick BRISEBOIS
Catéchèse

Paul QUARRINGTON
L'œil de Claire

Alexandre BOURBAKI
Traité de balistique

Sophie BEAUCHEMIN
Une basse noblesse

Serge LAMOTHE
Tarquimpol

C S RICHARDSON
La fin de l'alphabet

Christine EDDIE
Les carnets de Douglas

Rawi HAGE
Parfum de poussière

Sébastien CHABOT
Le chant des mouches

Marina LEWYCKA
Une brève histoire du
tracteur en Ukraine

Thomas WHARTON
Logogryphe

Howard McCORD
L'homme qui marchait
sur la Lune

Dominique FORTIER
Du bon usage
des étoiles

Alissa YORK
Effigie

Max FÉRANDON
Monsieur Ho

Alexandre BOURBAKI
Grande plaine IV

Lori LANSENS
Les Filles

Nicolas DICKNER
Tarmac

Toni JORDAN
Addition

Rawi HAGE
Le cafard

Martine DESJARDINS
Maleficium

Anne MICHAELS
Le tombeau d'hiver

Déjà parus chez Alto
dans la collection CODA

Nicolas DICKNER
Nikolski

Thomas WHARTON
Un jardin de papier

Christine EDDIE
Les carnets de Douglas

Rawi HAGE
Parfum de poussière

Dominique FORTIER
Du bon usage
des étoiles

Margaret LAURENCE
Le cycle de Manawaka
L'ange de pierre
Une divine plaisanterie
Ta maison est en feu
Un oiseau dans la maison
Les Devins

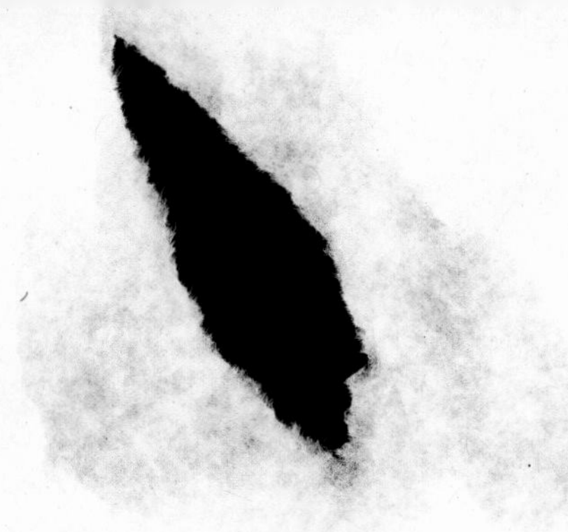

Diffusion pour le Canada : Gallimard ltée
3700A, boul. Saint-Laurent, Montréal (Québec) H2X 2V4
Téléphone : 514 499-0072   Télécopieur : 514 499-0851
Distribution : SOCADIS

Éditions Alto
280, rue Saint-Joseph Est, bureau 1
Québec (Québec)
G1K 3A9
www.editionsalto.com

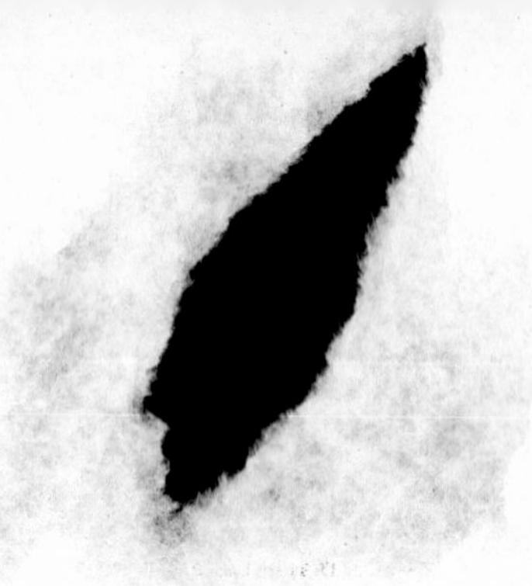

CHEZ TRANSCONTINENTAL GAGNÉ
LOUISEVILLE (QUÉBEC)
EN AVRIL 2010
POUR LE COMPTE DES ÉDITIONS ALTO

L'impression de *Deux Caravanes* sur papier Rolland Enviro100 Édition plutôt que sur du papier vierge a permis de sauver l'équivalent de 43 arbres, 117 780 litres d'eau et d'empêcher le rejet de 1 245 kilos de déchets solides et de 2 734 kilos d'émissions atmosphériques.

Dépôt légal, 2e trimestre 2010
Bibliothèque et Archives nationales du Québec